D1190990

EMIL STAIGER / STILWANDEL

EMIL STAIGER

STILWANDEL

STUDIEN ZUR VORGESCHICHTE
DER GOETHEZEIT

ATLANTIS VERLAG

DRUCK BUCHDRUCKEREI BERICHTHAUS ZÜRICH
PRINTED IN SWITZERLAND

Inhaltsverzeichnis

Einleitung:
Das Problem des Stilwandels

Wenn wir die heutige Lage der deutschen Literaturwissenschaft bedenken, so können wir nicht übersehen, daß sie an einem Scheideweg angelangt ist. Seit mehr als zwei Jahrzehnten pflegen erstaunlich viele Germanisten am liebsten die Interpretation. Methodische Untersuchungen, große Sammelwerke liegen uns vor, und ihr Erfolg beweist ein immer noch nicht ermüdetes Interesse. Dennoch: «Jedes ausgesprochene Wort erregt den Gegensinn[1]», nicht weil der Mensch an sich ein trotziges, eigenwilliges Wesen ist, das sich nicht gern zu lang in eine bestimmte Richtung nötigen läßt, sondern weil das Leben selbst in seiner Unerschöpflichkeit den Gegensinn immer wieder verlangt, weil ihm mit jedem Wort, mit jedem Verfahren, dessen wir uns zu seiner Erforschung bedienen, Gewalt geschieht. So auch mit der Interpretation. Das heißt nicht, daß sie falsch, daß andere Arbeitsweisen richtiger wären, wohl aber, daß auch sie dem Kunstwerk nur in *einer* Hinsicht gerecht wird und andere Pflichten darüber versäumt.

Der Vorwurf, den man gelegentlich hört und den wir beherzigen wollen, lautet: Interpretation ist unhistorisch. Was heißt das aber? Man kann nicht viel darauf erwidern, sofern die Interpreten gemeint sind, die sich völlig unbekümmert dem Kunstwerk nähern und meinen, mit einer Schilderung ihres Eindrucks sei es bereits getan. Ein solches Tun indes nimmt keiner ernst, der weiß, wie mühsam der Zugang auch nur zu der jüngsten Vergangenheit ist und wie sich mit jedem Jahrhundert, ja jedem Jahrzehnt die Schwierigkeiten vermehren. Die wahre Interpretation beruht auf einem Kommentar – oder, da es sich selten empfiehlt, schriftstellerisch diesen von jener zu trennen – in wahre Interpretation verflochten ist ein Kommentar, der über den Stand der Sprache, das

1 Goethe, Wahlverwandtschaften, 2.Teil, 4. Kap.

Gewicht, die Bedeutung, die Aura der Wörter, den Glauben, das Denken, die Sitten der Zeit, vielleicht, wenn dies der Text erfordert, auch über die soziale und die politische Lage Auskunft gibt. Der Kommentar enthält demnach den historischen Teil der Auslegung. Die eigentliche Interpretation, die von der Wirkung, der Kraft und Intensität, der Einstimmigkeit der Teile, der Einheit im Mannigfaltigen handelt, betrachtet, was der Zeit entrückt ist, das Werk sub specie aeternitatis. Erst Kommentar und Interpretation zusammen genügen der Kunst, dem Schönen, das Dauer im Wechsel ist, in dem der Strom des unwiederbringlichen Lebens ins Licht des Ewigen tritt.

Aber mit dieser Erklärung wird die Kritik an der Interpretation noch keineswegs zum Schweigen gebracht. Als unhistorisch gilt sie dennoch, insofern wenigstens, als sie jedes Kunstwerk isoliert, dem in ihm selber Seligen zugewandt bleibt und für das Werden und Vergehen, den Strom der Geschichte kein Interesse, geschweige denn Verständnis aufbringt. Der Interpret berücksichtigt zwar den Raum und die Zeit, die Herkunft des Werks, doch nur, um für die Auslegung des Textes den richtigen Zugang zu finden, um möglichst ungestört von Vorurteilen eines Spätergeborenen darzulegen, daß und wie ein Kunstgebilde «schlank und leicht wie aus dem Nichts gesprungen» aussieht. Und nur bei diesem Verfahren glaubt er der Autonomie der Literaturwissenschaft versichert sein zu dürfen und es nicht nötig zu haben, nach anderen Disziplinen hinüberzuschielen. Sein Gegenstand ist einzig das reine ästhetische Phänomen, und die Wahrheit, nach welcher er trachtet, heißt Evidenz.

Sobald dagegen Veränderungen im Schaffen eines Dichters, in einer Epoche oder in einer Folge von Kunstperioden in Frage stehen, sobald ein Wandel erklärt werden soll, scheint es unerläßlich, über die Dichtung hinauszugehen und von Wirkungen und Ursachen zu handeln. Die Auskunft lautet dann etwa so: Warum verkümmern in Deutschland die spärlichen Blüten der Dichtung des Rokoko? Weil die Gesellschaft fehlt, in der eine solche Kunst zu gedeihen vermöchte. Warum entschließt sich Goethe, die persischen Lyriker nachzuahmen? Weil ihm das Kriegsgeschehen alles moderne und nationale Wesen vergällt. Warum verändert sich die Sprache in Hölderlins letzten Hymnen? Weil der Geist des Dichters umnachtet ist. So werden die Soziologie, die Psychologie, die Weltgeschichte bemüht, wenn sich der Literarhistoriker selbst nicht mehr zu helfen weiß.

Nun mag man es zwar begrüßen, wenn die Wissenschaften zusammenspielen und reger Verkehr die Fächer verbindet. Falsch ist aber die Meinung, man komme anders zu keinem Ergebnis, weil die Literatur im Grunde ja doch nur eine Funktion der Gesellschaft, der Psyche, der Wirtschaftsverhältnisse sei. Bereits ein unbefangenes Studium der Geschichte könnte uns – was zunächst die Gesellschaftsordnung betrifft – darüber belehren, daß es nicht nötig und richtig ist, so zu kapitulieren. Die deutsche Romantik etwa sei – so wird versichert – eine Folge der Französischen Revolution. Romantische Autoren selber legen uns diesen Gedanken nahe. Die Französische Revolution wiederum ist aber ihrerseits zweifellos von Dichtern und Denkern vorbereitet und insofern mitveranlaßt worden. Verstünde man diese nun wieder als Funktionen des ancien régime, so ließen sich wohl unschwer einige ältere Schriftsteller ausfindig machen, die ihrerseits zum Werden des ancien régime beigetragen haben. So bleibt es zweifelhaft, ob das Schrifttum mehr eine Funktion der Gesellschaft oder umgekehrt diese mehr eine Funktion des Schrifttums sei. Beides ist behauptet worden, jenes bekanntlich von den Marxisten, dieses zum Beispiel von Martin Heidegger[2], wenn er sich Hölderlins Wort «Was bleibet aber, stiften die Dichter» aneignet. Beides aber ist Theorie und läßt sich aus der Unendlichkeit der Erfahrung mit gleichem Gewicht belegen.

Nicht besser steht es mit den Erklärungen, welche die Psychologie bereithält. Handlungen, Äußerungen, Gebärden eines Kranken bestimmen den Psychologen, von Schizophrenie zu sprechen. Er hat dazu ein gutes Recht, und niemand, der weiß, was Begriffe sind und bedeuten, wird es ihm streitig machen. Bezeichnet man aber die Krankheitsäußerungen als *Folge* der Schizophrenie, so richtet man seinen Blick ins Leere auf eine qualitas occulta, von der uns niemand sagen kann, was sie jenseits der Phänomene noch

2 M. Heidegger, Hölderlin und das Wesen der Dichtung, München 1936.

sein soll. Schizophrenie ist nicht der Grund der Krankheit, sondern ein Name für die Einheit des Mannigfaltigen, das im Krankheitsbild zutage tritt. Für manche Krankheiten werden dann oft auch wieder äußere Gründe gesucht, in körperlichen Veränderungen oder in einem schweren Erlebnis. Der Arzt wird sich damit befassen. Der Literarhistoriker aber hat hier gar nichts zu erwarten. Denn gerade den Sinn, den ein Dichter dem Leiden abgewinnt, können wir nie aus solchen äußeren Gründen verstehen. Von dem Faktum einer Entfernung zu den Schmerzen des Abschieds gibt es keinen Übergang, ebensowenig von Schädigungen der Großhirnrinde zu einem Vers oder einem Gedanken.

Es erübrigt sich, noch jene Literaturwissenschaft zu prüfen, die Stamm und Landschaft für den Charakter einer Dichtung verantwortlich macht, Entwicklung und Wandel des Schrifttums demnach aus Wanderungen von Stämmen und aus dem Heimatwechsel von Dichtern erklärt. Das geistige Antlitz von Völkern, Stämmen und Ländern erkennen wir aus der Kultur. Diese Kultur nun umgekehrt aus biologischen und geographischen Tatbeständen erklären zu wollen, ist ein vollkommener Widersinn.

Jeder phänomenologisch Gebildete kennt sich in diesen Verhältnissen aus und weiß, was von den theoretischen, postulierten und konstruierten Kausalitäten zu halten ist. Wir brauchten nicht darauf hinzuweisen, wenn das Problem des geschichtlichen Wandels uns nicht so leicht verführen würde, wider besseres Wissen zu reden. Noch immer bleibt die Frage offen: Wie können wir einen Wandel erfassen, ohne nach Belieben Eigenschaften und Ursachen anzusetzen und ohne uns an der Eigenart der Literatur zu versündigen?

Da wäre denn vorerst abzuklären: Was wandelt sich in der Literatur, wenn der Barock ins Rokoko, der Sturm und Drang in die Klassik, die Aufklärung in die Romantik übergeht? Und weiterhin: Mit welcher Befugnis sprechen wir überhaupt von Romantik, von Klassik, von Rokoko und Barock?

Darüber entstehen bekanntlich die sonderbarsten Meinungsverschiedenheiten. Man streitet sich etwa, ob die Romantik durch ihr Verhältnis zum Mittelalter oder zu Fichte oder zu Goethes

«Wilhelm Meister» bestimmt werden müsse. Manche lehnen es rundheraus ab, Epochenbegriffe gelten zu lassen, und weisen auf die Mannigfaltigkeit der historischen Daten hin. Sowohl die Weigerung aber, von Epochen zu sprechen, wie die Diskussionen über ihr wahres Wesen bedeuten eine Verkennung dessen, was Epochenbegriffe leisten. Denn wie verhalten wir uns, wenn wir sie prägen und wenn wir uns ihrer bedienen? Wir schauen die Werke eines Dichters und Werke verschiedener Dichter an im Hinblick auf etwas, das ihnen bei aller Verschiedenheit gemeinsam ist. Dieses Gemeinsame finden wir zwar *anhand*, aber keineswegs *aus* der Erfahrung. Es anzusetzen, bleibt uns überlassen. Die Frage ist nicht, ob es richtig, sondern nur, ob es zweckmäßig angesetzt sei. Unzweckmäßig zum Beispiel wäre eine Bestimmung der Frühromantik im Hinblick auf Fichtes Philosophie; sie schlösse Wackenroder aus. Unbillig wäre andrerseits aber auch wieder die Forderung, daß nun alles und jedes, was Tieck oder Friedrich Schlegel geschrieben haben, romantisch sein müsse. «Romantisch» ist für uns – im platonischen Sinne des Wortes – eine «Idee», an der gewisse Dichter und Denker mehr oder minder Anteil haben. Und alsdann ist das Wesen der Romantik sachgerecht bestimmt, wenn wir dem Selbstverständnis derer, die sich als Romantiker fühlen, und dem allgemeinen Sprachgebrauch nach Möglichkeit Rechnung tragen.

Im Rahmen der Literaturgeschichte sind wir es längst gewohnt, statt von Epochen- von Stilbegriffen zu sprechen. Wir nennen das Eine, in dem ein Mannigfaltiges übereinstimmt, «Stil», und reden vom Stil eines einzelnen Werks, vom Stil eines Dichters, vom Stil einer Zeit – vom Stil des «Tasso» im Unterschied zum Stil des «Götz von Berlichingen», von Goethes Stil, vom Stil der Klassik. Im «Tasso» stimmen das Versmaß, die Gestalten, die Sprache, die Handlung in etwas anderem überein als im «Götz». Die Werke der Klassik schließen sich in einer anderen Einheit zusammen als die des Rokoko und des Barock.

Worin dies Eine jeweils besteht, ist freilich schwer mit Worten zu sagen, weil es ja weder ein Glaube noch ein Tonfall, weder ein Brauchtum noch ein Mythos, weder ein eigentümlicher Bau der Sätze noch eine Stimmung, sondern das alles Durchwaltende ist, die «Fuge, die alles Verfügte fügt[3]». Praktisch genügt es zwar durchaus, die Einheit intuitiv zu erfassen. Doch wer das Bedürfnis empfindet, auch intuitiv Erfaßtes abzuklären, der wird das Eine, das im Mannigfaltigen waltet, als «Rhythmus» deuten und im Rhythmus die Urfigur eines bestimmten geschichtlichen Daseins erkennen.

Dafür bieten sich räumliche und temporale Begriffe an: distance intérieure[4], geschlossene, offene Formen, Stil der Tiefe und Höhe oder der Nähe und Ferne[5], temps vécu[6], temps humain[7], naiv, satirisch und elegisch[8] als Stil der erfüllten Gegenwart, der Forderung und der gedenkenden Wehmut, Vorstellung, Spannung, Erinnerung, das Ineinanderwirken verschieden akzentuierter Ekstasen der Zeit[9] – und wie man sonst dem unaussprechlichen Wesen beizukommen versucht hat. Wenn wir das Walten der Einbildungskraft des Menschen als «Zeit» – im Sinn einer transzendentalen Ästhetik – auslegen dürfen, bezeugt sich jeder Stil zuletzt als Modifikation der «Zeit» und heißt: ein Werk, einen Dichter oder eine Epoche interpretieren, implizit oder explizit, ihre temporale Struktur enthüllen[10].

Zum Zeitstil gehört aber nicht nur die Dichtung. Wenn wir «Rokoko» sagen, meinen wir außer Wieland, Gleim oder Ramler auch die Amalienburg, auch Fragonard, auch Graun und Pergolesi. Und weiter meinen wir Möbel, Kostüme, Frisuren, Schönheitspflästerchen, Puder; wir meinen die Art, sich zu komplimentieren, den Degen zu tragen, den Fächer zu halten. Sogar die ständische Ordnung, das Recht, die Wirtschaft beziehen wir ein in den Stil. Wer wollte in einer erschöpfenden Interpretation der Romane Wielands die höfischen Sitten, den aufgeklärten Despotismus von der kecken Galanterie der Prosa trennen? Gegen das

3 Im Sinne von M. Heidegger, Holzwege, Frankfurt am Main, 1950, S. 43 ff.
4 Vgl. G. Poulet, La distance intérieure, Paris 1952.
5 Vgl. Th. Spoerri, Trivium 1944, Jg. 2, Heft 1, S. 25 ff.
6 Vgl. E. Minkowski, Le temps vécu, Paris 1933.
7 Vgl. G. Poulet, Etudes sur le temps humain, Paris 1949.
8 Schiller, Naive und sentimentalische Dichtung.
9 Vgl. E. Staiger, Grundbegriffe der Poetik, Zürich 1946.
10 Vgl. E. Staiger, Die Zeit als Einbildungskraft des Dichters, Zürich 1939.

Ende des Jahrhunderts wird alles anders, von der Stellung des Fürsten bis zu den Röcken und Hosen. Die kleine Perücke, die das Haupt ihres Trägers so säuberlich einfaßt, weicht dem losen, vom Wind umspielten Haar, mit dem sich uns etwa Jacques Louis David oder Chateaubriand darstellt. Ein neues Verhältnis zur Natur, zur Umwelt tritt darin zutage, wie schon in jener verwegenen Tracht, die Wilhelm Meister nach dem Studium Shakespeares für geziemend hält. Alles und jedes, was Menschen schaffen, denken und fühlen, womit sie sich schmücken, worin sie wohnen, was ihr Leben im Staat und in der Gesellschaft regelt, kann demnach aufgefaßt werden als Stil, als sicher ausgeprägter bald, dem künstlerische Bedeutung zukommt, bald als verwischter, schwankender oder vermischter, wie wir ihn aus dem gemeinen Leben unserer Tage kennen. Auch was die Psychologie uns unterbreitet, nehmen wir nicht aus. In Taten und Worten, sogar in der grammatischen Struktur der Sätze bekundet die Schizophrenie einen anderen Stil als das manische Irresein. Die Äußerungen des Melancholikers stimmen in anderer Art überein als die des euphorischen Temperaments. Den unlösbaren Zusammenhang, die Einheit der «Welt» eines Geisteskranken, weist schon im Rahmen der Psychologie der Daseinsanalytiker[11] nach. Er nähert sich damit unserm Geschäft, das «Stilkritik» genannt worden ist und diesen Namen behalten mag. Wir freuen uns über die Nachbarschaft. Die Meinung ist aber natürlich nicht, daß schließlich alle Geisteswissenschaften in Stilkritik enden müßten, weil alles Menschenwesen in einer bestimmten Hinsicht Stilphänomen ist. Der Soziologe würde erwidern, daß alles Menschliche, selbst die poetischen Gattungen und die Motive der Dichter, von soziologischer Relevanz sind. Und ähnlich nähmen wiederum andre dieselben Themen für sich in Anspruch. Den Streit der Fakultäten zu schlichten und ihre Rangordnung in einer allgemeinen Lehre vom Menschen zu regeln, ist hier nicht der Ort.

«Es eifre jeder seiner unbestochnen,
Von Vorurteilen freien Liebe nach.»

11 Vgl. L. Binswanger, Über Ideenflucht, Zürich 1933; Grundformen und Erkenntnis menschlichen Daseins, Zürich 1942; Melancholie und Manie, Pfullingen 1960.

Gerade dann, wenn jede Disziplin nach ihren Begriffen vorgeht und ihren Gesetzen gehorcht, vermag sie die andern am ehesten anzuerkennen und leistet sie ihren gültigen Beitrag zur Beantwortung der einen ewigen Frage: «Was ist der Mensch?»

So bleibe denn auch die Literaturwissenschaft ihrer eigenen Charta treu. Sie steht zu sich selber, wenn sie, als Teil einer universalen Kulturwissenschaft, in allem Stilphänomene erblickt und dem Wesen des Stils dadurch gerecht wird, daß sie mit höchster Evidenz die Einheit im Mannigfaltigen eines Werks oder einer Epoche nachweist.

Indem wir uns aber dergestalt noch einmal auf unser Verfahren besinnen, scheint es nur um so schwieriger, über die Statik der Interpretation hinauszugelangen und mit literaturwissenschaftlichen Mitteln dem Gebot der Historie Folge zu leisten. Wir sind uns klar darüber, inwiefern wir alles Menschenwesen als Stilphänomen betrachten dürfen. Wir glauben, Stile als rhythmische Strukturen verständlich machen zu können, und fühlen uns in der Lage, mit räumlichen oder temporalen Begriffen nicht nur große Gegensätze, wie «klassisch und romantisch» oder «antik und modern», herauszuarbeiten, sondern – wie Becking[12] es in der Beschreibung von musikalischen Rhythmen geglückt ist – durch immer subtilere Differenzierung der Raum- und Zeitbegriffe auch enger begrenzten Epochen und schließlich individuellen Nuancen genug zu tun. Das hilft uns aber nicht über den Graben. Wir können nun zwar in einer chronologischen Folge von Deskriptionen – des Mittelalters, der Renaissance, des Barock, der Aufklärung, der Klassik und so fort – das ganze Jahrtausend der deutschen Literatur erfassen – ein großes und lohnendes Unternehmen! Den Namen «Geschichte» führt eine solche Darstellung aber noch nicht mit Recht. Denn wie es vom einen zum andern kommt, ein Stil in den folgenden übergeht, dies deutlich zu machen, scheint noch immer nicht zu gelingen, wenn wir nicht wieder die Grenzen der Literaturwissenschaft überschreiten und zweifelhafte oder unsinnige Kausalitäten behaupten.

Wir wissen nun aber doch besser, was dies heißt: ein Wandel

12 G. Becking, Der musikalische Rhythmus als Erkenntnisquelle, 2. Aufl., Darmstadt 1958.

des Stils tritt ein; ein Stil geht über in einen andern. Es heißt, gemäß der Einsicht in die Leistung und den Sinn des Epochenbegriffs, der uns deutlich geworden ist: Wir haben ausgewählte Schöpfungen eines Zeitraums interpretiert, unter einem von uns gewählten Gesichtspunkt, der eine stilistische Einheit im Mannigfaltigen wahrzunehmen erlaubt. Die Einheit zerfällt; dann stellt sich unter einem neuen Gesichtspunkt wiederum eine neue Einheit dar. Wie können wir einen solchen Vorgang nicht nur konstatieren, sondern literaturwissenschaftlich verstehen?

Es gibt darauf zunächst nur eine, scheinbar höchst triviale Antwort: Aller Wandel von Stilen erklärt sich aus dem Umstand, daß jedes Geschlecht und jeder einzelne Mensch im Lauf der Jahre schon einen mehr oder minder ausgebildeten Stil antrifft. Aus dieser einfachen Lage ergeben sich ganz verschiedene Möglichkeiten. Es kann geschehen, daß die Jugend überall nur Ansätze findet, Andeutungen einer nach neuen Zielen ausgerichteten Kunst. Dann wird es ihre Aufgabe sein, auf kaum gebahnten Wegen in der gleichen Richtung weiterzuschreiten. Mozart verhält sich so zu der Mannheimer Schule und Johann Christian Bach; so folgt der junge Goethe Wieland, Lessing, Klopstock, Herder nach. Der Wandel ereignet sich als *Vollendung*. Stößt das neue Geschlecht dagegen auf einen bereits vollendeten, in sich selber wohlgefestigten Stil, so gibt es vielleicht der Versuchung nach, was vorliegt, noch zu überbieten. Es tritt mit derselben Kraft auf den Plan, mit der die Väter begonnen haben. Die Hindernisse sind aber bereits beseitigt, die Pfade der Sprache geglättet; was schwierig war, ist leicht geworden. So schafft es sich künstlich Schwierigkeiten und übertreibt die Anstrengung. Der Wandel vollzieht sich als *Steigerung*. Ein deutliches Beispiel bietet der Übergang von der Renaissance zum Barock oder, innerhalb des Schaffens eines Einzelnen, die Entwicklung von Goethes jambischem Blankvers zu den belasteten Trimetern der «Pandora». Da macht sich ein Epigone seiner selber die Sache schwer und wendet noch immer die alte Energie auf, obwohl ihm verstattet wäre, sich bequem auf geebnetem Weg zu ergehen. Als dritte Möglichkeit sei die *Verflüchtigung* des Vollendeten angeführt. Verwöhnte Erben finden Gehör. Alles ist schon durchdrungen, angeeignet und jederzeit verfügbar. Eine vertrauensselig-verwegene Stimmung bemächtigt sich der Gemüter. Das Schicksal scheint sich aufgelöst zu haben. Die Welt wird flüssig. Es «winkt zu Fühlung fast aus allen Dingen». So hebt die deutsche Romantik mit Friedrich Schlegel, Tieck und Novalis an. Wir kennen aber den Spruch, der den Romantikern Schlimmes prophezeit:

«Sie wissen gar nichts
Von stillen Riffen;
Und wie sie schiffen,
Die lieben Heitern,
Sie werden wie gar nichts
Zusammenscheitern.»

«Zusammenscheitern» – das ist ein *Stilbruch*. Auch ein Stilbruch kann sich wieder auf mannigfaltige Weise ereignen. Hegel hat uns besonders die tragischen Katastrophen beachten gelehrt. In einem konsequent zu Ende gedachten, den letzten Proben ausgesetzten Weltbild treten unlösbare Widersprüche hervor; der Sinnzusammenhang zerreißt. Daß nun sogleich die Gesetze des dialektischen Fortschritts zu wirken beginnen, wagen wir nicht mehr so zuversichtlich wie die Hegelianer zu hoffen. Wir sehen nur, daß ein Chaos hereinbricht und daß dieses Chaos zum Neubeginn zwingt, der freilich denn meist vom Widerspruch gegen den bisher gültigen Geist diktiert ist.

Leicht vergessen wird der Stilbruch, der über die Zone des Komischen führt. Sehen wir aber genauer hin, so drängen sich seltsame Beispiele auf. Der Stil der Aufklärung etwa verbannt das Phantastische, Gruslige, Rohe, Derbe. Nun wählen Gleim und Hölty für Bänkelsängerballaden solche Motive, zu ihrer Belustigung und zum Gelächter eines gebildeten Publikums. Bürger erlaubt sich ähnliche Scherze. Doch in der «Lenore» wächst ihm das Grausige und Unheimliche über den Kopf. Wir hören noch deutlich den Ton des Bänkelsängers, von dem er ausgeht, und hören, wie er dann doch der Erschütterung nachgibt und eisige Schauer gewähren läßt. Der Ernst von Goethes «Faust» ist ähnlich aus einem Umschlag der in den ältesten Teilen noch ganz artistischen Komik der Knittelverse hervorgegangen.

Warum es jeweils zum Stilbruch, zur Verflüchtigung, zur Steigerung oder Vollendung kommt, darüber gibt nur die Ausgangslage gültigen Aufschluß. Um 1770 konnte den noch mächtigen Geist der Aufklärung allein ein gewaltsamer Stilbruch erschüttern. Ein Menschenalter später, auf dem Boden Berlins, verflüchtigte sich eine alt und müde gewordene Welt in der «Euthanasie des Rokoko[13]». Dergleichen ist verständlich, ja einleuchtend. Es leuchtet uns aber nur ein als vaticinatio ex eventu. Niemand darf sich erkühnen, den Gang des geschichtlichen Lebens vorauszusagen. Zu bunt, zu kraus ist alles verflochten, der Möglichkeiten sind zu viele, als daß ein sterbliches Auge befähigt wäre, das ganze Spiel zu durchschauen.

Dieselbe Vorsicht gebietet die, wie man glauben möchte, harmlosere Frage: Wann und warum beginnt ein Wandel des Stils? Wie breitet er sich aus? Unwillkürlich suchen wir nach einem spektakulären Ereignis, wie es im Rahmen der neueren deutschen Literaturgeschichte zum Beispiel Hamanns Erweckung in London oder Goethes Flucht nach Rom darstellt. Bei näherem Zusehen zeigt sich dann aber fast immer, daß die scheinbar so plötzliche Wendung vorbereitet war und nur überraschend ausgelöst wurde. Wir finden einen fremden Autor, den der Verwandelte längst gelesen und dessen Saat nun auf einmal aufgeht, weil die Stunde gekommen ist, auch apokryphe Literatur, die unversehens Geltung erlangt und in die oberen Ränge einrückt, ein «Erlebnis», eine Begegnung, die einst, vielleicht viel früher, einen unauslöschlichen Eindruck gemacht hat. Darüber belehrt uns seit einem Jahrhundert, sachlich einwandfrei, doch unter falschen Voraussetzungen, die positivistische Literaturwissenschaft. Der fremde Einfluß nämlich *bewirkt* den Wandel nicht; er *bestätigt* ihn nur. Denn er setzt ja schon eine Bereitschaft voraus. Shakespeare ist vielen Bühnendichtern bekannt, bevor er bedeutsam wird. Den Griechen nachzufolgen, steht den Deutschen seit Jahrhunderten frei. Doch erst mit Winckelmann hebt die große, folgenschwere Begegnung an. Suleika ist da, bevor die Liebe zu Marianne von Willemer aufblüht. Erst Suleika rückt Marianne ins Licht von

13 So A. Bäumler in der Einleitung zu: Der Mythos von Orient und Okzident, München 1926, S. CLXIX.

Goethes westöstlicher Lyrik. Gesetzt jedoch, die Chronologie sei über jeden Zweifel erhaben, so wird uns das gründlichste Studium des Einflusses dennoch nicht darüber belehren, *wie* er sich jeweils gestaltet. Ein Kenner von Spinozas Hauptwerk versteht die naturwissenschaftlichen Schriften Goethes vielleicht nicht besser als ein anderer, der es ebenso flüchtig gelesen hat wie Goethe selbst. Was irgendein Denker oder ein Dichter, ein Motiv, ein Bild, ein Gedanke, ein Vorgang für Goethe bedeutet hat, das werden wir nur von Goethe erfahren. Den Sinn des «Erlebten, Erlernten, Ererbten» bestimmt der Stil, nicht umgekehrt, obwohl der Stil im Erlebten, Erlernten, Ererbten wiederum Boden faßt.

So haben wir uns denn abermals, auch innerhalb der Stilgeschichte, gegen den falschen Gebrauch der Kategorie der Kausalität zu verwahren. Wir müssen ihr zwar notgedrungen auch geistiges Sein unterworfen denken. Doch wenn wir uns das Verhältnis von Wirkung und Ursache vorzustellen versuchen, entschwindet es uns. Es bleibt im Einzelnen unerfindlich, weil keine Individualität der andern gleicht, weil jede, obwohl der Tradition verpflichtet, auf ihre besondere Weise, nach Hegels Ausspruch, «ist, was ihre Welt als die ihrige ist». Und unerfindlich bleibt es im Großen angesichts der ungeheuren Fülle der Überlieferung. Es wäre ein Wahnwitz, bemerken zu wollen: dies hat gewirkt, dies mehr, dies weniger, dieses entscheidend und jenes gar nicht. Die Dichter selber, sogar die bewußtesten, könnten darüber nichts Gültiges sagen. Sie mögen einem Meister, einem Vorbild dankbar sein; vielleicht ist diese Dankbarkeit ein Irrtum. Unterirdische Bahnen mögen ihr Schaffen mit einer Quelle verbinden, von deren Dasein sie nichts wissen.

Doch wenn wir im Geistesleben Wirkung und Ursache kaum zu ermitteln vermögen, wenn es sogar nicht sinnvoll scheint, überhaupt von Kausalitäten zu sprechen, so sind Zusammenhänge wesensmäßiger Art sehr wohl erkennbar. Schillers Gedankenlyrik ist nicht durch Kant verursacht, aber sie hängt zusammen mit der Besinnung auf Kant. Der Dichter ist bereit für das Problem der «Kritik der reinen Vernunft». Er setzt sich damit auseinander und reift, indem er sich mit Kant beschäftigt. Das neue Selbstbewußtsein des deutschen Bürgers um 1750 begründet nicht das bürgerliche Trauerspiel. Doch wieder: es hängt zusammen damit; derselbe Wandel ergreift die Gesellschaftsordnung und die Literatur.

Wenn dem so ist, wird Stilgeschichte schreiben nicht heißen, so etwas wie einen Kausalnexus herstellen zu wollen. Man wird die Phasen des Prozesses herausarbeiten und ihre sinnvolle Folge, ihren Zusammenhang schildern, mit andern Worten, im Sukzessiven dieselbe Evidenz erstreben, um die sich die kunstgerechte Interpretation bei dem Erweis der Einstimmigkeit im simultanen Gefüge des einzelnen Werks bemüht. Der Leser soll den Eindruck gewinnen: So mußte es kommen; das ist der Weg, der von dieser Phase zur nächsten führt; es ist überzeugend, daß er von seinem Ausgangspunkt zum Ziel nur so, nicht anders zurückgelegt werden konnte.

Besonderes Interesse verdienen da jene zweideutigen Phänomene, die man so häufig, fast regelmäßig, auf der Schwelle der Zeiten antrifft, Werke, die nicht vollendet, nicht in ihrer gediegenen Ruhe selig, doch ebendeshalb für die historische Forschung nur um so ergiebiger sind. Wir werden ratlos und fragen zum Beispiel: Zeugen Ramlers erste Oden mit ihren antiken Maßen bereits von dem Willen zu mächtiger Emotion, der dann in Klopstocks asklepiadeischen und alkäischen Strophen hervorbricht, oder erscheinen sie uns mit Recht noch als kühle, ausgeklügelte Spiele? Rechnen wir die leidenschaftliche Sprache der Gräfin Orsina in Lessings «Emilia Galotti» zum Sturm und Drang, oder finden wir eher, sie sei, trotz täuschender Ähnlichkeit, doch «nur gedacht[14]?». Den auf Ordnung erpichten Gelehrten, der nur klassifizieren möchte, bringen solche Texte zur Verzweiflung. Der echte Historiker ist entzückt, wann immer ihm Januskövpfe begegnen.

Er weiß auch, wie unauffällig meist die ersten Zeichen des Wandels sind. Ideengeschichtlich orientierte Forscher finden es selbstverständlich, von neuen Weltanschauungen, neuen Glaubensbekenntnissen auszugehen und metrische, syntaktische Eigenheiten als Folgen hinzunehmen. Die Möglichkeit muß aber eingeräumt werden, daß irgendwo ein neuer Ton, ein neuer Duktus

14 Goethe an Herder, 10. Juli 1772.

der Prosa gelingt und dieser neue Ton nachträglich neuen Gedanken zur Sprache verhilft und so den schlummernden Geist erlöst. Wenn wir uns wieder darauf besinnen, daß die Einheit eines Stils im Rhythmus gründet, so wundern wir uns darüber nicht – im Gegenteil! Wir werden sogar zu der Einsicht gelangen, daß eben ein Vorgang, der ganz unauffällig beginnt, der natürliche ist und daß wir ihn nur übersehen, weil er sich oft an entlegenen Stellen abspielt und weil wir in stilgeschichtlichen Untersuchungen noch zu wenig geübt sind. Wer Ohren hätte zu hören und Augen, in tief verborgene Winkel zu spähen, dem stellte sich mancher geschichtliche Wandel wohl als Ereignis dar, das an das «Waldlied» Gottfried Kellers erinnert:

«Fern am Rande fing ein junges Bäumchen an, sich sacht
zu wiegen,
Und dann ging es immer weiter an ein Sausen, an ein Biegen;
Kam es her in mächtgem Zuge, schwoll es an zu breiten Wogen,
Hoch sich durch die Wipfel wälzend kam die Sturmesflut gezogen.
Und nun sang und pfiff es graulich in den Kronen, in den Lüften,
Und dazwischen knarrt' und dröhnt' es unten in den Wurzelgrüften.
Manchmal schwang die höchste Eiche gellend ihren Schaft alleine,
Donnernder erscholl nur immer drauf der Chor vom ganzen
Haine!
Einer wilden Meeresbrandung hat das schöne Spiel geglichen;
Alles Laub war, weißlich schimmernd, nach Nordosten
hingestrichen.»

Wie grandios ist Goethes Aufbruch nach der Begegnung mit Herder in Straßburg! Die neue weltliche Innigkeit aber, die uns so großen Eindruck macht, vernehmen wir schon in einigen Zeilen, die fast zufällig aus Experimenten mit Versen in Briefen an Johann Jakob Riese in Leipzig entstanden sind:

«So wie ein Vogel, der auf einem Ast
Im schönsten Wald, sich, Freiheit atmend, wiegt,
Der ungestört die sanfte Lust genießt,
Mit seinen Fittigen von Baum zu Baum,
Von Busch auf Busch sich singend hinzuschwingen...»

So drängt es sich hier und dort hervor, verstummt auch wieder, wie erschrocken in einer noch ungemäßen Umgebung, und jubelt endlich im «Mailied» auf, begeistert von Gefährten, die Gleiches ahnen, und seinerseits diese begeisternd. – Wie dankbar blickt ein junges Geschlecht um 1770 zu Hamann hinüber! Die wenigsten beachten jedoch, was ihrem Meister das Wichtigste war: den auf die Bibel gegründeten, massiven protestantischen Glauben. Allgemein wirkt Hamanns Prosa, das schwer befrachtete, dunkle, von Anspielungen, von Gedankenstrichen und Ausrufezeichen durchsetzte Deutsch. Nicht seinem religiösen Bekenntnis, sondern dem Explosivstil begegnen wir wieder in Lenzens und Klingers Dramen und in den Idyllen Maler Müllers.

Je länger wir aber bei der Betrachtung solcher Metamorphosen verweilen, desto bänglicher wird uns zumute. Wir meinen, an der Darstellung des wirren Geschehens verzweifeln zu müssen, und halten es für ausgeschlossen, daß ein Einzelner befugt sei, «den ganzen Reigen anzuführen[15]». So dürfte es sich denn auch empfehlen, zunächst auf eine große und umfassende Schilderung zu verzichten und wenige, besonders geeignete Themen gesondert herauszuarbeiten, selbst um den Preis, daß ein Vorgang manchmal künstlich isoliert werden muß. Gerade wenn wir so verfahren, beruhigt uns bald die Wahrnehmung, daß sich die künstlich gesonderten Bahnen wieder verbinden, daß sich das weitverzweigte Geschehen vereinfacht, je mehr wir uns den größten Gestalten und den Epochen des schönsten Gelingens nähern. Goethe und Schiller haben sich nie genug darüber verwundern können, daß sie das Leben aus entgegengesetzten Lagern zusammenführte. Die Frühromantiker bilden eine Schule, sie wissen nicht, wie es geschieht. Friedrich Schlegel hat ein Winckelmann der Literatur werden wollen und spielt auf einmal das Interessant-Moderne gegen das Klassische aus. Novalis versenkt sich in tiefer mystischer Stille in den Tod der Geliebten. Tieck, der alles schon literarisch kostet, bevor es ihm wirklich begegnet, wird heimgesucht von Langeweile und nimmt das nichtige Leben als Traum. Wackenroder faltet die Hände in kindlich-musikalischer Andacht. Und

15 Hofmannsthal, Kleines Welttheater.

diese Menschen ganz verschiedener Sinnesart und Herkunft schließen ein literarisches Bündnis und halten es einige Jahre aus miteinander. Gewohnt, die Gaben des Lebens als selbstverständlichen Tribut zu betrachten, finden sie das nicht wunderbar. Goethe jedoch hat die Freundschaft mit Schiller dämonischem Walten zugeschrieben. Und in der Tat! Wenn solche Gruppen und Schulen sich bilden, deren Geist einer ganzen Zeit das Gepräge gibt, so ist es, als würde in einem Feuer, das über den Häupten lodert, alles Widrige, Fremde ausgebrannt, als würde das Eine, das die Stunde erfordert, in den Gemütern gestärkt, als risse ein unwiderstehlicher Zug die Begabungen hin zu dem, was sein soll.

Indem wir uns aber so ausdrücken, beschwören wir zuletzt noch eine besonders schwierige Frage herauf. Die Interpretation gelangt ans Ziel, wenn die Struktur der Einbildungskraft eines Dichters zutage tritt. Die Schöpferkraft des individuellen Geistes also ist ihr Thema. In einer Literaturgeschichte nun, die den Wandel der Stile verfolgt, die zwar den Begriff der Kausalität verschmäht, aber doch von Phasen spricht und jede Gestalt und jedes Werk in einen großen Prozeß einordnet, scheint für die Schöpferkraft des Einzelnen wenig Raum mehr übrig zu sein. Wo bleibt das Rätsel des Ursprungs, das Geheimnis des stiftenden Genius, wenn jede Leistung durch ihren Ort im Verlauf der Geschichte charakterisiert wird? Hier ist es geboten, sich einer ernsten, erschütternden Einsicht nicht zu verschließen. Wir müssen uns sagen, daß die «Natur» vermutlich ununterbrochen Begabungen jeder erdenklichen Art bereitstellt, daß aber jede geschichtliche Situation nur einer geringen Zahl das Wort erteilt und für die andern im Augenblick keine Verwendung findet. So mit unerschöpflichen Kräften umzugehen, ist der grausamen, grandiosen Natur gemäß. Man wird nun sogleich an einige bekannte gescheiterte Dichter denken, an Günther zum Beispiel oder an Lenz. Doch diese sind eigentlich nicht gemeint. Die Nachwelt weiß doch immerhin von ihren Leiden und ihrem Versagen. Wie viele aber haben bereits den ersten Vers nicht bilden können, ja sogar nicht einmal die Poesie als ihren Beruf erkannt, sind «klanglos zum Orkus hinab» gegangen und waren dennoch nicht «gemein»? Wir wissen es nicht. Auf solche Fragen bleibt die Geschichte ewig stumm. Es ziemt sich aber zu bedenken, was etwa aus einem Menschen von der Beschaffenheit C.F.Meyers zu Lessings Zeit geworden wäre und wieder aus einer Persönlichkeit wie Lessing in einer saturierten, des längst Vollendeten müden Epoche. Ein Druck, ein dauerndes Unbehagen, ziellos-verworrene Ungeduld, vielleicht ein frühes Verdämmern in Schwermut – das könnten dann wohl die einzigen Spuren des Ungemeinen gewesen sein.

Was hat der Mensch seiner eigenen Kraft, was hat er dem Kairos zu danken? Goethe sagt es, seiner Art nach heiter-gelassen, wenn er bemerkt:

«Um Epoche in der Welt zu machen ... dazu gehören bekanntlich zwei Dinge: erstens daß man ein guter Kopf sei, und zweitens, daß man eine große Erbschaft tue[16].»

Nun sehen wir klar und sind in der Lage, die Interpretation und die geschichtliche Forschung, die wir in einer voreiligen Fehde betroffen haben, gegeneinander abzugrenzen und dieser wie jener die angestammten Hoheitsrechte zuzugestehen: Die Interpretation befaßt sich mit dem «Kopf», die Untersuchung des Wandels der Stile mit der «Erbschaft» und dem Prozeß, in dem sich jeweils die Aneignung einer Erbschaft vollzieht. Die beiden Methoden stören sich nicht. Sie ringen vereint um ein Verständnis des Seins und Werdens der Literatur.

Als Einzelstudien zum Problem des Stilwandels wollen die folgenden Untersuchungen aufgefaßt sein. Die ersten drei – «Rasende Weiber...» (erschienen 1961 im 4. Heft des 80. Bandes der Zeitschrift für deutsche Philologie), «Zu Bürgers ‚Lenore'» (Studii Germanici, Roma 1963), «Der neue Geist in Herders Frühwerk» (Schiller-Jahrbuch 1962) – gehen von der Früh- und Blütezeit der deutschen Aufklärung aus und enden im Sturm und Drang. Anfangs- und Endpunkt sind also jedesmal gleich. Die Wege der Entwicklung sind aber verschieden; sie gleichen einander nur in ihrer Kontinuität und erstaunlichen Folgerichtigkeit. Im selben Sinne ließe sich der Wandel des Romans von Gellert über Wieland zu Heinse oder von Wieland zu Jean Paul beschreiben; der Umschlag von den Idyllen Salomon Geßners zu denen

16 Gespräche mit Eckermann, 2. Mai 1824.

Maler Müllers wäre nicht minder aufschlußreich. Und einer besonderen Untersuchung bedürften die Linien, die zu Klopstock und von Klopstock weiterführen[17]. Schließlich wäre alles zusammenzufassen in einem großangelegten Gemälde des Vorspiels der Goethezeit, das seinerseits wieder den Anfang einer nicht mehr geistes-, sondern wahrhaft stilgeschichtlich orientierten Geschichte der Goethezeit bilden könnte.

Die letzte Studie, «Ludwig Tieck und der Ursprung der deutschen Romantik» (Neue Rundschau 1960, 4. Heft), geht gleichfalls von der Aufklärung, aber nun von einer schon überalterten, aus und rückt damit das Problem des Stilwandels wiederum in ein anderes Licht. Eine vollständige Würdigung der Anfänge der romantischen Schule oder auch nur der Jugend Tiecks war selbstverständlich nicht geplant. Wenn sich der Leser unversehens von einer Phase des aus dem Ganzen herauspräparierten Prozesses zur nächsten hinübergeleitet fühlt und wenn er außerdem Anlaß findet, sich über das wunderbare Wechselspiel von allgemeinem und individuellem Geist Gedanken zu machen, hat der Autor sein Ziel erreicht.

17 Bedeutsame Vorarbeiten zu einer solchen Darstellung liegen schon vor. Ich nenne Peter Michelsen, L. Sterne und der deutsche Roman des 18. Jahrhunderts, Göttingen 1962, und Karl Ludwig Schneider, Klopstock und die Erneuerung der deutschen Dichtersprache im 18. Jahrhundert, Heidelberg 1960.

Rasende Weiber in der deutschen Tragödie des 18. Jahrhunderts

Gegenstand der folgenden Studie ist der Stilbruch, der die Zeit, die wir «Sturm und Drang» zu nennen gewohnt sind, von einer älteren, noch vom Geist der Aufklärung beherrschten scheidet. Das Unternehmen erfordert eine knappe methodische Vorbemerkung. Zunächst ist zuzugeben, daß weder Aufklärung noch Sturm und Drang, sofern wir nur die Begriffe der theoretischen Schriften und dichterische Gestalten und Motive beachten, einheitliche Phänomene sind. Die Überlieferung, auf die sich die Lehrer der kritischen Dichtkunst stützen, ist viel zu reich und zu widerspruchsvoll und das Vertrauen auf die eigenen Fähigkeiten noch meist zu schwach, als daß bereits gediegene Systeme erwartet werden dürften. Bei Gottsched gerät die Rücksicht auf Aristoteles und Horaz, auf Scaliger und die französische Klassik in Kollision mit einer persönlichen Meinung, die manchmal unvermittelt hervortritt und ebenso unvermittelt sich wieder hinter Autoritäten versteckt. Bodmer und Breitinger sind überwältigt von Miltons epischer Phantasie und haben die größte Mühe, ihre Ergriffenheit notdürftig mit ihren Kategorien in Einklang zu bringen. Baumgarten scheint sich einer tieferen Einsicht in das Wesen der Kunst und des schöpferischen Prozesses zu nähern; doch was ihm aufgeht, wird von seinem Schüler Meier schon wieder getrübt und unter Vorurteilen begraben[1]. Johann Elias Schlegel stirbt als junger Mensch, bevor er mit seinen verheißungsvollen Gedanken über die Nachahmung ins Reine kommt[2]. Lessing experimentiert zeitlebens und kostet die Freiheit der Negation, wenn er heute verwegen behauptet, was er morgen mit leichter Gebärde preisgibt.

1 Vgl. A. Nivelle, Kunst- und Dichtungstheorien zwischen Aufklärung und Klassik, Berlin 1960, S. 7–46.

2 Vgl. E. M. Wilkinson, J. E. Schlegel, A German Pioneer in Aesthetics, Oxford 1945.

Erst recht gilt von den Originalgenies: Tot capita, tot sensus! Jeder ist «Narr auf eigene Faust» und stolz auf Ideen, von denen er meint, er habe sie als erster gedacht. Was sollen wir gar von den Dichtungen sagen? Die Werke auch nur eines Jahrfünfts auf einen gemeinsamen Nenner zu bringen, scheint sich von vornherein zu verbieten.

Dennoch lassen wir uns in unserm Gefühl von einem das ganze Dasein bestimmenden Gegensatz nicht beirren und glauben wir, daß die traditionellen Epochenbegriffe sinnvoll sind. Die größten älteren Dichter und Kritiker mögen sich unaufhörlich befehden; sie mögen sich ahnungsreich oder befangen, schlecht und recht oder vieldeutig äußern: im Grunde können sie dennoch nicht verleugnen, daß sie zusammengehören und sich wohl unterscheiden von der Jugend, die in den siebziger Jahren so geräuschvoll den Schauplatz betritt. Zum mindesten ist dies dort der Fall, wo Klopstocks ungeheure, einerseits verspätete, andrerseits verfrühte Erscheinung die Geister nicht blendet, also im Bereich des Theaters, der Bühnendichtung und Dramaturgie. Auf dem Theater vollzieht sich innerhalb weniger Jahre ein Wandel, der ein weitverzweigtes Geschehen gleichsam in kürzerer Fassung rekapituliert und einen Überblick erlaubt, der sonst nicht leicht zu gewinnen wäre.

Indes, auch das dramatische Schaffen ist noch ein weites Feld. Wir schränken unser Thema ein zweites Mal ein. In der sprachlichen Fassung und in der Würdigung der Affekte finden wir den Unterschied des alten und neuen Stils am deutlichsten ausgeprägt. So prüfen wir in einigen Bühnenstücken der Epoche die Reden leidenschaftlich erregter Frauen und versuchen, uns auf diese Weise klarzumachen, wie es denn eigentlich zu dem Umschlag kommt.

Doch nicht, als ob es darum ginge, alle vorbereitenden Leistungen und Ereignisse aufzuzählen und ihre Bedeutung abzuschätzen. Das liefe nur auf einen positivistischen Nachweis des «Erlebten, Erlernten und Ererbten[3]» hinaus und wäre so bedenklich wie – im Umkreis der historischen Wissenschaften – jeder naive

3 Die Formel Wilhelm Scherers.

Gebrauch der Kategorie der Kausalität. Ein Übergang steht in Frage, das heißt: ein Anfangs- und ein Endpunkt sind gesetzt; dazwischen verläuft ein Prozeß. Die Linie, auf der sich dieser Prozeß ereignet, wollen wir ziehen. Was ihre Richtung jeweils ändert, teilen wir mit, wo es tunlich scheint, oder lassen wir, angesichts der unübersehbaren möglichen Wirkungen, offen. Auf diese Weise gelangen wir freilich nicht zu einem Kausalnexus, wohl aber zu einer Anschauung von Phasen, deren Zusammenhang und Folge so evident sein sollte wie das simultane Gefüge einer Dichtung, das die kunstgerechte Interpretation erschließt[4].

Im Einklang mit einer Tradition, von der er meint, der «große Aristoteles» habe sie begründet, nennt Gottsched als «Hauptwerk der Poesie» die «geschickte Nachahmung der Natur[5]». Daß er darunter mit seinem allzu gesunden Menschenverstand sich weiter gar nichts vorstellt als ein treues Abbild einer bereits an sich bestehenden Wirklichkeit, geht aus unzähligen Stellen der «Kritischen Dichtkunst» einwandfrei hervor. «Die Wahrscheinlichkeit ist die Haupteigenschaft aller Fabeln (Fabel bedeutet Handlung); und wenn eine Fabel nicht wahrscheinlich ist, so taugt sie nichts[6].» «Ich verstehe nämlich durch die poetische Wahrscheinlichkeit nichts anders als die Ähnlichkeit des Erdichteten mit dem, was wirklich zu geschehen pflegt, oder die Übereinstimmung der Fabel mit der Natur[7].» Demgemäß wird Homer getadelt, weil seine Helden sich vor dem Kampf die längsten Geschlechtsregister erzählen, Vergil, weil er Äneas in Karthago mit Dido zusammenführt, die doch, wie Gottsched weiß, erst zwei- oder dreihundert Jahre später gelebt hat.

Gilt es, Leidenschaften zu schildern, so muß die «Natur eines jeden Affekts im gemeinen Leben beobachtet» und sodann «aufs genaueste nachgeahmt werden». «Nun findet man aber, daß auch die vornehmsten Standespersonen zwar ihrer Würde gemäß den-

4 Vgl. die Einleitung über das Problem des Stilwandels, S. 18 f.
5 J. G. Gottsched, Versuch einer kritischen Dichtkunst, 4. Aufl., Leipzig 1751, S. 92.
6 a.a.O., S. 92.
7 a.a.O., S. 198.

ken und sprechen, so lange sie ruhigen Gemütes sind: sobald sie aber der Affekt übermeistert, vergessen sie ihres hohen Standes fast und werden wie andere Menschen. Wenn wir nun einen wahrhaftigen Traurigen sehen, dem vergeht die Lust wohl, scharfsinnige Klagen auszustudieren. Er wird so kläglich und beweglich sprechen, als es ihm möglich ist: denn wo er selbst nicht weinet, so wird gewiß niemand zum Mitleiden bewogen werden[8].»

Der Dichter, der Affekte nachahmt, soll sich aber hüten, beim Schreiben selber in Affekt zu geraten. Gottsched kennt aus seinen Quellen zwar auch den *furor poeticus* und fühlt sich hin und wieder zu einem kleinen Zugeständnis verpflichtet. Doch wie er selber darüber denkt, verrät uns eine Bemerkung zu den Gedichten, in denen Kanitz und Besser über den Tod ihrer Gattinnen klagen:

«Man kann sie auch gar wohl unter diese Art der Nachahmung rechnen, ob sie gleich ihren eignen Schmerz und nicht einen fremden vorstellen wollen: denn so viel ist gewiß, daß ein Dichter zum wenigsten dann, wann er die Verse macht, die volle Stärke der Leidenschaft nicht empfinden kann. Diese würde ihm nicht Zeit lassen, eine Zeile aufzusetzen, sondern ihn nötigen, alle seine Gedanken auf die Größe seines Verlusts und Unglücks zu richten. Der Affekt muß schon ziemlich gestillet sein, wenn man die Feder zur Hand nehmen und alle seine Klagen in einem ordentlichen Zusammenhange vorstellen will[9].»

Nach dem Geschick in der Nachbildung und Anordnung eines irgendwie vorliegenden seelischen Materials wird also ein solches Dichten beurteilt. Und eben dieses Geschick bereitet nach Gottsched den künstlerischen Genuß. Dabei beruft er sich auf Horaz:

«Ficta voluptatis causa sint proxima veris[10].»

Wenn es dem Dichter gelungen ist, die Nachahmung mit den Mitteln der Sprache dem Nachgeahmten möglichst anzunähern, sind wir, wie wir heute sagen würden, ästhetisch befriedigt.

Aus alle dem ergäbe sich eigentlich ein naturalistischer Stil.

8 a.a.O., S. 621.
9 a.a.O., S. 145 f.
10 Horaz, Ars Poetica, v. 338.

Doch diese Konsequenz zu ziehen, verhindert Gottsched der Respekt vor den Dichtern des Altertums und den Franzosen. Er möchte die Nachahmung der Natur mit der Nachahmung gültiger Muster verbinden. Dabei verwirrt er sich, redet sich, wie bei den Äsopischen Fabeln, in denen Wölfe und Schafe reden, auf «bedingte Wahrscheinlichkeit[11]» hinaus, übergeht die unbequemsten Probleme, zum Beispiel das des Monologs, oder wird sich, etwa bei der gebundenen Rede, des Widerspruchs gar nicht bewußt. Man hat versucht, ihm behilflich zu sein, indem man erklärte, er verstehe unter «Natur» noch etwas anderes als Ibsen oder Gerhart Hauptmann. Und in der Tat erklärt er schon im dritten Hauptstück der «Kritischen Dichtkunst»:

«Die Schönheit eines künstlichen Werkes beruht nicht auf einem leeren Dünkel, sondern sie hat ihren festen und notwendigen Grund in der Natur der Dinge. Gott hat alles nach Zahl, Maß und Gewicht geschaffen. Die natürlichen Dinge sind an sich selber schön: und wenn also die Kunst auch was Schönes hervorbringen will, so muß sie dem Muster der Natur nachahmen. Das genaue Verhältnis, die Ordnung und das richtige Ebenmaß aller Teile, daraus ein Ding besteht, ist die Quelle aller Schönheit. Die Nachahmung der vollkommenen Natur kann also einem künstlichen Werke die Vollkommenheit geben, dadurch es dem Verstande gefällig und angenehm wird: und die Abweichung von ihrem Muster wird allemal etwas Ungestaltes und Abgeschmacktes zuwege bringen[12].»

Damit ist aber nicht viel gewonnen, solang es nur bei der Behauptung bleibt und Gottsched nicht zu zeigen versucht, wie das von Gott gestiftete «Wesen» der Dinge sich zum «Schein», zu dem, was unsere Sinne bemerken, verhält und wie der wahre Künstler zwischen dem Schein und dem Wesen der Dinge vermittelt. Die beiden Bedeutungen von «natürlich», die metaphysisch-rationale, die auf der Theodizee beruht, und die sensualistische, die so viel wie «wirklichkeitstreu», «wahrscheinlich» besagt, sie werden nicht aufeinander bezogen; und also bleibt es unerfindlich, wie das Prinzip der Nachahmung der Natur das Ebenmaß, die

11 Kritische Dichtkunst, S. 199.
12 a.a.O., S. 132.

Ordnung, den Vers und dergleichen rechtfertigen soll. Immerhin hat Gottsched damit, wenn auch unbewußt, eine Frage gestellt, um deren Lösung die künftigen Dichter und Kritiker sich bemühen werden, die einen großen Prozeß in Gang bringt und so zum Wandel des Stils beiträgt.

Mit den Leidenschaften, die, nach Aristoteles, die Tragödie in den Zuschauern wecken und «reinigen» soll, dem Mitleid und der Furcht, weiß Gottsched nicht viel anzufangen. Nebenbei versichert er, die Gemütsbewegungen würden «auf eine der Tugend gemäße Weise[13]» erregt; ein andermal heißt es, der «Anblick solcher schweren Fälle der Großen dieser Welt» bereite uns, die Zeugen, zu unseren «eigenen Trübsalen[14]» vor. Was immer wir vor der Bühne empfinden, alle Rührungen und Erschütterungen sollen uns also bessern. Der Zweck rechtfertigt die Emotion.

In der Besserung und Belehrung besteht der Zweck der Poesie überhaupt:

«Aut prodesse volunt aud delectare poetae[15].»

Die delectatio erwächst aus dem Anblick der kunstreichen Nachahmung; der Nutzen ergibt sich aus den allgemeinen Wahrheiten, die der Dichter in Fabeln kleidet, und aus der Belebung unserer moralischen Widerstandskraft. Man weiß, wie hanebüchen Gottsched dieses «prodesse» ausgelegt hat. Die später kommen, werden es etwas feiner und freundlicher formulieren. Doch wenn wir weniger einzelne banausische Äußerungen als die Haltung der «Kritischen Dichtkunst» bedenken, so finden wir, sie ändere sich in den nächsten Jahrzehnten eigentlich kaum. Wir machen uns diese Haltung klar:

In allen Fragen richtet sich Gottsched auf ein fertiges Gegenüber, ein Anerkanntes, ein Vorbild aus: in der Nachahmung der Natur auf den Naturbegriff der Philosophie und das, was der gesunde Menschenverstand als Wirklichkeit bezeichnet, die «fable convenue der Philister[16]»; in der Nachahmung der Franzosen und

13 a.a.O., S. 612.
14 a.a.O., S. 606.
15 Horaz, Ars Poetica, v. 333.
16 Hofmannsthal, Aufzeichnungen, Frankfurt a.M. 1959, S. 23.

Griechen auf einen poetischen Kanon; und in der Besserung und Belehrung auf ein gleichfalls übernommenes Ideal von Tugend und Wahrheit. Das Gegenüber zeigt sich wieder in der Bewältigung der Affekte. Auch diese sind dem Geist gegeben, zwar nicht als Muster, aber als Stoff; er ordnet und bearbeitet sie von unerschütterter Warte aus. In dieser Warte erkennen wir unschwer – wie in jeder rational begründeten Anthropologie – das alte Cartesische *Cogito*. Für die *res cogitans* bleibt alles, was nicht sie selber ist, äußerlich: der Körper, die Sinne, doch auch die *esprits animaux* und die *passions*[17]. Vernunft, ein abstraktes Ego, schaltet mit einer von seiner Höhe völlig geschiedenen und als untere Zone betrachteten Gegenständlichkeit.

1744 erschien in Gottscheds «Deutscher Schaubühne nach den Regeln und Mustern der Alten» Johann Elias Schlegels Trauerspiel «*Dido*». Es war schon fünf Jahre früher entstanden, und da der Verfasser inzwischen die nach seinem eigenen Urteil reifere Tragödie «Hermann» vorgelegt hatte, legte er Wert darauf, daß das Publikum über die Folge aufgeklärt werde. Gottsched nahm den Anlaß wahr, sich in der Vorrede nochmals über das Wesen der tragischen Kunst zu äußern, und meinte, die Partei der «Dido» gegen den «Hermann» ergreifen zu dürfen, «weil sie mehr zärtliche und starke Leidenschaften, einen natürlichern Ausdruck und weniger Lehrsprüche in sich hält als jener. Hier redet das Herz mehr, und dort herrschet mehr der Witz: darum wird auch hier die Kunst des Dichters von allen Lesern und Zuschauern empfunden und gefühlet, dort aber die Tiefsinnigkeit seines Geistes nur von wenigen, die ihm so weit folgen können, bewundert[18]».

Gegenüber der «Kritischen Dichtkunst» finden wir die Erregung von Mitleid und Schrecken bei den Zuschauern stärker betont, vermutlich aber nur, weil die Gelegenheit es gerade verlangt. Was Gottsched sich vorstellt und was er zumal als «natürlichen Ausdruck» anerkennt, wird uns bewußt, wenn wir folgende Rede von Schlegels Heldin Dido lesen:

17 Descartes, Œuvres et Lettres, Paris 1937, S. 553f. (Pléiade).
18 Die deutsche Schaubühne, 2. Aufl., 5. Teil, Leipzig 1749, Vorrede.

«Es herrsche, was da will, in den betäubten Sinnen;
Es führe hier der Zug des Himmels meinen Geist;
Es sei der Höllen Trieb, der mich von hinnen reißt,
Der Furien Geheiß, die meinen Schatten winken;
Es heiße mich ein Schluß in ihre Klüfte sinken,
Den die Vernunft bedacht, und meine Brust gefaßt:
So steht mein Vorsatz fest. Ich lebe mir zur Last.
Äneas spottet mein, gesichert in den Wellen.
Hiarben darf ich kaum mein Volk entgegen stellen.
Sichäus ist erzürnt; sein Schatten quälet mich.
Mein Kummer ruft mir zu und spricht: Erlöse dich! –
Ich aber säume noch? – Mein Mut hat mich verlassen,
Und der zerstreute Geist vermag sich kaum zu fassen.
Ich sollte tot und kalt an Lethens Ufer sein, –
Und sehe lebend noch des Lichts verhaßten Schein?
Ich streite noch um das, was ich schon längst beschlossen? –
O hätte dieser Dolch Äneens Blut vergossen,
Und des Betrügers Herz gestraft, wie er gesollt!
Drum führt ich ihn bei mir, und dies hab ich gewollt.
Doch schläfrig, träg und faul hab ich zu sehr geschonet;
Mein Schimpf ist unbestraft, sein Meineid unbelohnet.

Wohl, ich geh ihm voran! Doch schwör ich, daß mein Geist
Nicht eh sich in der Schar beglückter Seelen weist,
Bis des Verräters Brust, wenn ihn mein Schatten quälet,
Ein kühner Stoß, wie mich, von eigner Hand entseelet.
Ihr Bürger, schifft ihm nach, verfolgt ihn durch das Meer,
Schlagt in Italien sein Volk durch euer Heer!
Ihr Kinder, geht dereinst, verlöscht der Väter Schande,
Schlagt, was sich von ihm nennt, in seinem eignen Lande!
Damit er sich nicht rühmt, daß er in eurer Stadt
Und unter eurem Dach euch überwunden hat[19].»

Der junge Dichter hält sich im großen und ganzen an die Äneis Vergils. Äneas ist im Begriff, dem Ruf der Götter zu folgen und abzufahren. Die Königin, schwer beleidigt, außer sich, eröff-

19 J.E. Schlegels Werke, 1. Teil, Kopenhagen und Leipzig 1761, S. 125.

net ihrer Schwester Anna, sie sei gewillt zu sterben. Der tote Gatte Sichäus, dem sie Treue geschworen hat, ist erzürnt. Hiarbas, der libysche König, bedroht Karthago mit einem gewaltigen Heer. In dieser Lage verläßt sie der Mut. Sie hat es versäumt, sich an dem schnöden Geliebten mit eigener Hand zu rächen. Nun will sie als Schatten umgehen, bis der Verräter, wie sie, sich selbst entleibt. Die Karthager sollen sein Schiff verfolgen und künftige Geschlechter – Prophezeiung der Punischen Kriege – auf dem Boden Italiens die Schmach der Väter sühnen.

Der Schluß der Rede, der Racheschwur, mag allenfalls als unmittelbarer Erguß von Didos Leidenschaft gelten – wenigstens sofern wir von den allzu mechanisch gliedernden, steifen deutschen Alexandrinern absehen. Der ganze erste Teil jedoch ist nicht einmal dem Inhalt nach «natürlicher», «wahrscheinlicher» Ausdruck, sondern eine Analyse der Situation und des eigenen Innern, wie sie nur jemand durchführen kann, der nicht in seinen Gefühlen aufgeht, der vielmehr seinen Zustand von oben herab betrachtet und überdenkt. Noch kühler wirkt die Fassung, die Gottsched dem Text in der «Deutschen Schaubühne» gibt. Dort nämlich stehen statt der Fragezeichen ausnahmslos nur Punkte. Stammen die Fragezeichen von Schlegel, so hat er sich immerhin Mühe gegeben, das Irrsal täuschender darzustellen. Auch so erzielt er aber das erforderte *proximum veris* nicht. Er tritt an seine Heldin von außen mit ungetrübter Vernunft heran; und ebenso tritt sie selber ihrer eigenen Raserei gegenüber. Sie klassifiziert, was in ihr vorgeht, zwar ohne Erfolg – sie weiß nicht, welches das herrschende Motiv ist; Schlegel weiß, daß ein Rasender dies nicht weiß – dennoch aber mit der Methode der rationalen Psychologie, für die der Mensch, dessen eigenstes Ich auf die *res cogitans* beschränkt bleibt, in lauter einzelne, scharf unterschiedene, auswechselbare Affekte zerfällt. Diese reden nicht ihre Sprache, sondern sie werden von Dido benannt: Betäubte Sinne, Zug des Himmels, Trieb des Herzens, ein «Schluß», das ist eine logische Folgerung der Vernunft, den sich die «Brust», das Herz aneignet, Kummer, Mutlosigkeit, zerstreuter, außer sich geratener Geist, der kaum mehr fähig ist, sich zu fassen. Ähnlich hat sie schon früher von ihrem «Argwohn», ihrer «Brust voll Schrecken», «der

Schmerzen Raserei» gesprochen und einmal sogar die Ausdehnung der Leidenschaft im Gemüt bemessen:

> «Komm, Schwester, sieh mein Herz schon halb von Wut
> ergriffen[20].»

Das entspricht der Lehre von den Affekten, wie Descartes sie in seiner Schrift «Les passions de l'âme» unternommen und wie sie Spinoza im dritten Teil der «Ethik» in einer langen Reihe von Definitionen ausgeführt hat. Vermutlich war sie Schlegel in der Form bekannt, die Christian Wolff ihr in den «Vernünftigen Gedanken von Gott, der Welt und der Seele des Menschen[21]» gab. Die Frage nach den Quellen und nach ihren für die Geistesgeschichte bedeutsamen Unterschieden bekümmert uns aber in diesem Zusammenhang nicht. Genug, daß wir erkennen: der Dichter gehört noch einer Epoche an, die eine Individualität, eine fremde sowohl wie die eigene, nicht als Einheit wahrzunehmen imstande ist, die noch den Menschen aufteilt, einerseits in eine Vernunft, die sich in allen vernünftigen Wesen gleichbleibt, und andrerseits in einen untern Bereich, der sich aus festen, immer wieder anders dosierten Teilelementen, wie Haß, Schmerz, Liebe, mannigfaltig zusammensetzt.

Wenn aber Descartes oder Spinoza die Affekte genau definieren, so glauben sie damit einen Beitrag zum Triumph der Vernunft zu leisten. Was scharf umrissen und eingeordnet ist, kann leichter bemeistert werden. Den Meister zu zeigen tut not in einer Welt, die alle Natur als Reich der Verderbnis fürchten zu müssen glaubt. Das ändert sich, sowie das Vertrauen der Theodizee an Boden gewinnt. Nun ist das Klassifizieren keine lebensnotwendige Arbeit mehr. Man scheidet und legt zwar weiterhin fest. Der Stoff, der keine Angst mehr einflößt, wiegt nun aber zu leicht und wird zu handlich, als daß die Vernunft mit seiner Bewältigung imponieren könnte. Wir brauchen nur einen Blick zu Andreas Gryphius hinüberzuwerfen, um uns dessen zu vergewissern. Bei Gryphius treibt der «hohe Geist» die Affekte in den antithetischen Alexandrinern buchstäblich zu Paaren, oder er führt sie wie an Ketten in

20 a.a.O., S. 103.
21 Anderer Teil, 3. Aufl., Frankfurt a.M. 1733, S. 233 ff.

allegorischen «Reyen» auf. Bei Johann Elias Schlegel ist nichts mehr von dieser gewaltigen Spannung zu spüren. Der Alexandriner, das überdeutlich regelnde Maß, verliert seinen Sinn und wird in seiner «Zweischenklichkeit[22]» nicht mehr gehörig ausgenützt. Zeilensprünge und ungenaue Verse, wie sie sich Goethe später in der «Laune des Verliebten» gestattet, werden zwar noch vermieden. Der Dichter verfährt durchaus korrekt. Doch die Korrektheit ist kein Verdienst, sondern Glaube an eine Tradition, die längst ihr Leben eingebüßt hat. So fehlt denn diesen Zeilen alles, was nicht gerade zur Vorschrift gehört: die stampfende Rhythmik, die disjunktive Macht der Zäsur und der Kontrast der Bilder oder Gedanken im Reim. Wir müssen es uns überlegen, daß eine tödlich entschlossene Frau vor uns tobt; wir kämen von selber schwerlich darauf.

Die «Dido» ist ein Frühwerk. Johann Elias Schlegel wird Besseres schaffen. In seinem «Canut» etwa schlägt der Gegenspieler des Helden, Ulfo, bereits ganz andere Töne an[23]; und beinah jede Dichtung dieses Mannes, der zwischen die Zeiten geriet, ist ausgezeichnet durch irgendeine, manchmal zweifelhafte, doch immer bemerkenswerte Errungenschaft. Vor allem interessieren uns aber seine kunsttheoretischen Schriften. Er sieht das wesentliche Problem, die «Nachahmung». Was Gottsched darüber zu sagen weiß, befriedigt ihn nicht:

«Eine genauere Untersuchung des Begriffes von der Nachahmung habe ich seit langer Zeit für eine Sache gehalten, welche unentbehrlich ist, wenn man in der Dichtkunst mehr mit Gründen behaupten als nach eigenem Gutdünken und nach einem geübten Gefühle entscheiden will. Man kann nicht eher überzeugend wissen, ob man etwas mit Recht natürlich oder unnatürlich nenne; ja mich dünket, man kann die Grenzen der Wahrscheinlichkeit nicht eher gewiß bestimmen, als bis man erst diesen Begriff auf das genaueste bestimmet hat[24].»

In mehreren Studien macht er sich nun darüber Gedanken und kommt zum Schluß, die Nachahmung müsse dem Nachgeahmten

22 Schiller an Goethe, 15. Oktober 1799.
23 Vgl. Kurt May, Form und Bedeutung, Stuttgart 1957, S. 13ff.
24 J. E. Schlegels Werke, 3. Teil, S. 107.

in mancher Hinsicht unähnlich sein. Nur dann vermöge man nämlich die Kunst als solche zu würdigen; und die Kunst bereite denn schließlich doch ein größeres Vergnügen als der geschickte Betrug. Das Nachbild mit dem Urbild zu verwechseln sei vielleicht für den Augenblick, aber nicht auf die Dauer erfreulich. Und wenn ein Mime einen Rasenden spiele und, statt in den gesetzten Schranken der Nachahmung zu bleiben, «alle Kennzeichen eines wirklich unsinnigen Menschen von sich gebe[25]», so wisse ihm niemand Dank dafür.

Schlegel will damit keineswegs der «Unähnlichkeit zu einer zügellosen Herrschaft verholfen[26]» haben.

«Bei dem Vergnügen, das aus der Nachahmung entstehen soll, wird notwendig vorausgesetzt, daß in der Einbildungskraft dererjenigen, bei denen die Nachahmung einen Eindruck machen soll, das Bild und Vorbild gegeneinander gehalten werde. Folglich werden in dieser Einbildungskraft zwo Vorstellungen erfordert, nämlich eine von dem Vorbilde und die andere von dem Bilde; und die ganze Wirkung der Nachahmung fällt hinweg, sobald Eine von diesen Vorstellungen mangelt[27].»

Die Wirkung fällt hinweg, wenn Bild und Vorbild einander vollkommen gleich sind. Sie fällt aber auch hinweg, wenn Bild und Vorbild überhaupt nicht mehr aufeinander bezogen werden können. Im gleichen Verhältnis nicht aller, aber doch wichtiger Teile von Bild und Vorbild und in der gleichen Verbindung der Teile glaubt Schlegel die Lösung des Rätsels zu finden. Wie er sich das im einzelnen vorstellt, nötigt uns heute manchmal ein Lächeln ab; doch gelegentlich horchen wir auf.

«Man behalte alle Gedanken, die einem Menschen in einer Gemütsbewegung beifallen, und verändre nur die Ordnung und Folge derselben. Dann sehe man, ob es eben diese Gemütsbewegung sein wird. Die Gemütsbewegungen sind von einer gelaßnen Betrachtung der Dinge beinahe so oft bloß durch die Verbindung als durch die Gedanken unterschieden. Die Stärke und Schwäche der Gemütsbewegungen, auch der Unterschied derselben, stammt

25 a.a.O., S. 156.
26 a.a.O., S. 176.
27 a.a.O., S. 149.

oft nur aus einer andern Verbindung und Ordnung der Gedanken her. *Andromacha* z.E. redet in den *Trojanerinnen* nach *Opitzens* Übersetzung bloß bittweise und in einer demütigen Erniedrigung, wenn sie, um ihren Sohn vom Tode zu erretten, saget:

> ‚Schaut ihn doch nur recht an!
> Soll er den Schutt der Stadt zu räumen sich getrauen?
> Soll dieser Hände Kraft ein Troja wieder bauen?
> Hat Troja sonst auf nichts zu hoffen als auf ihn?
> So ist ihr Hoffen schlecht.‘

Hingegen wird sie weit mutiger und trotziger reden, wenn sie die Gedanken umgekehrt ordnet:

> ‚Wenn Troja sonst auf nichts als diesen hoffen kann,
> So ist ihr Hoffen schlecht. Schaut ihn doch nur recht an:
> Soll dieser Hände Kraft ein Troja wieder bauen?
> Soll er den Schutt der Stadt zu räumen sich getrauen?‘

Man wird bei den meisten Gemütsbewegungen finden, daß man, wenn die letzten Gedanken zuerst gesetzt und die Reden solcher Leute rückwärts gelesen würden, aus einer mittelmäßigen Gemütsbewegung eine sehr heftige herausbringt, welche, der Natur gemäß, nach eben denselben Stufen sinkt und schwächer wird, nach welchen jene gestiegen[28].»

Hier liegt ihm daran, die Natürlichkeit der poetischen Nachahmung zu erhöhen. Doch wenn er andrerseits für die Komödie in Versen eintritt und selber, in der «Stummen Schönheit», ein noch heute liebenswürdiges Muster vorlegt, erhöht er auch wieder den Kunstcharakter. Beides scheint ihm nötig zu sein. Denn das Vergnügen, das der Dichter bereiten soll, erwächst uns weder einzig aus dem Anblick der Ordnung und Regelmäßigkeit des Kunstwerks noch aus der Verwechslung mit der Natur; es entsteht im Vergleich von Natur und Kunst, im ständigen Schließen von dieser auf jene, sei es im Großen, sei es auch nur in einer unscheinbaren Metapher:

«Wenn ich das Alter den Abend des Lebens nenne, so läßt sich

28 a.a.O., S.113f.

die Ähnlichkeit, die zwischen dem Alter und dem Abende ist, in den Schluß auflösen: Das Alter verhält sich zum Leben wie der Abend zum Tage. Und damit man sehe, daß alles, was dem mathematischen Verhältnisse zukömmt, sich auf andere Dinge erweitern läßt, so kann ich auch schließen: Wie sich das Alter zum Abende verhält, so verhält sich das Leben zu dem Tage. Diese Schlüsse machen wir auch bei einer jeden Beschreibung, die uns in den Gedichten vorkömmt, wenn wir darauf Acht haben, ob wir gleich diese Schlüsse so deutlich nicht auseinandersetzen[29]. »

Auch Johann Elias Schlegel, gerade indem er die Kunst verteidigen möchte, richtet sich also noch immer auf eine vorgegebene Wirklichkeit und zugleich auf poetische Muster und ihre sanktionierten Regeln aus. Er zweifelt so wenig wie Gottsched, daß Dichten als Nachahmen etwas Nachträgliches sei.

Schon wenige Jahre später zeigt sich nun aber, daß die Rücksicht auf den Kunstcharakter der Nachahmung – «Kunst» im Sinne der Mustern verpflichteten Ordnung, des tadellosen französischen Zuschnitts – ein altertümlicher Zug an Johann Elias Schlegel gewesen ist. Die für die Weltangst des Barock so bedeutsame apotropäische Macht der gläubig anerkannten, starren und deshalb distanzierenden Regel entbehrt im Licht der Theodizee – wir haben es angedeutet – des Stoffs, an dem sie sich zu bewähren vermöchte. Was soll ein solches Gitter vor den Gewalten des Lebens, ein solcher Zaum in einem vernünftigen Universum? Einzelnes mag bedrohlich aussehn; vom Ganzen weiß man: es ist gut. Was kann die Dichter hindern, sich näher an die Natur heranzuwagen?

Sie wagen den Schritt. Die Folgen sind noch nicht entscheidend, aber beträchtlich. Wir übersehen sie am besten in Lessings bürgerlichem Trauerspiel «*Miß Sara Sampson*», das im Jahre 1755 erscheint. Ein Jahr früher ist George Lillos schon 1731 entstandener «Kaufmann von London» zum ersten Mal in deutscher Sprache aufgeführt worden. Den jüngeren Dichtern hat dieses Ereignis offenbar schier den Atem verschlagen. Ein unscheinbares, fast komisches Zeichen verrät uns, wie benommen sie sind: Die donna fatale bei Lillo heißt Milwood. Lessing wird sie Marwood nennen.

29 a.a.O., S. 128.

Johann Gottlieb Benjamin Pfeil läßt eine Lucie Woodvil wüten. Und noch ein Menschenalter später begegnen wir Schillers Lady Milford. Mindestens eine Silbe des Namens, den Lillo gewählt hat, wird also wie eine Etikette weitergeführt. Pfeil und Lessing haben demgemäß auch den Schauplatz nach England verlegt. Vor allem spielt sich nun aber die tragische Handlung in der Gegenwart, und zwar in mittleren Kreisen ab. Erst damit wird es den Dichtern möglich, ohne Vorbehalt auf dem Prinzip der Nachahmung der Natur – im Sinne der «Lebenswahrheit» – zu bestehen[30]. Sie dürfen nun eine Welt darstellen, die sie aus eigener Anschauung kennen, und stellen sie einem Publikum dar, das sie gleichfalls aus eigener Anschauung kennt[31]. Den Vergleich von Kunst und Natur, den Johann Elias Schlegel als Quelle des Vergnügens bezeichnen zu dürfen glaubte, fordert ein naturalistisch gehaltenes Drama geradezu heraus. Auch Lessing fordert ihn heraus. Die vielen mit Nicolai und Mendelssohn über das Stück gewechselten Briefe handeln, im Hinblick auf die «gemalte Schlange[32]» des Aristoteles, ausführlich von der Illusion. Entsetzen und Freude, Täuschung und Enttäuschung werden genau verrechnet. Doch immer ist als selbstverständlich vorausgesetzt, daß das Kunstwerk der Natur nicht ähnlich genug sein könne.

So fällt die gebundene Rede weg. Dem bürgerlichen Trauerspiel ziemt die Prosa, eine Prosa, wie sie der Bürger selber im täglichen Leben und in leidenschaftlichem Zustand spricht. Nichts scheint leichter, doch nichts ist für den Dichter schwieriger als das Nächste. Wir sehen, wie sich Lessing anstrengt, wie er in jeder Lage den natürlichen Ton zu treffen versucht, bald aber viel zu weit geht und zu absichtsvoll Ausrufe, Anakoluthe und dergleichen häuft, bald hinter seinen Anforderungen zurückbleibt und

30 Der Übergang zum bürgerlichen Trauerspiel wird hier also aus der literarischen Situation, nicht aus einem außerliterarischen Vorgang wie etwa dem Erstarken der bürgerlichen Selbständigkeit erklärt. Daß er damit freilich zusammenhängt, soll nicht bestritten werden. Derselbe Prozeß stellt sich zugleich politisch und literarisch dar.

31 Vgl. dazu J. Krueger, Zur Frühgeschichte der Theorie des bürgerlichen Trauerspiels, in: Worte und Werte, Bruno Markwardt zum 60. Geburtstag, Berlin 1961, S. 177ff.

32 Lessing an Mendelssohn, 2. Februar 1757.

am Schreibtisch mit «würde» und «hätte» und «aber» und «wenn» räsoniert:

«Aber wenn Mellefont auch mein Bruder wäre, so muß ich Ihnen doch sagen, daß ich mich ohne Bedenken einer Person meines Geschlechts gegen ihn annehmen würde, wenn ich bemerkte, daß er nicht rechtschaffen genug an ihr handle. Wir Frauenzimmer sollten billig jede Beleidigung, die einer einzigen von uns erwiesen wird, zu Beleidigungen des ganzen Geschlechts und zu einer allgemeinen Sache machen, an der auch die Schwester und Mutter des Schuldigen, Anteil zu nehmen, sich nicht bedenken müßten.»

«Es tut mir leid, daß ich verkannt werde. Ich wenigstens, wenn ich mich in Gedanken an Miß Sampsons Stelle setze, würde jede nähere Nachricht, die man mir von demjenigen geben wollte, mit dessen Schicksale ich das meinige auf ewig zu verbinden bereit wäre, als eine Wohltat ansehen[33].»

Niemals sind einer verlassenen Geliebten, auch nicht der kältesten Intrigantin, solche Satzgefüge und Konjunktionen über die Lippen gekommen. Das war schon Nicolais und Mendelssohns Meinung; sie protestierten, und Lessing gab zu, daß einige Perioden «so holprig seien, daß die beste Zunge dabei anstoßen[34]» müsse. Dagegen nahm er die unnatürliche Länge vieler Reden in Schutz, und zwar, was man gerade nicht erwarten würde, im Namen der Bühne.

«Einen Teil der Gebärden hat der Schauspieler jederzeit in seiner Gewalt; er kann sie machen, wenn er will; es sind dieses die Veränderungen derjenigen Glieder, zu deren verschiedenen Modifikationen der bloße Wille hinreichend ist. Allein zu einem großen Teil anderer, und zwar gleich zu denjenigen, aus welchen man den wahren Schauspieler am sichersten erkennt, wird mehr als sein Wille erfordert; eine gewisse Verfassung des Geistes nämlich, auf welche diese oder jene Veränderung des Körpers von selbst, ohne sein Zutun, erfolgt. Wer ihm also diese Verfassung am meisten erleichtert, der befördert ihm sein Spiel am meisten. Und wodurch wird diese erleichtert? Wenn man den ganzen

33 4. Aufzug, 8. Auftritt.
34 An Mendelssohn, 14. September 1757.

Affekt, in welchem der Akteur erscheinen soll, in wenig Worte faßt? Gewiß nicht! Sondern je mehr sie ihn zergliedern, je verschiedener die Seiten sind, auf welchen sie ihn zeigen, desto unmerklicher gerät der Schauspieler selbst darein. Ich will die Rede der Marwood auf der 74. Seite zum Exempel nehmen[35].»

Gemeint ist folgende Tirade:

«Gift und Dolch sollen mich rächen. Doch nein, Gift und Dolch sind zu barmherzige Werkzeuge! Sie würden dein und mein Kind zu bald töten. Ich will es nicht gestorben sehen; sterben will ich es sehen! Durch langsame Martern will ich in seinem Gesichte jeden ähnlichen Zug, den es von dir hat, sich verstellen, verzerren und verschwinden sehen. Ich will mit begieriger Hand Glied von Glied, Ader von Ader, Nerve von Nerve lösen, und das kleinste derselben auch da noch nicht aufhören zu schneiden und zu brennen, wenn es schon nichts mehr sein wird als ein empfindungsloses Aas. Ich – ich werde wenigstens dabei empfinden, wie süß die Rache sei[36]!»

«Wenn ich», fährt Lessing fort, «von einer Schauspielerin hier nichts mehr verlangte, als daß sie mit der Stimme so lange stiege, als es möglich, so würde ich vielleicht mit den Worten: *verstellen, verzerren und verschwinden* schon aufgehört haben. Aber da ich in ihrem Gesichte gern gewisse Züge der Wut erwecken möchte, die in ihrem freien Willen nicht stehen, so gehe ich weiter und suche ihre Einbildungskraft durch mehr sinnliche Bilder zu erhitzen, als freilich zu dem bloßen Ausdrucke meiner Gedanken nicht nötig wären. Sie sehen also, wenn diese Stelle tadelhaft ist, daß sie es vielmehr dadurch geworden, weil ich zu viel, als weil ich zu wenig für die Schauspieler gearbeitet[37].»

Lessing ist überzeugt, mit den Mitteln der Sprache die physische Realität der Leidenschaft evozieren zu können; und wenn ihm dies beim Mimen gelingt, so ist er einer ähnlichen Wirkung auch über die Rampe hinweg gewiß: der Zuschauer leidet die täuschend dargestellten, von echten kaum zu unterscheidenden Leidenschaften mit.

Wir nähern uns bereits dem Mittelpunkt von Lessings Drama-

35 An Mendelssohn, 14. September 1757.
36 2. Aufzug, 7. Auftritt.
37 An Mendelssohn, 14. September 1757.

turgie. Im Gegensatz zu Gottsched, der dafür noch wenig Verständnis hat, und auch zu Johann Elias Schlegel, den andere Fragen mehr beschäftigen, beharrt der Schöpfer der «Miß Sara Sampson» auf der Forderung: «Die Tragödie soll Leidenschaften erregen[38].» Dies scheint ihm das Entscheidende in der Aristotelischen Definition. So einfach das Postulat aber aussieht, so mannigfaltig ist seine Begründung. Am 2. Februar 1757 schreibt Lessing an Mendelssohn: «Darin sind wir doch wohl einig, liebster Freund, daß alle Leidenschaften entweder heftige Begierden oder heftige Verabscheuungen sind? Auch darin: daß wir uns bei jeder heftigen Begierde oder Verabscheuung eines größern Grads unsrer Realität bewußt sind und daß dieses Bewußtsein nicht anders als angenehm sein kann? Folglich sind alle Leidenschaften, auch die allerunangenehmsten, als Leidenschaften angenehm[39].»

Zu unserm Erstaunen hören wir, daß Lessing also die Leidenschaften zunächst einmal als Selbstzweck auffaßt. «Jeder Affekt ist angenehm[40]», an sich, als Belebung unserer Seelenkräfte, unseres Selbstgefühls. Ein solches Geständnis hätten wir nicht erwartet. Es stammt von einem mit der feinsten Witterung begabten Repräsentanten eines Geschlechts, das in der Helle der Aufklärung, tagtäglich von Wochenschriften belehrt, von Moralisten mit Gedanken über Gesellschaft und Tugend belästigt und über den Fortschritt und die beste der möglichen Welten unterrichtet, sich von den ersten leisen Spuren einer noch unbegreiflichen Langeweile angewandelt findet und es anders, intensiver, lebendiger, mächtiger haben möchte. Die Dichtung der Empfindsamkeit gehört in diesen Zusammenhang, auch Christian Felix Weißes Tragödien, die mit ihren Greueln und Schauern für die Erregung sorgen, die der Bürger in seinem allzu klar geordneten Dasein allmählich vermißt.

Doch damit drohte ein Rückfall in die kaum überwundene Barbarei; und eine solche Entwicklung zu fördern, war Lessing in keiner Weise gewillt. Als viele Jahre später, in Hamburg, Weißes «Richard III.» aufgeführt wurde, rügte er das Entsetzen, das

38 An Nicolai, 13. November 1756.
39 2. Februar 1757.
40 2. Februar 1757.

«Murren wider die Vorsehung[41]», zu dem der Dichter das Publikum dränge, und hielt mit allem Nachdruck an dem vernünftigen Sinn der Tragödie fest. Ähnlich bereits in der Diskussion mit Mendelssohn über die Leidenschaften. Beim Selbstzweck der Affekte, von dem er ausgeht, läßt er es nicht bewenden. Die «zweiten Affekten», fügt er hinzu, «die bei Erblickung solcher Affekten an andern in mir entstehen, verdienen kaum den Namen der Affekten[42]».

Ein unmittelbarer Affekt, und zwar der einzige, den die Tragödie bei uns rege mache, sei das Mitleid. Der einzige? Aristoteles in der Poetik spricht von Mitleid und Schrecken; und nach dem Beispiel Corneilles müßte man auch die Bewunderung noch erwähnen. Mit solchen Schwierigkeiten wird Lessing aber von jeher mühelos fertig. Er schaltet zunächst die Bewunderung aus, indem er behauptet, sie figuriere als «Hauptwerk» nur in der epischen Dichtung; im Trauerspiel sei sie untergeordnet.

«Der Heldendichter läßt seinen Helden unglücklich sein, um seine Vollkommenheiten ins Licht zu setzen. Der Tragödienschreiber setzt seines Helden Vollkommenheiten ins Licht, um uns sein Unglück desto schmerzlicher zu machen[43].»

Ähnlich erklärt er sich über die Furcht, «das Schrecken» – wie er den aristotelischen *φόβος* einstweilen noch übersetzt.

«Das Schrecken in der Tragödie», so wird uns versichert, «ist weiter nichts als die plötzliche Überraschung des Mitleides[44]», die unvermutete Auslösung des sympathetischen Gefühls.

«Die Staffeln sind also diese: Schrecken, Mitleid, Bewunderung. Die Leiter aber heißt: Mitleid; und Schrecken und Bewunderung sind nichts als die ersten Sprossen, der Anfang und das Ende des Mitleids[45].»

Das klingt sophistisch. Versuchen wir aber zu begreifen, wo Lessing hinauswill! Er lehnt die Wirkung der Tragödie des Barockzeitalters ab. Noch in der «Hamburgischen Dramaturgie»

41 Hamburgische Dramaturgie, 79. Stück.
42 An Mendelssohn, 2. Februar 1757.
43 An Mendelssohn, 18. Dezember 1756.
44 An Nicolai, 13. November 1756.
45 An Nicolai, 13. November 1756.

verbittet er sich das Märtyrerdrama. Es ist ihm zuwider, hinaufzustaunen, sei es zu schrecklichen Taten, sei es zu stoischem oder christlichem Gleichmut. So widerspricht er auch Winckelmanns Ansicht, Laokoon halte den Schmerzensschrei in männlich-edler Fassung zurück. Nicht weil er darin barocken Geist vermutet, äußert er sein Bedenken. Er hat keine modischen Vorurteile. Sondern weil ihm die Steigerung des Bewußtseins von Höhe und Tiefe, weil ihm das Erhabene unangenehm ist[46], deshalb widersteht ihm Corneilles Pathos und zumal die barocke Dichtung des deutschen Protestantismus. Die Furcht und der Schrecken werfen uns nieder; Bewunderung richtet den Blick empor. Gegen die distanzierenden Affekte führt er das Mitleid als einen Affekt der Annäherung ins Feld, so wie er bereits im Übergang von Königen und großen Herrn zum bürgerlichen Trauerspiel die Bühne möglichst nahe an die Welt des Publikums herangerückt hat.

Rasende Weiber sind nun eigentlich nur noch in Nebenrollen berechtigt, als Widersacher, als *fabricatores doli* und als Kontrastfiguren, wie später in der «Emilia Galotti». Die Mitte hält eine rührende, mitleiderregende Frauengestalt besetzt, und wenn schon – wie im Zeichen des Siebenjährigen Krieges – ein männlicher Held, dann immerhin ein Philotas, der nicht nur tapfer, sondern auch jugendlich zart ist.

Wir haben indes noch abzuklären, was Lessing meint, wenn er «Mitleid» sagt. Er braucht den Begriff in einem für sein Denken bezeichnenden schillernden Sinn[47]. Einmal meint er ein Miterleiden, den Schmerz, der uns selber befällt, sobald wir einen anderen, unsrer Achtung würdigen Menschen leiden sehen, Sympathie, die Übertragung eines Gefühls, also buchstäblich «Rührung»: wir werden von fremdem Schmerz berührt, gerührt und rühren uns mit, wie eine gleichgestimmte Saite mitschwingt. Zugleich bedeutet das Wort aber eine moralische, philanthropische Regung.

«Wenn es also wahr ist, daß die ganze Kunst des tragischen Dichters auf die sichere Erregung und Dauer des einzigen Mitleidens geht, so sage ich nunmehr, die Bestimmung der Tragödie

46 Hamburgische Dramaturgie, 30. Stück.
47 Vgl. dazu A. Nivelle, a.a.O., S. 103f., wo aber der sittliche Aspekt des Mitleids etwas zu kurz kommt.

ist diese: sie soll *unsre Fähigkeit, Mitleid zu fühlen*, erweitern. Sie soll uns nicht bloß lehren, gegen diesen oder jenen Unglücklichen Mitleid zu fühlen, sondern sie soll uns so weit fühlbar machen, daß uns der Unglückliche zu allen Zeiten, und unter allen Gestalten, rühren und für sich einnehmen muß. Und nun berufe ich mich auf einen Satz, den Ihnen Herr Moses vorläufig demonstrieren mag, wenn Sie, Ihrem eignen Gefühl zum Trotz, daran zweifeln wollen. *Der mitleidigste Mensch ist der beste Mensch*, zu allen gesellschaftlichen Tugenden, zu allen Arten der Großmut der aufgelegteste. Wer uns also mitleidig macht, macht uns besser und tugendhafter, und das Trauerspiel, das jenes tut, tut auch dieses, oder – es tut jenes, um dieses tun zu können. Bitten Sie es dem Aristoteles ab oder widerlegen Sie mich[48].»

Mit dieser Wendung fühlt sich Lessing nach allen Seiten vollkommen geschützt. Die Illusion, die Annäherung an die Lebenswahrheit, ist legitimiert. Der Affekt, als erhöhtes Gefühl unseres eigenen Daseins, kommt zu seinem Recht. Und dennoch dient das Trauerspiel weiterhin der allgemeinen Vernunft, der Tugend des Einzelnen und der Gesellschaft. Auch das *prodesse* ist also gesichert. Sogar das bloße Unterrichten fällt nicht gänzlich außer Betracht. Noch in der «Hamburgischen Dramaturgie» rügt Lessing Marmontel, weil er in Soliman einen Charakter geschaffen habe, der nicht geeignet sei, «uns mit den eigentlichen Merkmalen des Guten und Bösen, des Anständigen und Lächerlichen bekannt zu machen», und schickt seinem Tadel die Sätze voraus:

«Einem Charakter ... dem das Unterrichtende fehlet, dem fehlet die Absicht. – Mit Absicht handeln ist das, was den Menschen über geringere Geschöpfe erhebt; mit Absicht dichten, mit Absicht nachahmen, ist das, was das Genie von den kleinen Künstlern unterscheidet, die nur dichten um zu dichten, die nur nachahmen um nachzuahmen[49].»

Mit Absicht dichten, im Hinblick auf einen höheren Zweck – das heißt jedoch, daß Lessing die Charaktere sowohl wie die Leidenschaften und die treue Schilderung einer bürgerlichen Um-

48 An Nicolai, 13. November 1756.
49 34. Stück.

welt immer noch als ein Mittel betrachtet, daß er mit einem Vorbehalt, einem «Um-zu» an seine Stoffe herantritt, daß er «sich», das ist sein denkendes Ego, nicht in ihnen vergißt, sondern wie Johann Elias Schlegel und Gottsched alles in eine anerkannte vernünftige Ordnung einfügt. Das Mitleid mag überaus innig, die Sympathie lebendiger sein als je; sie bleibt doch ständig überwacht, eine niedere Zone, mit der es vom Geist, von oben herab zu schalten gilt. Das Spiel der Affekte wird inszeniert, planmäßig; die Leidenschaften, die Charaktere werden aus nächster Nähe zwar, aber dennoch von außen betrachtet, genau in dem Maß, als des Dichters Vernunft der Rührung noch überlegen ist. Und welcher Rührung hielte Lessings ungeheure Vernunft nicht stand? Mit andern Worten: das Prinzip der Nachahmung wird nicht angetastet. Nach wie vor besteht das Gegenüber der *res cogitans*, des abstrakten, unbewegten Vermögens, das, nicht der Stärke, doch seinem Wesen nach, allen Menschen gemeinsam ist, und einer Gegenständlichkeit, zu der nicht nur das sinnlich Wahrnehmbare, sondern ebenso unsere eigenen Emotionen gehören.

Bei Johann Elias Schlegel wiederholte sich diese Unterscheidung von Vernunft und äußerem Dasein in dem Abstand, den Dido mit ihren ununterbrochenen Reflexionen der Leidenschaft gegenüber bewahrt[50]. Auch darin gleicht ihm Lessing noch. Wir müssen zwar vorsichtig sein; die verlassene Geliebte in «Miß Sara Sampson», Marwood, ist eine ausgelernte Schauspielerin und Intrigantin. Wenn sie mit Mellefont und Sara spricht, ist, wenigstens eine Zeitlang, jedes Wort und jede Gebärde Taktik. Und wo Taktik vorherrscht, versteht sich der überwachende Geist von selbst. Da könnte man es sogar als raffinierteste Nachahmung auffassen, wenn sie ihre Gefühle benennt und ihre Affekte begründet und ordnet. Es wäre die Sprache eines Menschen, der nicht in seiner Verstellung aufgeht. Doch manchmal läßt Marwood die Maske fallen, und hin und wieder äußert sie sich sogar in einem Monolog. Bei allem Naturalismus nämlich kann Lessing so wenig wie Johann Elias Schlegel auf Monologe verzichten. Und diese Monologe unterscheiden sich von den taktischen Reden in dem, worauf

50 Vgl. S. 33.

es hier ankommt, nicht. Noch immer scheint die so ganz vom Zeitgeschmack diktierte Behauptung zu gelten, die Schlegel in seiner Studie über die «Würde und Majestät des Ausdrucks im Trauerspiele» aufgestellt hat:

«Er» – der wohlerzogene Mensch, wie die Tragödie ihn erfordert – «fühlet zwar eben die Leidenschaften, welche gemeine Herzen empfinden; aber wenn die letztern bei den geringsten Kleinigkeiten nichts als o! und ach! auszurufen wissen, oder im Fall sie erzürnet sind, die Sprache mit neuen Schimpfwörtern bereichern: so zeigt sich bei ihm die Größe seiner Leidenschaften aus den Betrachtungen, die er über die Ursachen derselben machet. Er hat, wie von allen Sachen, also auch von dem, was er selbst fühlet, viel deutlichere Begriffe als andere. Und indem er die Gründe dessen anführet, was er fühlet, so rührt er alle diejenigen, die ihn anhören[51].»

Selbst Marwood ist in diesem Sinne noch eine «wohlerzogene Person». Nachdem sie sich Sara zu erkennen gegeben hat und diese mit dem Schrei: «Jetzt dringt sie mit tötender Faust auf mich ein!» entflohen ist, redet sie so:

«Was will die Schwärmerin? – O daß sie wahr redte, und ich mit tötender Faust auf sie eindränge! Bis hieher hätte ich den Stahl sparen sollen, ich Törichte! Welche Wollust, eine Nebenbuhlerin in der freiwilligen Erniedrigung zu unsern Füßen durchbohren zu können! – Was nun? – Ich bin entdeckt. Mellefont kann den Augenblick hier sein. Soll ich ihn fliehen? Soll ich ihn erwarten? Ich will ihn erwarten, aber nicht müßig. Vielleicht daß ihn die glückliche List meines Bedienten noch lange genug aufhält! – Ich sehe, ich werde gefürchtet. Warum folge ich ihr also nicht? Warum versuche ich nicht noch das letzte, das ich wider sie brauchen kann? Drohungen sind armselige Waffen: doch die Verzweiflung verschmäht keine, so armselig sie sind. Ein schreckhaftes Mädchen, das betäubt und mit zerrütteten Sinnen schon vor meinem Namen flieht, kann leicht fürchterliche Worte für fürchterliche Taten halten. Aber Mellefont? – Mellefont wird ihr wieder Mut machen, und sie über meine Drohungen spotten lehren.

51 Werke, 3.Teil, S.219.

Er wird? Vielleicht wird er auch nicht. Es wäre wenig in der Welt unternommen worden, wenn man nur immer auf den Ausgang gesehen hätte. Und bin ich auf den unglücklichsten nicht schon vorbereitet? – Der Dolch war für andre, das Gift ist für mich! – Das Gift für mich! Schon längst mit mir herumgetragen, wartet es hier, dem Herzen bereits nahe, auf den traurigen Dienst; hier, wo ich in bessern Zeiten, die geschriebenen Schmeicheleien der Anbeter verbarg; für uns ein ebenso gewisses, aber nur langsamres Gift. – Wenn es doch nur bestimmt wäre, in meinen Adern nicht allein zu toben! Wenn es doch einem Ungetreuen – Was halte ich mich mit Wünschen auf? – Fort! Ich muß weder mich, noch sie zu sich selbst kommen lassen. Der will sich nichts wagen, der sich mit kaltem Blute wagen will[52].»

Auch hier bemüht sich Lessing zwar bereits, der Forderung zu genügen, die er später selber in der «Hamburgischen Dramaturgie» aufstellt: «die Leidenschaften, nicht beschreiben, sondern vor den Augen des Zuschauers entstehen, und ohne Sprung, in einer so illusorischen Stetigkeit wachsen zu lassen, daß dieser sympathisieren muß, er mag wollen oder nicht[53].» Marwood prüft ihre Lage. Die Erkenntnis, daß sie das Spiel bereits verloren hat, erregt sie aufs höchste und fördert neue Fragen und neue fürchterliche Entschlüsse zutage. Sie unterbricht sich, gibt angefangene Sätze preis, hält ratlos inne und rafft sich wieder zu Antworten auf. Wir sollen Zeuge der verruchtesten Rachgier *in statu nascendi* sein; wir sollen auch vor dieser gemalten Schlange erschrecken, die Nachahmung bewundern und im «zweiten Affekt» mitfühlen: Marwood ist außer sich. Doch diese Frau, die außer sich ist, sagt selber, sie wolle weder sich noch Sara zu sich selbst kommen lassen. Sie schaltet allgemeine Betrachtungen über die Wollust der Rache, über Drohungen, die «armseligen Waffen», über Bedenklichkeiten, die lähmen, ja über das sichere, doch langsame Gift der Liebhaber ein und schließt mit einer prägnanten Sentenz. Sie wird ihre Intelligenz nicht los, so sehr sie uns auch, im Auftrag Lessings, vom Gegenteil überzeugen möchte. Und ebenso verhält sich Sara. Im größten Schmerz, überströmt von Tränen, analysiert

52 4. Aufzug, 9. Auftritt.
53 1. Stück.

sie noch ihr Gefühl, die Angst des Gewissens, die schreckliche Bilder in ihr aufsteigen läßt:

«Klagen Sie den Himmel nicht an! Er hat die Einbildungen in unserer Gewalt gelassen. Sie richten sich nach unsern Taten, und wenn diese unsern Pflichten und der Tugend gemäß sind, so dienen die sie begleitenden Einbildungen zur Vermehrung unserer Ruhe und unseres Vergnügens. Eine einzige Handlung, Mellefont, ein einziger Segen, der von einem Friedensboten im Namen der ewigen Güte auf uns gelegt wird, kann meine zerrüttete Phantasie wieder heilen[54].»

Keine Gestalt des Dramas spricht und handelt aus einem unmittelbaren Bewußtsein ihrer Individualität. Als eine besondere Mischung allgemeiner Eigenschaften, die definiert werden können und längst definiert sind, im Hinblick auf die vernünftige Ordnung, die ihnen, der Mischung ihrer Eigenschaften, dem Maß der Tugend und des Lasters gemäß, den Platz anweist: so hat der Dichter sie konzipiert und so verstehen sie auch sich selbst.

Die einfachsten Konglomerate von Passionen und Eigenschaften sind bei den Franzosen und Griechen vorgebildet. Ehre und Liebe vereinigen sich zu *einer* Gestalt in Corneilles Cid; der Widerstreit von Scham und Liebe im Herzen einer Frau heißt Phädra; Gerechtigkeit und Jähzorn zusammen führen den Namen Ödipus. So liest man die Dichter im Sinne der «Kritischen Dichtkunst»; so liest sie Lessing noch. Als «vollständigstes Lehrbuch der Eifersucht[55]» hat er Shakespeares «Othello» studiert. Und Marwood gibt ihr wahres Wesen mit den Worten zu erkennen: «Sieh in mir eine neue Medea[56]!» Medea ist der Prototyp der beleidigten, racheschnaubenden Liebe. Das Allgemeine, von dem der Dichter ausgeht, zeigt sich als immer noch gültiges Muster der klassischen Poesie. Es ist nicht jenes Allgemeine, das Goethe vorschwebt, wenn er den «Neuen Paris», den «Neuen Pausias», die «Neue Melusine» dichtet, nicht eine Anschauung, ein Typus, zu dem sich ein Individuum abklärt. Sondern Medea und Marwood werden als Verkörperungen derselben Begriffe der Psychologie ge-

54 1. Aufzug, 7. Auftritt.
55 Hamburgische Dramaturgie, 15. Stück.
56 2. Aufzug, 7. Auftritt.

dacht. Daß aber Medea als Marwood in ein bürgerliches Trauerspiel versetzt ist, daß sie in nächster Nähe erscheint und unsere wohlbekannte Sprache spricht oder wenigstens sprechen sollte, erlaubt und gebietet Lessing, ihr Wesen so zu differenzieren, wie es im älteren Stil unmöglich wäre. Und eben auf eine solche Differenzierung geht er überall aus. Vom Allgemeinen und Abstrakten, das irgendwo heimatlos in der Luft schwebt, zum Besonderen und Konkreten, zum Wirklichen, zum *hic et nunc!* Das scheint er sich ständig vorzusagen. Er sagt es sich vor in jenem Rat, den er einmal den Hamburger Schauspielern gibt und der ein so seltsam deutliches Bild des Bühnenstils der Epoche vermittelt:

«Die Moral ist ein allgemeiner Satz, aus den besondern Umständen der handelnden Personen gezogen; durch seine Allgemeinheit wird er gewissermaßen der Sache fremd, er wird eine Ausschweifung, deren Beziehung auf das Gegenwärtige von dem weniger aufmerksamen, oder weniger scharfsinnigen Zuhörer, nicht bemerkt oder nicht begriffen wird. Wann es daher ein Mittel gibt, diese Beziehung sinnlich zu machen, das Symbolische der Moral wiederum auf das Anschauende zurückzubringen, und wann dieses Mittel gewisse Gestus sein können, so muß sie der Schauspieler ja nicht zu machen versäumen.

Man wird mich aus einem Exempel am besten verstehen. Ich nehme es, wie mir es itzt beifällt; der Schauspieler wird sich ohne Mühe auf noch weit einleuchtendere besinnen. – Wenn Olint sich mit der Hoffnung schmeichelt, Gott werde das Herz des Aladin bewegen, daß er so grausam mit den Christen nicht verfahre, als er ihnen gedrohet: so kann Evander, als ein alter Mann, nicht wohl anders, als ihm die Betrieglichkeit unsrer Hoffnungen zu Gemüte führen.

,Vertraue nicht, mein Sohn, Hoffnungen, die betriegen!'

Sein Sohn ist ein feuriger Jüngling, und in der Jugend ist man vorzüglich geneigt, sich von der Zukunft nur das Beste zu versprechen.

,Da sie zu leichtlich glaubt, irrt muntre Jugend oft.'

Doch indem besinnt er sich, daß das Alter zu dem entgegengesetzten Fehler nicht weniger geneigt ist; er will den unverzagten Jüngling nicht ganz niederschlagen, und fähret fort:

‚Das Alter quält sich selbst, weil es zu wenig hofft.'

Diese Sentenzen mit einer gleichgültigen Aktion, mit einer nichts als schönen Bewegung des Armes begleiten, würde weit schlimmer sein, als sie ganz ohne Aktion hersagen. Die einzige ihnen angemessene Aktion ist die, welche ihre Allgemeinheit wieder auf das Besondere einschränkt. Die Zeile,

‚Da sie zu leichtlich glaubt, irrt muntre Jugend oft'

muß in dem Tone, mit dem Gestu der väterlichen Warnung, an und gegen den Olint gesprochen werden, weil Olint es ist, dessen unerfahrne leichtgläubige Jugend bei dem sorgsamen Alten diese Betrachtung veranlaßt. Die Zeile hingegen,

‚Das Alter quält sich selbst, weil es zu wenig hofft'

erfordert den Ton, das Achselzucken, mit dem wir unsere eigene Schwachheiten zu gestehen pflegen, und die Hände müssen sich notwendig gegen die Brust ziehen, um zu bemerken, daß Evander diesen Satz aus eigener Erfahrung habe, daß er selbst der Alte sei, von dem er gelte[57]. »

Als «individualisierende Gestus» bezeichnet Lessing solche Gebärden. Das Individuelle erreicht er freilich nach unsern Begriffen damit noch nicht; das läßt sich auf diesem Weg, vom Allgemeinen her, überhaupt nicht gewinnen. Doch die Sentenz wird immerhin aus dem leeren Raum heruntergeholt und angesiedelt in einer bestimmten, wahrnehmbaren Situation. Derselbe Vorgang ereignet sich, wenn der abstrakte Umriß eines im voraus definierten Charakters mit Einzelheiten ausgefüllt wird, die gleichsam nur unter der Lupe des wirklichkeitslüsternen Menschenforschers erscheinen, wenn also die Euripideische oder Cornelianische Medea, wie sie die Dichter der Aufklärung auffaßten, als Zeitgenossin die naturalistische Bühne Lessings betritt. Lokalfarben fallen ins Auge, ein Spiel von Tönen, Schattierungen und Nuancen, das in dem pathetischen Fresko der klassischen Seelenlandschaften verborgen blieb. Marwood ist mutig, stolz und grausam wie die kol-

57 4. Stück. «Symbolisch» bedeutet hier, wie bei Lessing meistens, soviel wie «abstrakt».

chische Priesterin, außerdem aber auch klug, weltläufig, eine Dame von besten Manieren, hin und wieder sogar generös, doch mehr nur aus hochmütiger Laune als aus angeborenem Adel. Eine Liebende? Ja, wenn wir Liebe und Wollust nicht zu genau unterscheiden. Immerhin kann sie von Mellefont nicht lassen. Sie hat ihm zwar nicht ihre Unschuld, aber doch ihren guten Namen geopfert und hält sich für berechtigt, diesen mehr als jene in Anschlag zu bringen. In mimischen und rhetorischen Täuschungsmanövern leistet sie Großes; doch ihre Kräfte reichen nicht mehr ganz aus, um jede Situation zu meistern. Die besseren Tage sind vorüber. Dessen ist sie sich manchmal mit einer beinahe rührenden Wehmut bewußt. Und so fort! Wir müßten noch eine Weile weiterfahren, bis alle Charakterzüge aufgezählt wären. Sie könnten aber, vom ersten bis zum letzten, der Reihe nach aufgezählt werden. Denn Marwoods Charakter *ist* tatsächlich noch immer, wie die Charaktere in Gottscheds Repetitorium, aus Einzelzügen, die der Dichter alle bedacht hat, zusammengesetzt. Der Reichtum und die Mannigfaltigkeit der Zusammensetzung jedoch ergeben schon nahezu jenes Flimmern, jenes Oszillieren, das wir als Offenbarung des individuum ineffabile anerkennen.

Läßt sich denken, daß Lessing sein Ziel in dieser Richtung weiterverfolgt, sich also mit immer subtilerer Diskursivität immer näher an das lebendige Leben heranpirschen wird? Der Kunstverstand des Dramatikers warnt. Die Analyse der Charaktere nämlich, mit den Mitteln, die wir nun kennen, erfordert sehr viel Raum und verträgt sich schlecht mit dem Tempo der gerade diesem Dichter so wichtigen tragischen Präzipitation. Schon die «Miß Sara Sampson» geht mit ihrem redseligen Scharfsinn über die Grenzen des Bühnengerechten hinaus. Je schärfer aber der Verstand die Individualität zu erfassen, je genauer er sie zu zergliedern und auf feste Begriffe zu bringen versucht, desto unergründlicher, feiner stellt sie sich dar, ein Infinitesimal, das in keinem Rechnungsverfahren aufgeht. Lessing prüft die Lage und findet, daß sie einstweilen nicht spruchreif sei. Er geht zu andern Dingen über und wendet sich dann, als Dramatiker, zunächst dem Lustspiel zu, das in dieser Beziehung weniger heikel ist. Erst nach siebzehn Jahren – wenn wir von dem unproblematischen «Philotas» absehen dürfen – legt er wieder eine Tragödie vor. Inzwischen lassen uns aber zeitgenössische Autoren die wachsenden Schwierigkeiten ermessen, mit denen die alte Methode der Nachahmung und Erforschung des Menschen zu kämpfen hat. Wieland zum Beispiel, wenn er uns über seine Helden verständigen will, sieht sich genötigt, ganze Kapitel, die nichts als psychologische Exkurse enthalten, einzuschieben. Mendelssohn vertieft sich in das Studium der «gemischten Empfindung», entwickelt eine wahre Chemie der Affekte und kommt doch schließlich dazu, ihre Unbegreiflichkeit einzugestehen. Immer wunderbarer und aufdringlicher wird das Rätsel des Lebens, und immer geschmeidiger und spielerischer entzieht es sich dem Zugriff, je listiger es der Jäger umstellt. So geht es nicht weiter; die Zeichen sprechen deutlich genug: der Mensch ist wieder einmal mit seinem Latein zu Ende und wird sich bequemen müssen, eine neue Sprache zu lernen, eine Sprache, die mitzuteilen vermag, was bisher unaussprechlich war, und freilich auch wieder – wer dürfte zweifeln? – dereinst an neuen Bereichen des unaussprechlichen Ganzen scheitern wird.

Wie kommt aber eine neue Sprache zustande? Wer lehrt und wer lernt sie zuerst? Auf der Linie, die wir verfolgen, begegnen wir dem nicht seltenen Phänomen, daß ein Autor noch im alten Geist spricht, doch so, daß seine Sprache zugleich neuartig aufgefaßt werden kann, daß demnach die alte Generation sich mit demselben Recht auf sie beruft wie die rebellische Jugend. Ein solches Werk ist Lessings «*Emilia Galotti*», die zur selben Zeit wie Goethes «Götz von Berlichingen», im Winter 1771/1772, entstand. Man weiß, wie viel die Berliner sich auf diese Leistung zugute taten, wie sie geradezu als Kanon einer von dem Geist der Aufklärung erhellten Tragödie galt. Andrerseits wissen wir aber auch, wie groß ihr Einfluß auf das dramatische Schaffen der Stürmer und Dränger war. Goethe hat zwar in einer Anwandlung von Unmut erklärt, in der «Emilia» sei alles doch «nur gedacht, und nicht einmal Zufall oder Kaprice spinnen irgend drein. Mit halbweg Menschenverstand kann man das Warum von jeder Szene, von jedem Wort, möcht ich sagen, auffinden. Drum bin ich dem Stück nicht gut, so ein Meisterstück es sonst ist, und meinem ebenso wenig[58]». Er schreibt dies an Herder, wir glauben beinahe sagen zu dürfen, Herder zuliebe, und findet zu unserm Erstaunen denselben prinzipiellen Fehler im «Götz». Kurz darauf hindert ihn dies aber nicht, im «Clavigo» mit Lessings Kalbe zu pflügen. Und in der Stube Werthers, der in seinem Blut liegt, entdecken die Freunde, aufgeschlagen auf dem Pult, also offenbar seine letzte Lektüre, nicht etwa Klopstocks Oden oder Ossians Gesänge, sondern ein Exemplar der «Emilia Galotti». Leisewitz im «Julius von Tarent» verrät die Schule Lessings in seiner bei aller Leidenschaft immer noch aristokratischen Diktion. Klingers Anfänge sind nicht denkbar ohne das faszinierende Vorbild. Und noch Schiller, in «Kabale und Liebe», leistet seinen Tribut in einigen Sätzen und Motiven, die, man weiß nicht, bewußte oder unbewußte Entlehnungen sind. So blickt das vielberedete Werk in die Zukunft und in die Vergangenheit, ein Januskopf, ein seltsam verwirrendes Kunstgebild auf der Schwelle der Zeiten.

Wir heutigen Leser sind geneigt, zunächst einmal dem «Nur gedacht» des jungen Goethe zuzustimmen, allerdings nicht im Sinne eines das ganze Drama betreffenden Tadels. Dem Kunstverstand des Dichters nachzuspüren, die Gründe ausfindig zu machen, warum er diese Sätze geschrieben und jene Züge eingefügt hat, bereitet uns eine hohe, alle Lebensgeister erfrischende Lust. Doch hin und wieder stutzen wir auch und sind verärgert, so zumal in der brüchigen Szene des letzten Akts, wo Emilia im erregtesten Zustand, bereits zum Tod entschlossen, über Gewalt, Verführung und Tugend nachdenkt, mit einer Skepsis, die wir zwar der bitteren Lebenserfahrung eines vierzigjährigen Dichters, doch niemals einem jungen Mädchen in einem solchen Augenblick zutrauen[59]. Verärgert sind wir indessen nur, weil die Heldin sich hier noch so überwacht, so über sich selber reflektiert, wie es bisher allgemein üblich war und der Auffassung des Menschen sowohl wie dem gültigen tragischen Stil entsprach. Der neue Bühnenstil macht offenbar dergleichen unerträglich.

Wie hat der Stil sich aber verändert? Wenn Lessing an «Miß

58 An Herder, 10. Juli 1772.

59 Vgl. dazu W. Dilthey, G. E. Lessing, in: Das Erlebnis und die Dichtung, 9. Aufl., Leipzig und Berlin 1929, S. 83.

Sara Sampson» dachte, hatte er Grund, in zwiefacher Hinsicht unzufrieden zu sein: Das Stück war zu geschwätzig, deshalb zu lang und zu schleppend, und es genügte den höchsten Anforderungen einer naturalistischen Nachahmung nicht. Waren die beiden Fehler vielleicht aus einer gemeinsamen Wurzel gewachsen? Die «Hamburgische Dramaturgie» kommt hin und wieder auf diese Frage zurück. Der Kritiker rügt an andern Dichtern die Sünden seiner eigenen Jugend. Frau Gottsched zum Beispiel hat die «Cénie» der Frau von Graffigny übersetzt. In dem Stück ist davon die Rede, daß ein alter einem jüngeren Mann ein Viertel seines Vermögens zudenkt. Der jüngere hofft aber mehr zu gewinnen.

«Er verweigert sich dem großmütigen Anerbieten, und will sich ihm aus Uneigennützigkeit verweigert zu haben scheinen. ‚Wozu das?' sagt er. ‚Warum wollen Sie sich Ihres Vermögens berauben? Genießen Sie Ihrer Güter selbst; sie haben Ihnen Gefahr und Arbeit genug gekostet.' J'en jouirai, je vous rendrai tous heureux: läßt die Graffigny den lieben gutherzigen Alten antworten. ‚Ich will ihrer genießen, ich will euch alle glücklich machen.' Vortrefflich! Hier ist kein Wort zu viel! Die wahre nachlässige Kürze, mit der ein Mann, dem Güte zur Natur geworden ist, von seiner Güte spricht, wenn er davon sprechen muß! Seines Glückes genießen, andere glücklich machen: beides ist ihm nur eines; das eine ist ihm nicht bloß eine Folge des andern, ein Teil des andern; das eine ist ihm ganz das andere: und so wie sein Herz keinen Unterschied darunter kennet, so weiß auch sein Mund keinen darunter zu machen; er spricht, als ob er das Nämliche zweimal spräche, als ob beide Sätze wahre tautologische Sätze, vollkommen identische Sätze wären; ohne das geringste Verbindungswort. O des Elenden, der die Verbindung nicht fühlt, dem sie eine Partikel erst fühlbar machen soll! Und dennoch, wie glaubt man wohl, daß die Gottschedin jene acht Worte übersetzt hat? ‚Alsdenn werde ich meiner Güter erst recht genießen, wenn ich euch beide dadurch werde glücklich gemacht haben.' Unerträglich! Der Sinn ist vollkommen übergetragen, aber der Geist ist verflogen; ein Schwall von Worten hat ihn erstickt. Dieses Alsdenn, mit seinem Schwanze von Wenn; dieses Erst; dieses Recht; dieses Dadurch: lauter Bestimmungen, die dem Ausbruche des Herzens alle Bedenklichkeiten der Überlegung geben, und eine warme Empfindung in eine frostige Schlußrede verwandeln[60].»

Als «Sprache des Herzens, die nur das Herz trifft», kennzeichnet Lessing die kurze Fassung des französischen Originals. Wie würde durch eine solche Sprache jeder unmittelbar verständigt, wie käme sie zugleich der dramatischen Konzentration zustatten!

Ein größerer Meister als Frau von Graffigny lehrt dasselbe: Diderot, dessen Stücke Lessing übersetzt hat, auf den er nun immer wieder verweist. Im Bunde mit Diderot empfiehlt er «kleine Nachlässigkeiten», einen «geschmeidigen Dialog» und Reden, denen der «wahrere Anschein der augenblicklichen Eingebung[61]» eignet. Solche kluge Anmerkungen verraten nun freilich, daß er sich nicht auf sein eigenes Herz zu verlassen wagt. Und daß er sich nicht darauf verläßt, gehört zu dem resignierten Geständnis am Schluß der «Hamburgischen Dramaturgie»: er sei zwar ein Kritiker, aber kein Dichter. Der Schöpfer der «Miß Sara Sampson» oder des «Jungen Gelehrten» hätte sich selber noch kaum so eingeschätzt, nicht weil er eitler gewesen wäre, sondern weil damals überhaupt noch niemand auf den Gedanken kam, Dichter und Kritiker reinlich zu unterscheiden. Nun sind die Dinge, vor allem dank seiner eigenen Leistung, so weit gediehen, daß sich herausstellt: das dichterische Schaffen erfordert Organe, die keine noch so bewanderte, kluge Kritik ersetzt. Der Kritiker hat sich also gleichsam in eine Höhe hinaufgedacht, auf der ihm als Dichter der Atem ausgeht. Dankt er als Dichter nun ab? Er scheint bereit dazu. Dann besinnt er sich aber. Wo wäre in Deutschland der Mann, der dem Gebot der Stunde genügen könnte? Wenn er nicht selber den nächsten Schritt tut, so wird ihn einstweilen niemand vollbringen. Das heißt: es bleibt nichts anderes übrig, als mit dem subtilsten Kunstverstand die Sprache zu treffen, die sonst nur das Herz trifft, mit langem, mühsamem Denken jene «lebendige Quelle» vorzutäuschen, die «durch eigene Kraft sich emporarbeitet, durch eigene Kraft in so reichen, so frischen, so reinen Strahlen aufschießt[62]». Und also nimmt Les-

60 20. Stück.
61 Hamburgische Dramaturgie, 59. Stück.
62 Hamburgische Dramaturgie, 101.–104. Stück.

sing den Plan vor, den er schon lange im stillen durchgedacht hat: «Emilia Galotti» kommt zustande. Es bleibe dahingestellt, ob nicht auch unmittelbare Herzenstöne in diesem Stück vernehmlich werden, ob wirklich alles «nur gedacht» oder ob es dem Dichter gelungen sei, mit der Nachahmung von Affekten in sich selbst Affekte zu evozieren, ähnlich wie er dies bereits in «Miß Sara Sampson» vom Mimen erwartet. Im Großen jedenfalls und auf weite Strecken, in zahllosen Einzelheiten, erweist sich «Emilia Galotti» als ein Erzeugnis der schärfsten Reflexion, einer Reflexion jedoch, die ihren höchsten Triumph erzielt, indem sie sich selber fast ganz zu verbergen weiß.

Was Lessing geglückt ist, wird uns bewußt, wenn wir mit einer Gestalt wie Marwood die neue Variation des rasenden Weibes, die Gräfin Orsina, vergleichen.

Ihre Funktion im Gefüge der Handlung erkennen wir nicht so leicht, obwohl sie der Dichter selbstverständlich wieder genau erwogen hat. Die Dame, die so spät erst auftritt, ist nicht der *fabricator doli.* Man könnte sie auf den ersten Blick vielleicht sogar für entbehrlich halten. Doch streichen wir sie in Gedanken aus, so erkennen wir gleich, wie viel sie bedeutet. Lessing braucht eine Figur, die den Frevel des Prinzen und Marinellis entdeckt, den Tätern ohne jede Rücksicht vorhält und den Opfern, soweit sie noch leben, in gräßlichen Farben schildert. Dazu eignet sich am besten eine soeben verlassene Geliebte. Sie muß von Adel sein; sonst nähme sie sich am Hof den Ton nicht heraus, der nötig ist, wenn der tragische Schrecken ungehemmt ausbrechen soll. Als verlassene Geliebte antizipiert sie ferner die Zukunft, die nur zu bald, bei gleichen Voraussetzungen, auch Emilia Galotti drohen würde. Doch die Voraussetzungen sollen gerade nicht die gleichen sein. So gilt es – was allein schon dramaturgische Gründe empfehlen würden – eine Kontrastfigur zu schaffen. Das ist die Orsina bereits als Gräfin. Sie ist es ferner als «denkende», belesene, «philosophierende» Frau. Immerhin, über diese aparte Eigenschaft könnte man sich verwundern. Wir denken nach, und da geht uns auf: Ganz mag Lessing nicht auf explizite Reflexionen verzichten, zumal nicht bei einem solchen Charakter, der unter allen seinen Geschöpfen weitaus das komplizierteste ist. Wer sollte ferner auf dem Höhepunkt der Krise die Lage erhellen und die Dinge beim Namen nennen, wenn es die Gräfin Orsina nicht tut? Die Lösung ist verblüffend: die Reflexion wird selber Charakterzug. Dieser wieder erklärt, warum sie dem Prinzen verleidet ist, und setzt Emilia in noch helleres Licht. Wie sticht das holde weibliche Wesen nun ab von dem in Leidenschaft und abstrakte Vernunft zerrissenen Gemüt, von dieser Mätresse, die, in einer stets gefährdeten Stellung, ihr inneres Gleichgewicht verloren hat und eben damit wieder die unheilvolle Welt des Hofes beleuchtet!

So ungefähr dürfte die Gräfin gedacht sein. Wie aber wird sie nun realisiert? Manchmal kann auch sie es noch nicht lassen, sich selber zu kommentieren. Indes, sie ist ja Philosophin. Der Dichter versündigt sich also keineswegs gegen die Nachahmung der Natur, indem er sich hier des geläufigen, für sein gereiftes kritisches Urteil nun freilich veralteten Mittels bedient. Schon lange bevor sie auftritt, wird die plötzlich lästig Gewordene aber durch den Prinzen, durch den Maler und Marinelli charakterisiert. Das indirekte Verfahren hat den Vorteil, daß es der Individualität noch einen gewissen Spielraum gewährt. Es bleibt uns überlassen, ob wir dem Maler glauben wollen, der «Würde», «Lächeln», «sanfte Schwermut» in ihrem Antlitz gelesen und dargestellt hat, oder dem Prinzen, der «Stolz», «Hohn», «trübsinnige Schwärmerei» darin findet. Wir dürfen mißtrauisch sein, wenn Marinelli sie eine Närrin nennt, und werden in seiner Schilderung auch das «gefolterte Herz» nicht überhören. Dennoch, die Waage neigt sich eher zu Ungunsten einer Person, die den schlimmsten Fehler zu haben scheint, den Frauen, nach Goethe, überhaupt haben können: Unliebenswürdig zu sein, wenn sie lieben. Hat nicht sogar Conti bei aller Höflichkeit einiges angedeutet, was auf Launen und Hochmut schließen läßt?

Im vierten Akt erscheint sie selbst. Da fehlt es nicht an jenen «kleinen Nachlässigkeiten» und nicht an jenen Reden, «denen der wahre Anschein der augenblicklichen Eingebung» eignet. Wir werden Zeugen, wie es im Gemüt der Gräfin arbeitet und wühlt, wie sie, bei aller Intelligenz, nach Worten ringt, sich unterbricht, jäh eine andere Richtung einschlägt und ebenso plötzlich wieder aufgibt. Wir sehen die Leidenschaft *in statu nascendi:* Ungewißheit, Argwohn verwandeln sich bis zum siebenten Auftritt in Gewißheit, Verzweiflung und Rachgier. Doch diese ganze Entwicklung benötigt verhältnismäßig wenig Raum, weil Lessing es in der mimischen und sprachlichen Nachahmung der Affekte zur höchsten Meisterschaft gebracht hat. Wir zögern sogar bereits, im alten Sinne noch von Affekten zu reden. So sehr ist alles oder *wirkt* doch mindestens alles individualisiert. Schon gleich zu Beginn das Vokabular: «Wundert sich das Gehirnchen?», «Was gilts, er ist in dem Zimmer, wo ich das Gequicke, das Gekreusche hörte?», «Denken Sie, daß es schicklich ist, mit Ihnen hier in dem Vorgemache einen elenden Schnickschnack zu halten...» Ein häßliches Zucken um die Lippen scheint solche Worte zu begleiten; im Herzen einer Dame von Stand, die sich ihrer bedient, ist etwas zerbrochen. Höchst wirksam, obwohl schon fast zu häufig verwendet, ist ferner die Wiederholung:

«*Orsina* (heftig) Nicht gelesen? – (minder heftig) Nicht gelesen? – (wehmütig, und eine Träne aus dem Auge wischend) Nicht einmal gelesen?»

«Verachtung! Verachtung! Mich verachtet man auch! mich!»

«Ich bin Orsina; die betrogene, verlassene Orsina. – Zwar vielleicht nur um Ihre Tochter verlassen.»

Die heftige Leidenschaft kommt immer wieder auf ein und dasselbe zurück. Damit wird die Wiederholung psychologisch legitimiert. Zugleich gestattet sie einen beträchtlichen Einsatz von Stimme und Mienenspiel. Bei dem «Nicht gelesen» hat Lessing angemerkt, wie er dergleichen sich vorstellt. Er hat gelernt, daß ein einzelnes Wort mehr wirkt als die klügste Schlußfolgerung. Ganz traut er der Sache aber doch nicht. So hilft er nach und unterstreicht mit Regieangaben und Ausrufezeichen. Je knapper er den Raum bemißt, desto eindrucksvoller, vielsagender müssen einzelne Worte und Wendungen sein. Vielsagend werden die Worte auch, wenn ihre Mehrdeutigkeit oder ein verblaßter buchstäblicher Sinn hervortritt:

«Nicht zugleich auch tot. Nein, guter Vater, nein! – Sie lebt, sie lebt. Sie wird nun erst recht anfangen zu leben. – Ein Leben voll Wonne!»

«Des Morgens, sprach der Prinz Ihre Tochter in der Messe; des Nachmittags, hat er sie auf seinem Lust – Lustschlosse.»

Und abermals anders finden wir einzelnes intensiviert, indem es kunstvoll eingeleitet oder auch wider Erwarten zutage gefördert wird. Von Marinelli wissen wir schon, daß die Gräfin «mit dem lustigsten Wesen die melancholischsten Dinge sagt und wiederum die lächerlichsten Possen mit der allertraurigsten Miene». In der Tat benimmt sie sich so. Sie klatscht in die Hände, wie sie dem Verbrechen des Prinzen auf die Spur kommt, und fordert Marinelli «ernsthaft und befehlend» zum Lachen auf. Den Höhepunkt erreicht die Szene in dem mit allen Mitteln der Spannung zurückgehaltenen, fern der Türe, in einer geheimen Ecke dem Höfling ins Ohr – *gebrüllten:* «Der Prinz ist ein Mörder!» Längst sind wir unruhig, schreckhaft geworden. Jetzt fährt das Entsetzen uns durchs Gebein. Und damit hat es noch nicht sein Bewenden. Im Zwiegespräch mit Odoardo folgt eine Tirade von Wut und Wahnsinn, die scheinbar wieder nahe an barocke Affekt-Rhetorik heranrückt, so naturalistisch vorbereitet jedoch nicht mehr von oben herab, sondern viel schamloser von Mensch zu Mensch wirkt.

Ein Virtuosenstück, zweifellos! Etwas Ähnliches gab es bisher in der deutschen Tragödie nicht. Wollten wir aber so scharf wie Lessing kritisieren, so müßten wir sagen: Er hat des Guten zu viel getan. Die Szene überschreitet das Maß, das ihr im Ganzen des Dramas zukommt. Die Gräfin Orsina stellt sich uns als Individualität so aufdringlich dar, daß man vermuten möchte, das psychologische Interesse habe dies eine Mal überbordet; der Dramatiker habe sich, gegen seine Gewohnheit, in Einzelheiten verloren. Außerdem ist die Szene im Gefüge der Akte zu vehement, «das Schrecken», das doch nur das Mitleid vorbereiten sollte, zu groß, als daß es sich in den gesamten, vom Anfang zum Ende führenden Bogen der Emotionen einzugliedern vermöchte.

Das sind «Fehler», Fehler jedoch, die größere Bewunderung verdienen als alles, was nur tadellos ist. Sie haben denn auch den gewaltigen Eindruck gemacht, den der Dichter erwarten durfte. Wäre den Zeitgenossen der Gang der Entwicklung schon klar gewesen, so hätten sie bei der Uraufführung einander das Goethesche Wort zurufen dürfen: «Von hier und heute geht eine neue

Epoche ... aus, und ihr könnt sagen, ihr seid dabei gewesen[63].» Denn nirgends wird das Ereignis des Stilbruchs, der den Sturm und Drang von der Aufklärung scheidet, so deutlich sichtbar wie hier.

Wir blicken zurück und versuchen, soweit das möglich ist, uns noch einmal das Publikum vorzustellen, zu dem ein Bühnendichter der Jahrhundertmitte und der ersten Jahrzehnte der zweiten Jahrhunderthälfte sprach. Lessing schildert es uns im zweiten Stück der «Hamburgischen Dramaturgie»: Bei Versen, die eine moralische Sentenz enthalten, entsteht «in dem Parterre eine allgemeine Bewegung und ist dasjenige Gemurmel zu bemerken, durch welches sich der Beifall ausdrückt, wenn ihn die Aufmerksamkeit nicht gänzlich ausbrechen läßt[64]». Andrerseits kennen wir die Bereitschaft zur Rührung, die Kostbarkeit der Tränen, die man sich sozusagen einzeln vorzählt und sehr hoch anrechnet[65]. In beiden Fällen genießt man sich selbst als aufgeklärten Geist; man fühlt sich geschmeichelt in seinem vernünftigen Wesen, hier im Bewußtsein seiner Güte und angeborenen Philanthropie, dort in seinem Vermögen, eine geschickt formulierte Wahrheit zu schätzen. Kenner freuen sich außerdem, den Scharfsinn durch den logischen Bau des Trauerspiels beschäftigt zu finden. Das heißt: die Tragödie der Aufklärung bewirkt auch im Zuschauer Reflexion, so wie sie aus Reflexion geboren ist und Reflexionen darstellt. Alles entspringt der allgemeinen Vernunft und deutet auf sie zurück.

Die Gräfin-Orsina-Szene jedoch, obwohl noch immer derselben Herkunft, löst eine andere Wirkung aus. Sie ist nicht rührend; wenn schon von «Mitleid» die Rede sein darf, dann höchstens im Sinne des sympathetischen «zweiten Affekts[66]». Sie duldet, während sie sich abspielt, keine vernünftige Würdigung; sie schlägt den selbstgefälligen Scharfsinn nieder und ist vorbei, bevor er sich wieder aufzurichten vermag. Wir haben auch keine Zeit, den Charakter zu analysieren; er fasziniert uns, stößt uns menschlich

63 Kampagne in Frankreich, 19. September 1792.
64 Hamburgische Dramaturgie, 2. Stück.
65 Vgl. dazu E. Auerbach, Mimesis, Bern 1946, S. 351.
66 Vgl. S. 43.

ab und zieht uns künstlerisch an, bevor wir wissen, worauf der Doppeleffekt beruht. Erst nachträglich sind wir imstande, uns darüber Gedanken zu machen und wahrzunehmen, welch ein einzigartiger Kunstverstand hier am Werk ist. Im Augenblick meinen wir, mit einer zwar völlig unbegreiflichen, aber vielleicht gerade deshalb unfehlbaren Methode verständigt zu werden. Und wir sind hingerissen! Der Dichter hat uns in einen Rausch von Neugier, Schrecken und grausamer Lust versetzt, für den wir gern auf die der Gesellschaft so nützlichen Aufmunterungen der zarteren Triebe und des Verstandes verzichten. Die Selbstherrlichkeit der Leidenschaft, auf die sich Lessing schon früh, wenngleich mit Vorbehalten, berufen hat, behauptet ihr ungeheures Recht; und ebenso die Selbstherrlichkeit der erstaunlichen Individualität. Die Individualität und die Leidenschaft durchbrechen die Gesamtstruktur des Dramas: Symbol der Emanzipation von der Autorität der Vernunft, Signal für eine Jugend, die gleichsam schon lange an Mangelkrankheiten leidet und nun auf einmal erkennt oder drastisch bestätigt findet, daß sie Passionen und unverwechselbar eigentümliches Menschenwesen entbehrt. Im Rahmen unsrer noch immer genau begrenzten Studie, die eine einzige Linie verfolgt, bedeutet dies: Bühnendichter wie Leisewitz, Lenz, Wagner, Klinger betreten den Plan.

Lenz behauptet in seinen verwilderten «Anmerkungen übers Theater[67]», im neueren Drama stünden, im Gegensatz zu der aristotelischen Lehre, die Fabeln im Dienst der Charaktere, nicht umgekehrt, wie bei den Griechen, die Charaktere im Dienst der Fabeln. Er gibt dafür sogar, entgegen seiner Gewohnheit, eine Begründung. Die Griechen, erklärt er, hätten noch an ein allgewaltiges Fatum geglaubt; und dieses könne natürlich nur im Gefüge der Handlung sichtbar werden. In neueren Zeiten herrsche der Glaube an die Freiheit des Menschen vor. Da gelte das Interesse vor allem der originalen Persönlichkeit. Wir nehmen diese Deutung als weltanschaulich-historische Konsequenz der veränderten Gravitation des Gemüts, der allgemeinen Verschiebung des Schwerpunkts von dem umfassenden Sinnbezug auf Einzelnes,

67 Siehe Sturm und Drang, Kritische Schriften, Plan und Auswahl von E. Löwenthal, Heidelberg 1949, S. 715 ff.

das Aufsehen erregt, auf sonderbare Physiognomien und überwältigende Momente. Die Dramen fallen auseinander, bei Klinger in eine Serie von Affektraketen, bei Lenz in Trödel, der aus dem «Raritätenkasten[68]» der Menschheit ausgeschüttet wird. Nun ist die Stunde für Shakespeare da – für einen mißverstandenen freilich, für den «Barbaren», den Friedrich der Große als Schöpfer eines «mélange bizarre de bassesse et de grandeur, de bouffonerie et de tragique[69]» verdammte. Nicht Shakespeares Vers, aber seine drastische, derbe Prosa wird nachgeahmt, nicht seine barocke Kultur, aber alles, was ungeheuerlich aussieht, und zumal seine freiere szenische Technik. Die Einheit des Orts, der Zeit und im Grunde sogar der Fabel behindert nur die augenblickliche Eingebung.

Wie mächtig indes die Vernunft noch nachwirkt, wie schwer es ist, sie loszuwerden, zeigt sich gerade im Überbetonen des Eigenartigen und Skurrilen und in der Willentlichkeit der Affekte. Man muß die verwünschte Besinnung betäuben. Das führt zu jenem Wesenszug, der die ganze Epoche charakterisiert und auch von der scheinbar verwandten Romantik trennt: wir nennen ihn «Explosivstil» und meinen damit die immer wieder gewaltsam zusammengeballte und plötzlich sich entladende Seelensubstanz, die Beteuerungen und Ausrufezeichen, die Anschauungsfülle in verwegen zusammengesetzten neuen Vokabeln oder das Pathos der Inversionen. Vieles von dem, was Lessing in der Orsina-Szene am Ende kluger und reiflicher Überlegung erreicht hat, die unmittelbare Sprache der Leidenschaft, ist nun das erste und letzte zugleich. Man wehrt sich gegen die Sukzession – «Spute dich, Kronos!» –, man brüllt gleich los und hält es mit dem Fiesko Schillers:

«Zerstücke den Donner in seine einfachen Silben, und du wirst Kinder damit in den Schlummer singen; schmelze sie zusammen in *einen* plötzlichen Schall, und der monarchische Laut wird den ewigen Himmel bewegen[70].»

Die «monarchischen Laute» zu häufen und möglichst rasch aufeinander folgen zu lassen, scheint das Hauptbestreben der jungen Tragödiendichter zu sein. Sie stufen die Töne nicht ab. Die

68 Goethe in der Rede zum Shakespeare-Tag.
69 De la Littérature allemande, Berlin 1780, S. 23.
70 3. Aufzug, 2. Auftritt.

Szene bekümmert sich wenig um den Akt, der Akt nicht sonderlich um das Ganze. Dieses wiederum ordnet sich nicht in einen vernünftigen Kosmos ein. Und wie die Ausrichtung «nach oben», auf eine gültige Ordnung, fehlt, fehlt auch die Blickrichtung «nach unten», die Aufsicht, die das *Cogito* über die Leidenschaften und Triebe führte. Man unterscheidet in sich selber Bewegtes und Unbewegtes nicht mehr. Ein Unbewegtes soll gar nicht sein; alles soll sich in einer einzigen tumultuösen Bewegung verlieren, und von dieser Bewegung soll die gesamte Wirklichkeit überwältigt, alles Leben, alle Natur erfaßt und mitgerissen werden. Dies aber besagt: das Gegenüber, die Distanz, die sich von Gottsched bis Lessing ständig vermindert hat und doch nie ganz verschwunden, vielmehr in nächster Nähe des Lebensrätsels besonders empfindlich geworden ist, sie wird nun plötzlich aufgehoben, und zwar durch einen Willensakt, durch ein Zusammenraffen und Verschleudern zusammengerafften Daseins. Um das Stromgleichnis zu brauchen, dessen die Dichter vom Anfang der siebziger Jahre sich so gern bedienen: der Wanderer, der vom Ufer aus die reißenden Fluten betrachtet und sich immer mehr vornüber geneigt hat, stürzt sich nun kopfüber hinein und schwimmt in schaudernder Wonne mit.

Damit verändern sich alle Voraussetzungen und Ziele der Poesie. Die Dichtung ist nicht mehr Nachahmung – nicht Nachahmung von Mustern; denn das hieße bereits, ein Gegenüber, ein Allgemeingültiges anerkennen – nicht Nachahmung des vernünftigen Baus des Universums und nicht der irgendwie vorhandenen Realität; denn es gibt nun weder ein stetiges, der Natur überlegenes Ich noch eine an sich bestehende Wirklichkeit. Es gibt nur momentane Vereinigungen von Ich und Wirklichkeit im individuellen Erlebnisbereich. Der neuen Lage entspricht schon bald eine neue ästhetische Terminologie. Lenz redet zwar noch von Nachahmung. Das Wort verliert aber jeglichen Sinn und scheidet nach wenigen Jahren aus der lebendigen, zeitgemäßen Diskussion poetischer Fragen aus. Wenn Goethe es später wieder aufnimmt, geschieht es, um, im Unterschied zur subjektiven Manier und zum gültigen Stil ein zwar solides, doch untergeordnetes Schaffen zu bezeichnen.

Doch seltsam! Indem man sich so von Aristoteles zu befreien glaubt, kommt seine Poetik – was wir erst heute wissen – gerade zu ihrem Recht. «Mimesis» nämlich, das strittige Wort, bedeutet gar nicht «Nachahmung[71]». Es stammt aus der kultischen Sprache und bezeichnet die Ausdruckskunst der Tänzer, die einen mythischen Vorgang mit Gebärden und Mienen, auch mit musikalischen Mitteln, zur Darstellung bringen. Die Mimesis des Tänzers gestattet keine naturalistische Deutung. Sie richtet sich nicht nach einer unabhängigen Realität und kann darum nicht im Vergleich mit einer solchen als falsch oder richtig beurteilt werden. Es findet überhaupt noch keine Scheidung von Subjekt und Objekt statt. Der Tänzer geht in der Handlung auf; er *ist*, was er im Tanz verwirklicht.

Damit entfernen wir uns freilich weit von deutscher Art und Kunst und dem Jahrzehnt, das uns beschäftigt. Nur um so mehr verblüfft uns aber die eigentümliche Analogie im Verhältnis zur «Wahrheit» und «Richtigkeit». Die Stürmer und Dränger finden es lästig, sich den Gesetzen einer im voraus gegebenen Welt unterwerfen zu müssen. Das «Nach», die Nachträglichkeit, die im Begriff der Nachahmung liegt, verdrießt sie. Sie «drücken aus», vor allem sich selbst; doch da das Gegenüber verschwindet, gilt ihnen der Ausdruck des eigenen Ich zugleich als Ausdruck der Natur, und zwar einer unerhörten, zu lange schon von Konventionen verdrängten. Sie leben sie leibhaftig vor, als Spürhunde Gottes, als Nachfolger Christi, in Eulenspiegeleien und tragischen Posen oder, wie Wilhelm Meister, der auf den Spuren Shakespeares wandelt, in Tracht und Gebaren des Prinzen Heinrich[72]. Undenkbar, daß ältere Dichter, ein Lessing, Cronegk, Weiße, Schlegel, sich je zu einer solchen Kostümierung herbeigelassen hätten. Sie wird erst möglich, wenn die Begier erwacht ist, im großen natürlichen und geschichtlichen Leben aufzugehen, oder, was auf dasselbe hinausläuft, das Leben in der individuellen Existenz aufgehen zu lassen.

Mimesis, wie sie die Griechen verstanden haben, ist vor allem

71 Vgl. dazu H. Koller, Die Mimesis in der Antike, Bern 1954.
72 Wilhelm Meisters Theatralische Sendung, 5. Buch, 12. Kap.

nun auch die Gestaltung dramatischer Charaktere. Der Dichter denkt nicht mehr über sie nach; er versetzt sich in sie; er spricht aus ihnen und weiß über sie genau so gut und so schlecht Bescheid wie über sich selbst. Wir wählen als Beispiel eine Gestalt, die wenigstens ihrem Schicksal nach mit Dido, Marwood und der Gräfin Orsina verglichen werden kann: Isabella in Klingers «*Simsone Grisaldo*».

Grisaldo, groß im Krieg und größer noch als Eroberer weiblicher Herzen, ist, wo er geht und steht, von edlen verlassenen, manchmal auch wieder neubegünstigten Geliebten umgeben. Isabella gehört zu ihnen. Als Sieger in Aragonien hat der General ihr Herz gewonnen, bald aber, bei neuen Siegen und Liebesabenteuern, wieder vergessen. Um ihn ins Land zurückzulocken, setzt sie alles in Bewegung, daß der Friede gebrochen wird. Den Helden will sie wieder besitzen, und an dem Treulosen will sie sich rächen. Bei einem Überfall der Ihrigen wirkt sie mit, und fast kommt es dazu, daß sie mit dem Geliebten in Flammen aufgeht. Nun finden die Aragonier ihre doppeldeutige Haltung verdächtig; sie folgt Simsone nach Kastilien. Dort, wo sie täglich sieht, daß seine Liebe nicht ihr allein gehört, begeht sie abermals Verrat. Eine biblische Szene schimmert durch: Simsone soll geblendet werden. Im letzten Augenblick rettet ihn aber das Geschrei einer andern Geliebten. Isabella wird fortgeschleppt. Es «reut sie». Dann hören wir nichts mehr von ihr. Simsone triumphiert über alle inneren und äußeren Feinde und sichert sich wieder die Gunst seines schwächlichen Königs.

Nach einer Funktion der geschilderten Szenen im Gefüge des Schauspiels dürfen wir nicht fragen. Die Sache liegt hier umgekehrt: der Dichter hat die Fabel erfunden, um möglichst vielen interessanten, erregenden Szenen Raum zu gewähren. Dennoch wird uns, was bei diesem Verhältnis der Teile zum Ganzen ja denkbar wäre, auch keine psychologische Einzelanalyse geboten. Bastiano, einer der Gegner Simsones, entwirft einmal in knappen Worten ein Bild der gefährlichen Frau.

«Ein edles Herz sinnt Rache. Ein großes Herz, wie sie hat, sinnt Rache. Alles muß sie aufbringen, zu rächen. Was muß das ein Weib sein, eine Liebe sein, um sein Volk zu befriedigen, um seine

Treue dabei nicht zu brechen, sich lieber in den Armen des Geliebten von den Flammen fressen zu lassen[73].»

Das ist nahezu alles, was expressis verbis über die «Eigenschaften» Isabellas ausgesagt wird; und schon die wenigen Sätze sind eher ein Ausdruck von Bastianos Neid als indirekte Charakterisierung. Sie selber charakterisiert sich gar nicht. Sie hat so wenig wie der Dichter das Bedürfnis, sich in dem Chaos ihrer Gefühle auszukennen, ihre verworrenen Affekte zu schlichten und jedem den richtigen Namen zu geben. Sie kommt überhaupt nicht auf den Gedanken, daß Leidenschaften von der Vernunft gemeistert werden könnten und sollten. Wohl aber glaubt sie, daß der Ausdruck, der Erguß der Schmerzen das bedrängte Herz erleichtern und das wilde Gemüt besänftigen werde. Und also spricht sie, da schon die Blendung geplant ist, folgenden Monolog:

«Schmerz! Schmerz! Wo flieh' ich? Wie end' ich? O empfangt mich, melancholische Büsche, decket mich! Decket mich vor mir! Nehmt auf die Verlaßne! Und seid mein verborgenes Grab! – O Gedanken, mich zu rächen! Wilde, peinigende Gedanken, ihr gewinnt's nicht über mein Herz! Liebliche Sänger, erweichet mein Herz, singt mich in traurige Melancholie und besänftiget mein schlagendes Herz, mildert den wilden Gedanken. Wie verworfen! Wie verlassen! Glaubte hier mein Leben zu verleben, kam mit den Hoffnungen der Liebe, und nun – nehmt mich auf, dunkle Büsche, ich bin elend[74].»

Und während Simsone Grisaldo eingeschlummert in ihren Armen liegt:

«Nun wärst du eingeschlafen! Nun in meiner Gewalt! Ich hätte dich, zu rächen. Was seine Miene? Meine Augen weg! oder meine Seele löst sich! An meinem Hals, an meinem Herz in süßer Sicherheit eingeschlafen! Und fühltest nichts? Nicht das schwarze Beginnen, das in dieser Nacht reif ward? Gott! Allmächtiger Gott! in welchen Taumel haben sie mich gebracht und all meine schon schwache Sinne verkehrt. O Nacht! wie mich in Abgrund geschleudert...»

73 Sturm und Drang, Dichtungen aus der Geniezeit, hg. von Karl Freye, Bong, o.J., 3.Teil, S.175.
74 a.a.O., S.182.

«Noch einen Kuß von diesen Lippen, Zauberer! – Erwache nicht! Du sollst sie verlieren, diese allgewaltige Augen, die mich bestrickt haben, und ich will kalt bei dir vorübergehen. Einen Kuß auf diese Lippen, die mir Liebe stammelten, von denen ich Leben und Entzücken in mich trank. Und jetzt dich küssen mit dem Gedanken, daß du mir entwendet bist, und Gift von Liebeslippen – (Küßt ihn) So! und noch einen! Deine Augen zu! Du sollst das Licht nicht mehr sehen. Und noch einen! Ist dieser Atem Liebe, und neigst dich – Ha[75]!»

Das Schriftbild könnte man fast mit dem der Gräfin-Orsina-Szene verwechseln. Es ist übersät mit Ausrufezeichen, Fragezeichen, Gedankenstrichen. Satzfragmente, Wiederholungen, Inversionen – das ganze Arsenal der leidenschaftlichen Sprache, das Lessing als Nachahmer der Natur zusammengehäuft hat, findet sich wieder. Doch niemand wird – wie Herder mit einem gewissen Recht von der Gräfin Orsina[76] – von Isabella behaupten, sie sei in der größten Tollheit doch immer noch die redende Vernunft in Person. Und eben weil sie dies wirklich nicht mehr ist, gewinnen alle Worte einen eigentümlichen Klang. Sie werden sonor in einer Weise, für die sich im Theater des Rokoko und Barock kein Beispiel findet.

«Nehmt mich auf, dunkle Büsche, ich bin elend!»
«Noch einen Kuß von diesen Lippen, Zauberer!»

Mit schallanalytischen Mitteln ließe sich wohl das ganz Neuartige dieses Tons gehörig herausarbeiten. Wir müssen uns damit begnügen, ihn wenigstens ungefähr zu beschreiben. Die Resonanz ist verstärkt. Es schwingt etwas mit wie eine «innere Stimme», ein ganzer Geigenleib von Seele – bei dem «elend» blicken wir in den dämmernden Abgrund von Liebesweh; «noch einen Kuß von diesen Lippen, Zauberer» – das ist betörend, schmelzend. «Schmelzend» dürfte das richtige Wort sein. Schmelzen ist etwas anderes als Rühren. Der Gerührte, Angerührte bewahrt seinen Umriß; er bleibt, was er ist, nur daß er in eine Bewegung gerät. Wer schmilzt, büßt seine Konturen ein und fließt mit seiner Umge-

75 a.a.O., S. 184f.
76 Vgl. E. Schmidt, Lessing, 2. Bd., Berlin 1899, S. 33.

bung, wenn auch diese schmilzt, in Eines zusammen. Klinger hat den Schauplatz nach Spanien verlegt, nur um die üppige Landschaft um seine Gestalten aufblühen zu lassen. Italien in der «Emilia Galotti» spielt atmosphärisch keine Rolle. Wir könnten uns in jeder beliebigen kleineren Residenz befinden. Im «Simsone Grisaldo» dagegen duftet es wie von Orangen- und Granatapfelblüten und leuchten satte, tiefe, träumerische Farben auf. Isabella ist wie berauscht davon und will berauscht sein, von den Büschen und von dem Gesang der Vögel. Der Garten ergießt sich in ihre Seele; sie ergießt sich in den Garten und ergießt ihr düsteres Leid in wild-melancholischem Klagegesang. Ebenso in der folgenden Szene: Ein Lusthaus, ein Liebespaar in Umarmung! Die Gräfin Orsina mag davon sprechen und Odoardo mit frivolen Andeutungen zur Rache spornen. Doch daß man es auf der Bühne zeigt, offenbar wieder nur, um zu schmelzen – mit schwimmenden Augen, erschlafften Gliedern, genossener Lust nachträumendem Blick –, und daß man, als wäre dies nicht genug, den liebestrunkenen Zustand noch mit Grauen und Grausamkeit kombiniert, nicht um, wie im Barock, die Angst des Irdischen heraufzubeschwören, sondern um seiner selbst willen, nur um das Parkett und die Ränge in die von der Bühne über die Rampe ziehenden dichten Schwaden von unergründlichen Emotionen einzunebeln: das zeugt von der nun völlig verwandelten Auffassung der Poesie und damit des Menschen und seiner Bestimmung. Der Stilbruch ist vollzogen. Ein solches Stück hat nichts mehr mit den Trauerspielen der «Deutschen Schaubühne» zu schaffen.

Niemand begehrt zu wissen, wie Isabellas Charakter aufgebaut ist. Wir setzen uns nicht mit ihr auseinander, so wenig sie selber mit sich und ihrer Umgebung sich auseinandersetzt. Wir fühlen uns in sie einbezogen. Ihr Wesen wird uns insinuiert. Wir treiben mit ihr dahin in einem einzigen Strudel von Leidenschaft. Bei Lessings Gräfin Orsina kommen wir nur in der Eile noch nicht dazu, uns ihre Person zurechtzulegen. Nachträglich gelingt es gut, und wir finden für jede Eigenschaft einen Beleg. Versuchen wir dasselbe bei Klinger, so machen wir eine seltsame Erfahrung. Wir sind eingeweiht, wie nur die Seele in Seelisches eingeweiht sein kann. Doch wenn wir dieses unser Gefühl von Evidenz erklären und auf feste Begriffe bringen müßten – woran könnten wir uns halten? Wo sind die Stellen im Text, die unsere Deutung zu stützen imstande wären? Überall und nirgends – im Ton, den das beleidigte Weib anschlägt. Und so geraten wir in die Lage, die zwar auch Lessing schon bekannt ist, aus der er jedoch mit seinen Mitteln noch keinen oder doch keinen unmittelbaren Nutzen zu ziehen vermag, die Lage Claudia Galottis, die von dem sterbenden Appiani ein einziges Wort – «Marinelli!» – vernommen hat und daraus ihre Gewißheit schöpft:

«Ich verstand es erst auch nicht: ob schon mit einem Tone gesprochen – mit einem Tone! – Ich höre ihn noch! Wo waren meine Sinne, daß sie diesen Ton nicht sogleich verstanden? ... Mit dem Tone? – Ich kann ihn nicht nachahmen; ich kann ihn nicht beschreiben: aber er enthielt alles! alles! ... Ha, könnt' ich ihn nur vor Gerichte stellen, diesen Ton[77]!»

Stellten wir ihn vor Gericht, so ergäben sich alsbald Meinungsverschiedenheiten über seine wahre Bedeutung, die gleichen Meinungsverschiedenheiten, in die wir uns beim Anblick des lebendigen Lebens selber entzweien. Der Mensch ist Einer, unverkennbar individuell geprägt in Miene, Haltung, Sprache und Gebärden. Das Herz ist seiner Sache gewiß. Das Urteil aber ist unsicher, weil jedes Urteil dem individuum ineffabile Unrecht tut.

Wir gehen indes bei Klinger mit einer solchen Betrachtung schon fast zu weit. Gewiß, Isabella ist «innerlich» erfaßt, und «innerlich» kennen wir sie. Das Pathos jedoch, die laute Rhetorik, die Übertreibungen zeigen an, wie schwer es dem Dichter noch fällt, sich auf der neuen Ebene zu bewegen, wie absichtsvoll das Denken noch ausgeschaltet, das Seelische noch forciert wird. Schon vor ihm hat ein Größerer aber dasselbe versucht und gemeistert, als wäre es selbstverständlich: Goethe im «*Götz von Berlichingen*». Diskret, doch um so wunderbarer wird Adelhaids dunkler Zauber entfaltet. Nur selten geht sie aus sich heraus. Gerade ihr Schweigen, ihre Zurückhaltung im Sprechen ist aber beredt. Wenn sie den Plan des Bischofs, durch ihre Reize Weislingen abspenstig zu machen, mit einem «Wir wollen sehn[78]» erwidert;

77 3. Aufzug, 8. Auftritt.
78 Artemis-Ausgabe, 4. Bd., S. 552.

wenn zwischen ihr und Weislingen im Gespräch die längsten Pausen entstehen, in denen nur spöttische Blicke spielen; wenn sie sich langweilt und ihre Langeweile betont, um Weislingen gegen Götz von Berlichingen zu hetzen; wenn sie, da Franz ihr etwas zu lange die Hand küßt, nur sagt: «Deine Lippen sind warm[79]» – so steht sie vollkommen verwirklicht da: die junge, äußerlich kühle, aber in vielen Künsten erfahrene Witwe, deren politischer Ehrgeiz noch ihre dämonische Sinnlichkeit übertrifft, die immer noch um einige Grade klüger als leidenschaftlich ist, doch ihre Klugheit nicht zur Schau trägt, nicht räsoniert, nur heimlich plant und sich zuletzt in den eigenen, allzu verwegen geflochtenen Schlingen verstrickt.

Bedenken wir, wie endlos damals auf deutschen Bühnen geredet wurde, wie fühlbar errungen andrerseits und deshalb gewaltsam der Lakonismus in Lessings letzter Tragödie war, so können wir uns nicht gründlich genug über das gelassene Schalten des zweiundzwanzigjährigen Dichters verwundern. Er traut seiner Sprache eine in Deutschland noch unerhörte magische Kraft zu. Er zweifelt keinen Augenblick, daß jedermann ihn verstehen wird, und hat Grund, so zuversichtlich zu sein. Denn über alles hinaus, was einer insinuierenden Sprache gelingt, reicht ein Verfahren, für das es früher nur ungewisse oder dann allzu absichtsvolle Beispiele gab. Schon Adelhaids erster Auftritt kündigt es an: Sie spielt mit dem Bischof Schach; sie spielt das schwierige Spiel, in dem es auf Wachsamkeit, Übersicht, Scharfsinn ankommt; sie wagt es, ihren weiblichen Geist mit dem eines mächtigen Herrn zu messen, und hat dabei noch manches einzusetzen, was ihrem Partner fehlt. Der Auftritt ist symbolisch; er enthält, verdichtet in eine einzige Anschauung, bereits die ganze Größe und Fragwürdigkeit der Gestalt. Symbolik wird aber nun überhaupt zum würdigsten Mittel, die Intensität und Bedeutung des Einzelnen zu erhöhen und dennoch den Bezug zum Ganzen, den strengen Zusammenhang zu bewahren[80]. Damit beginnt jedoch eine Epoche, die nicht mehr in den Rahmen dieser Betrachtung gehört: Die Synthesis der neunziger Jahre bereitet sich vor.

79 a.a.O., S. 608.
80 Vgl. P. Böckmann, Formgeschichte der deutschen Dichtung, 1. Bd., Hamburg 1949, S. 545.

In einer späteren Fassung hat Goethe die Adelhaid-Szenen umgearbeitet, nicht etwa, weil er mit dem Gemälde unzufrieden gewesen wäre, sondern weil es zu sehr hervortrat.

«Ich hatte mich, indem ich Adelhaid liebenswürdig zu schildern trachtete, selbst in sie verliebt, unwillkürlich war meine Feder nur ihr gewidmet, das Interesse an ihrem Schicksal nahm überhand, und wie ohnehin gegen das Ende Götz außer Tätigkeit gesetzt ist, und dann nur zu einer unglücklichen Teilnahme am Bauernkriege zurückkehrt, so war nichts natürlicher, als daß eine reizende Frau ihn bei dem Autor ausstach[81].»

Eigener «Leidenschaft», seiner «Verliebtheit» schreibt der Dichter das ungebührliche Interesse an Adelhaid zu. Dieselbe Leidenschaft erzielt aber auch den künstlerischen Erfolg. Wir schätzen sie deshalb höher ein und geben ihr den im Deutschen so weiten und vielbedeutenden Namen «Liebe». Liebe – im umfassendsten Sinn des Wortes – heißt das Organ der eingeweihten, intensiven Erkenntnis, für die es keine Auseinandersetzung und keine Distanz mehr gibt. Wenn dem so ist, dann werden freilich die gültigsten Proben des neuen Stils mit einer Gräfin Orsina, Marwood und Dido wenig zu schaffen haben. Schon Klingers Isabella steht beiseite. Noch weiter rückt Adelhaid ab. Und Adelhaid ist zudem die einzige unter den Frauengestalten Goethes, die mit den andern überhaupt in *einem* Atem genannt werden darf. Alle später geschaffenen haben ein milderes Antlitz; beinah alle sind liebenswert oder verehrungswürdig. Unter den liebenswerten aber, mindestens in dem Jugendwerk, erscheint als liebenswerteste Gretchen. Die knappen Szenen, in denen Gretchen meist nur wenige Worte spricht, Worte jedoch, die keiner, der sie einmal vernommen hat, wieder vergißt, deren Dichte, bei leichtester Intonierung, deren seelische Fülle unbegreiflich ist – sie vollenden die dieser Epoche beschiedene Poesie. Es gibt nun wieder Verse, ja Reime, keine Alexandriner freilich, sondern Gebilde von einer unfaßbaren Bieg- und Schmiegsamkeit, geeignet, eines zarten weiblichen Herzens zartester Regung zu folgen. Solcher Verse bedarf es, wenn das Innere eines schlichten Wesens auf so engem

81 Dichtung und Wahrheit, 3. Teil, 13. Buch.

Raum entfaltet und eingeflößt werden soll. In Prosa gelänge dergleichen nicht.

Die Gretchen- sowohl wie die Adelhaid-Szenen sind *vor* Klingers «Simsone Grisaldo» und unabhängig von Lessing entstanden und dennoch, wenn wir sie stilgeschichtlich betrachten, am weitesten fortgeschritten. Da scheint es angezeigt, an die methodische Besinnung am Anfang unserer Studie[82] zu erinnern und wieder zu bedenken, was in der Literaturgeschichte von Einfluß und Kausalität zu halten ist. Bühnendichter zweiten Ranges brauchten offenbar ein so ausgeprägtes theatralisches Exempel, wieLessing es statuierte, um loszubrechen und sich ihrer eigensten Möglichkeit zu versichern. Goethe genügten schon allgemeinere, mittelbarere Zeichen und Winke. Von solchen Zeichen aber schwirrte die Luft zu Beginn der siebziger Jahre. Wir lesen in «Dichtung und Wahrheit» nach. Die lyrischen Dichter entdecken die Reize einer wechselvolleren Metrik. Gerstenberg schreibt seine «Briefe über Merkwürdigkeiten der Literatur» und legt in dem «Ugolino» von 1768 ein freilich verfehltes und in seiner Vereinzelung einstweilen wenig wirksames Beispiel eines neuen Theaters vor. In Straßburg kommt Goethe mit Herder zusammen. Herder ist schon damals die Tat gelungen, die die Geschichte als «Begründung des Historismus» verzeichnet. Hinter Herder wird Hamann mit seiner sibyllinischen Prosa sichtbar. Hamann wieder erinnert uns an die religiöse Strömung und ihren Eintritt in die hohe Literatur, die Klopstocks Leistung ist.

Richten wir unser Augenmerk nur auf den Inhalt solcher Errungenschaften, so fällt die Zeit in lauter einzelne Vorkommnisse auseinander, und höchstens ein Gefühl sagt uns, daß alles «im Grunde» zusammengehört. Gehen wir aber auf diesen Grund, dann zeigt sich: Was immer geschichtlich bedeutsam ist, erwirkt die allmähliche Annäherung und schließlich die Einigung mit der «Natur», dem Leben, der früher nur gegenständlichen, nur gedachten und erörterten Welt, die wir dargestellt haben. Die Innigkeit des Pietismus greift auf irdische Zonen über und zieht auch sie in die Seele herein. Die explosive Sprache Hamanns wider-

82 Vgl. S. 26 f.

strebt schon genau so der Sukzession und geht schon ebenso auf im Moment wie die shakespearisierende Bühne. Herder beurteilt das Vergangene nicht mehr von einem Standpunkt aus und würdigt es, in den kühnsten Schriften, nicht im Hinblick auf ein Ziel. Er stürzt sich «in das Rauschen der Zeit, ins Rollen der Begebenheit»; er fühlt sich ein und verwandelt sich in einen Ägypter[83], in einen Griechen, in Spanier, Briten und nordische Skalden. Auch da hebt echte Mimesis an; auch da wird – ähnlich wie im Drama – das innerliche Verstehen mit einem Mangel an Systematik, an klaren Begriffen und festen Bezügen bezahlt.

So könnten wir noch ungezählte Momente nennen, die alle zu einem Ereignis wie Goethes «Götz» das Ihrige beigetragen haben dürften. Doch an ein Ende kämen wir und käme sogar der Dichter bei gewissenhaftester Prüfung nie.

Dagegen den Wandel, in den er gerät, der einen Genius seiner Art begünstigt, den er mitvollzieht, als einen einzigen und einheitlichen Vorgang zu beschreiben, ist möglich. Wir haben es versucht im Hinblick auf ein Muster, das sich in dem wunderbar verschlungenen Teppich der Literaturgeschichte einigermaßen leicht verfolgen ließ. Nun überblicken wir das Ganze:

Nicht in einem äußeren Anlaß, sondern im Prinzip des Schaffens selber, in der Nachahmung, entdecken wir den Stachel, der die geistige Kraft nicht ruhen läßt und stetig einem unvorhergesehenen Ziel entgegendrängt. Dies aber heißt: Die Tiefe und Unendlichkeit des Lebens ist es, die den Bruch des Stils erzwingt. Immer näher rückt die Nachahmung an die Natur heran, bis sie, die Gegenstand der zähesten Neugier der Vernunft gewesen ist, den unermüdlichen Werber zuletzt erhört und niederzieht.

83 Vgl. Herders sämtliche Werke, hg. von B. Suphan, 2. Bd., Berlin 1877, S. 132 ff.

Zu Bürgers «Lenore»

Vom literarischen Spiel zum Bekenntnis

«,Gottlob! nun bin ich mit meinem schweren Horatio fertig!' rief weiland Kaspar Gottschling. – Gottlob nun bin ich mit meiner unsterblichen *Lenora* fertig! ruf auch ich in dem Taumel meiner noch wallenden Begeistrung Ihnen zu. Das ist Dir ein Stuck, Brüderle! – Keiner, der mir nicht erst seinen Batzen gibt, solls hören. Ist's möglich, daß Menschensinne so was Köstliches erdenken können? Ich staune mich selber an, und glaube kaum, daß ichs gemacht habe. Ich zwicke mich in die Waden, um mich zu überzeugen, daß ich nicht träume. Wahrlich! cose dette mai ne in prosa ne in rime. Ich muß mir selbst zurufen, was der Kardinal von Este Ariosten zurief: Per dio, Signor Burgero, donde avete pigliato tante cujonerie[1]?»

So redet Bürger in einem Brief an Boie vom Jahre 1773 über sein eigenes Kunstwerk – närrisch-überheblich, weil er in einem wirklichen Rausch von Selbstgefühl sich kaum zu fassen weiß und diese Stimmung dem Freund doch nicht geradehin zuzumuten wagt. Indes, er hatte ja recht! Eine breite Öffentlichkeit war gleichfalls der Meinung, etwas so Herrliches sei von Menschensinnen noch niemals ausgedacht worden. Boie berichtet:

«Wo ichs gelesen habe, hat Ihr Stück Schauer und Bewundrung erregt, und ich habs mit Leuten von ganz entgegengesetzter Denkungsart probiert. Leisewitz wollte aus der Haut vor Freude fahren[2].»

Noch sieben Jahre später schreibt Johannes von Müller seinem Bruder:

«Der verdammte Bürger mit seiner Lenore hat mein ganzes Nervensystem eine Nacht hindurch erschüttert, und dem Bon-

1 Briefe von und an Bürger, hg. von A. Strodtmann, Berlin 1874, I. Bd., S. 131ff.

2 a.a.O., S. 154.

stetten ist, als er um die Mitternachtsstunde las und plötzlich die Tür aufsprang, das Buch aus der Hand gefallen, und alle Haare sind ihm gen Berg gestiegen[3].»

Wirkungen dieser Art sind freilich heute längst nicht mehr zu erwarten. Um an Lichtenbergs Wort zu erinnern: Wir glauben nicht nur an keine Gespenster; wir fürchten uns nicht einmal mehr vor ihnen. Dennoch läßt jeder Kundige Bürgers «Lenore» nach wie vor als Meisterwerk gelten, als deutsche Urballade, in der für alle künftigen Dichtungen ähnlicher Art das Maß gesetzt ist.

Ein Urteil, das kein Widerspruch, ja kaum ein ernstlicher Zweifel anficht. Sobald wir es aber begründen wollen, geraten wir in Verlegenheit und wissen nicht mehr genau, woran wir mit dieser Dichtung eigentlich sind. Glaubt Bürger selber an die dämonischen Mächte, die er heraufbeschwört? Und was bedeutet ihm, moralisch oder religiös, sein Thema? Deutsche Interpreten bedenken zu wenig, daß man sich gegen ein Kunstwerk nicht nur durch Leichtsinn, sondern auch durch übertriebenen oder irregeleiteten Ernst verfehlen kann. Wenn es sich gar um religiöse Möglichkeiten handelt, wird die Versuchung zum Tiefsinn unwiderstehlich. Die Deuter der «Lenore» sind ihr denn auch in großer Zahl erlegen. Am einfachsten wäre es ja gewesen, die Sache zu nehmen, wie sie sich gibt, als grausiges Beispiel einer bestraften Gotteslästerung, und nicht weiter nach Bürgers Glaubensbekenntnis zu fragen. Doch dabei lassen es zwar die unbefangenen Leser und Hörer bewenden, aber die Kritiker nicht so leicht. Schon Heynes erste Gattin, Therese, nahm ein Ärgernis an dem Gedicht. Mit aller Schärfe verdammte es ein gewisser Consistorialrat Reinhard in einer Hamburger Rezension. Die Strophen, in denen die Mutter der Tochter christliche Lehren vorträgt, wies er zurück als «unerträgliches Gespötte mit den ehrwürdigsten Dingen[4]» und «unverzeihlichen Mißbrauch» der Bibel. Einen ähnlichen Eindruck macht die Ballade offenbar noch auf Literarhistoriker unserer Tage, auf Herbert Schöffler etwa, der sich nun freilich nicht

3 Gedichte von G. A. Bürger, hg. von A. Sauer, Kürschners Deutsche Nationalliteratur, S. LVII.

4 Zitiert bei A. Schöne, Säkularisation als sprachbildende Kraft, Göttingen 1958, S. 180.

mehr empört, doch immerhin von dem «alten und doch selten verstandenen Lied vom Zerfall eines Gottesglaubens[5]» reden zu müssen glaubt. Dagegen wendet sich Albrecht Schöne[6]. Ihm gilt das Werk als Kardinalbeispiel der Säkularisation. Die Prädikate, die Christus gebühren, überträgt Lenore auf Wilhelm. Der Revenant ist der tote und auferstandene Bräutigam; der apokalyptische Reiter schimmert durch. Dazu gehört, daß das ganze Gedicht von Anspielungen auf die Bibel und auf Kirchenlieder durchsetzt und offenbar selbst die Strophenform Chorälen nachgebildet ist. Schöne erinnert in diesem Zusammenhang auch an die Gepflogenheit Bürgers, die allerpersönlichsten, oft genug unheiligsten Dinge mit alt- und neutestamentlichen Formeln zur Sprache zu bringen. Und all dies ist ihm eins: Verwendung des heiligen Worts für die weltliche Sache, also eigentlich nur ein damals weitverbreitetes Stilphänomen, das ebenso bei dem jungen Goethe, in dem Gebrauch pietistischer Vokabeln für eine ganz irdische Liebe, oder in der so oft noch kanzelhaften Rhetorik der Stürmer und Dränger nachgewiesen werden könnte.

Der Tatbestand ist, wenigstens was die Sprache angeht, unbestreitbar. Man möchte nun aber gern erfahren, welche Gesinnung er voraussetzt. Eine blasphemische trauen Therese Heyne und Reinhard Bürger zu. Das ist auf Grund der «Lenore» nur möglich, wenn man, aufgeklärt, die Fabel von dem Totenritt als pöbelhaften Aberglauben betrachtet, mit dem sich ein Gebildeter höchstens spaßeshalber beschäftigen darf. Nimmt man die Geistergeschichte ernst, so fehlt jedweder Anlaß, den Dichter der Blasphemie zu bezichtigen. Im Gegenteil! Dann wird die Ballade sogar erbaulich, ein Musterstück für einen Kalender oder für eine christlich-poetische Blütenlese, wie deren noch im letzten Jahrhundert unzählige gedruckt worden sind.

Wie steht es nun? Bürger selber läßt uns bei dieser Frage völlig im Stich. In seinen Briefen finden wir neben den ins Weltliche umgewandelten Worten aus der Bibel hin und wieder auch Äußerungen einer zwar konventionellen, doch unverdächtigen Frömmigkeit, die wieder seltsam genug von seinem sträflichen Lebens-

5 H. Schöffler, Bürgers Lenore, Die Sammlung 2, 1946, S. 6ff.
6 a.a.O., S. 181ff.

wandel absticht. Das heißt, es liegt hier alles ungeordnet und ungeklärt nebeneinander. Diesem Geist eine ernste und tiefe Besinnung auf die letzten Dinge zuzutrauen, ist eine kaum zu entschuldigende Gelehrtennaivität. Vor allem kommt Bürger nie auf den Gedanken, sein dichterisches Schaffen weltanschaulich oder religiös zu begründen. Das tut man in seinem Kreis überhaupt nicht. Man lebt und webt in der Literatur, bekümmert sich um Probleme des Stils und läßt das Welt- und Gottesgeheimnis, sogar die doch bereits von zeitgenössischen Dichtern leidenschaftlich betriebene Politik beiseite. So ist auch in dem langen brieflichen Hin und Her über die «Lenore» zwar ausführlich von der Wortwahl, von falschen und richtigen Bildern, von den Reimen und von der Metrik die Rede, gar nicht aber – oder höchstens, weil man von dieser Seite bei der Veröffentlichung eine Störung befürchtet – von christlichem oder unchristlichem Wesen, von Aufruhr gegen die göttliche Ordnung oder von Sühne für die frevelhafte Verweltlichung heiliger Güter. Der Göttinger Hain – samt Bürger, der etwas beiseite steht – ist mehr als irgendeine andere deutsche Dichtergemeinschaft rein künstlerisch interessiert. Wir haben uns demgemäß zu verhalten, nichts in den Text hineinzutragen, was nicht als Anliegen Bürgers bezeugt ist, und uns statt dessen nach der literarischen Tradition umzusehen, auf der ein Gedicht wie «Lenore» beruht. Neue Dokumente sind allerdings nicht zu erwarten; die Deszendenz der Gattung ist längst bekannt[7]. Doch es fragt sich, ob man sie richtig interpretiert.

Bis um die Mitte des Jahrhunderts gibt es im gesellschaftsfähigen deutschen Schrifttum keine Balladen. Daß Gottsched die Bänkelsänger ablehnt, versteht sich von selbst. Er hat es noch mit einem unsicheren Publikum und einem rohen Geschmack zu tun und muß auf guten Manieren bestehen. Dagegen ist es ein Zeichen einer bereits gefestigten Kultur, wenn sich nach 1750 ernst zu nehmende, anerkannte Dichter aus purer Lust am Spiel im Ton der Gassenhauer versuchen. Gleim geht mit seinen drei Romanzen von 1756 voran. Inwiefern er seinerseits durch kultivierte literarische Muster – Góngora und Moncrif – gedeckt war, geht

7 Vgl. W. Kayser, Geschichte der deutschen Ballade, Berlin 1936.

uns hier nichts an. Genug, er erlaubt sich als erster gebildeter Deutscher einen Titel wie diesen:

«Traurige und betrübte Folgen der schändlichen Eifersucht
wie auch
HEILSAMER UNTERRICHT,
daß Eltern, die ihre Kinder lieben, sie zu keiner Heirat zwingen,
sondern ihnen ihren freien Willen lassen sollen;
enthalten
in der
Geschichte Herrn Isaac Veltens,
der sich
am 11. April 1756 zu Berlin eigenhändig umgebracht,
nachdem er
seine getreue Ehegattin Marianne
und derselben unschuldigen Liebhaber
jämmerlich ermordet.»

Dann hebt er folgendermaßen an:

«Die Eh' ist für uns arme Sünder
Ein Marterstand;
Drum, Eltern, zwingt doch keine Kinder
Ins Eheband.
Es hilft zum höchsten Glück der Liebe
Kein Rittergut;
Es helfen zarte keusche Triebe,
Und frisches Blut.

Dies wußte Fräulein Marianne
So gut als ich!
Dem schönsten, jüngsten, treusten Manne
Ergab sie sich.
Mama, sprach sie, ich bin zum Freien
Nicht mehr zu jung;
Und einem Manne mich zu weihen,
Schon alt genung.»

Volle fünfunddreißig Strophen zählt das Gedicht. Die letzten lauten:

«Stirb, sagt er, Räuber meiner Ehre,
Mit tausend Schmerz!
Er tobt und stößt, mit Mordgewehre,
Durch beider Herz.
Leander stirbt! Und Marianne
Spricht: Gottlob, ich
Verdient es nicht. Sie spricht zum Manne:
Du jammerst mich!

Nun hat er keine frohe Stunde,
Des Nachts erscheint
Die treue Gattin, zeigt die Wunde
Dem Mann und weint.
Ein klägliches Gewinsel irret
Um ihn herum.
Ihn reut die Tat, er wird verwirret,
Er bringt sich um.

Beim Hören dieser Mordgeschichte
Sieht jedermann
Mit liebreich freundlichem Gesichte
Sein Weibchen an,
Und denkt: Wenn ich es einst so fände,
So dächt ich dies:
Sie geben sich ja nur die Hände,
Das ist gewiß[8]!»

Die Frage, ob dies ernst gemeint sei, scheint man unbedenklich mit einem schwachen Lächeln verneinen zu dürfen. Entscheiden wir aber nicht zu rasch! Vielleicht ist eine Alternative wie «ernst» oder «unernst» viel zu grob. Was soll das nämlich heißen: «ernst»? Gleim teilt selbstverständlich die Gesinnung seiner Romanze nicht. Das Schicksal seiner Heldin läßt ihn ebenso kühl wie die Wendung am Schluß, mit der sich der Hörer beruhigen darf. Noch weniger ist er geneigt, den Ton als seinen persönlichen zu

8 Gleim, Romanzen, Berlin und Leipzig 1756, S. 5ff.

vertreten. Mit großer Sorgfalt ahmt er aber ein bestehendes Muster nach. Und eben dies ist seine Errungenschaft, daß er die Zahl der gültigen Muster um ein neues, von den Gebildeten bisher nicht anerkanntes, vermehrt. So sagt er selber in einer «Nachricht», die er den ersten Ausgaben mitzugeben für unerläßlich hielt:

«Die Spanier sind vermutlich die ersten Erfinder der Romanzen, weil Eifersucht oder Ritterschaft (Chevalerie) bei ihnen mehr traurige Begebenheiten hervorbringen mag als bei andern Völkern, wo die Schönen tugendhafter oder die Männer versöhnlicher und ritterliche Taten keine Eigenschaften eines Liebhabers sind.

In Erzählung vorstehender Geschichten hat man versuchen wollen, ob die vorlängst bei den Spaniern und neuerlich bei den Franzosen zu den romanzischen Liedern gebrauchte Schreibart auch im Deutschen gefallen könne.

Je öfter dieser Versuch von den rühmlichen Virtuosen mit Stäben in der Hand künftig gesungen wird, desto mehr wird der Verfasser glauben, daß er die rechte Sprache dieser Dichtart getroffen habe[9].»

Es kommt darauf an, den Ton zu treffen oder ihn allenfalls so zu modifizieren, daß eine aufgeklärte Gesellschaft keinen Anstoß nimmt. Die «Marianne» ist noch die kultivierteste unter den drei Romanzen. Die dritte, das «Wundervolle, doch wahrhafte Abenteuer...», legt bereits viel ungenierter nach der Weise der Bänkelsänger los. Grundsätzlich unterscheiden sich diese Dichtungen aber nicht von den «Preußischen Kriegsliedern eines Grenadiers», von den anakreontischen Tändeleien der guten Familienväter oder sogar von Lessings Epigrammen, aus denen, halb im Scherz, schon Eva König falsche Schlüsse auf die Gesinnung ihres Schöpfers zog[10].

Die ersten Kritiker nahmen die Sache denn auch in diesem Sinne auf. Uz bestätigte den Empfang der Gedichte, zu denen sich Gleim mit neckischer Wichtigtuerei noch nicht bekennen wollte, folgendermaßen (er hatte auch noch für Fabeln zu danken):

«Man hat den Apelles sogleich erkannt. Wer sonst als Gleim sollte, unter allen heutigen deutschen Dichtern, die unnachahm-

9 a.a.O., S. 47.
10 Brief vom 10. August 1771.

liche Naivität erreichen, die Phädrus und die alten Romanzendichter besitzen? Ihre erste Romanze insonderheit ist ein Meisterstück dieser Art[11].»

«Erreichte Naivität» – das können wir mehr oder minder gelten lassen. Später fügt Uz freilich hinzu:

«Indem ich die Romanzen nochmals durchgelesen, habe ich bedauert, daß Sie die allzupossierlichen Titel vorangesetzt. Sie haben dadurch einigen Rezensenten Anlaß gegeben, Ihre Romanzen für Satiren auf die Mordgeschichten anzusehen. Ein Gegenstand, der zu weit unter Ihnen ist: Die Romanze ist keine Satire[12].»

Und Gleim beeilte sich zu erwidern:

«Die Titul der Romanzen sind freilich allzupossierlich. Aus Nachsicht für den Geschmack gewisser hiesiger Leser sind sie entstanden, sie werden aber bei einem ernstlicheren Druck gewiß wegbleiben[13].»

Das ändert im Grunde aber nicht viel. Gleim, der sich von seinen Freunden jede beliebige Größe einreden ließ, war offenbar nun einzig besorgt, sich mit zu treuer Nachahmung seines Musters etwas vergeben zu haben. Übrigens ließ er die Titel auch in den späteren «ernstlicheren» Drucken stehen.

Die Folgen seines Anfalls von Kühnheit konnte er freilich nicht ermessen. Rings schossen auf einmal Romanzen ins Kraut. Sie waren beliebt; man las sie mit einem nassen und einem trockenen Auge, unter Tränen lächelnd – daß auch Tränen flossen, ist bezeugt[14] und wohl nicht allzu verwunderlich. Wenn nicht die Geschichte rührte, so war es doch rührend, daß sich der Dichter so gab, alle Kultur für einmal fahren ließ und Simplizität, aber freilich gepflegteste Simplizität, erstrebte. Mendelssohn, der die «gemischte Empfindung» studierte, sprach von einem «abenteuerlichen Wunderbaren, mit einer possierlichen Traurigkeit erzählt[15]». Nicolai, in den «Briefen, die neueste Literatur betref-

11 Briefwechsel zwischen Gleim und Uz, hg. von C. Schüddekopf, Tübingen 1899, S. 274.
12 a.a.O., S. 280 f.
13 a.a.O., S. 284.
14 Vgl. Kayser, a.a.O., S. 73.
15 Zitiert bei Kayser, a.a.O., S. 73.

fend», freute sich über das Drollige einiger 1762 im Geist der «Marianne» verfaßten Gedichte[16]. Die Urteile schillern also ein wenig zwischen Empfindsamkeit und Ergötzen. Sie widersprechen sich aber nicht. Die einen betonen mehr die Herablassung, die anderen mehr die Distanz. Beide werden damit der Sache, der künstlichen Naivität, gerecht.

Etwas schwieriger scheint es, sich in Höltys Balladen zurechtzufinden. Man kennt den Dichter als zarten, frühverstorbenen Jüngling, als edelsten unter den Jüngern Klopstocks, als Sänger der «Mainacht» und Erfinder schlichter Weisen, von denen «Der alte Landmann an seinen Sohn» und «Rosen auf den Weg gestreut» volkstümlich geworden sind. Wie groß aber wäre wohl die Verblüffung, wenn einer nach der wohlbekannten herzbewegenden Melodie nicht nur, wie üblich, die erste und zweite, sondern auch alle folgenden, von den Bösewichtern handelnden Strophen sänge und zu den Versen käme:

«Dann muß er, in der Geisterstund',
Aus seinem Grabe gehn;
Und oft, als schwarzer Kettenhund,
Vor seiner Haustür stehn.
Die Spinnerinnen, die, das Rad
Im Arm, nach Hause gehn,
Erzittern wie ein Espenblatt,
Wenn sie ihn liegen sehn...

Der Amtmann, der im Weine floß,
Die Bauren schlug halbkrumm,
Trabt nun, auf einem glühnden Roß,
In jenem Wald herum.
Der Pfarrer, der aufs Tanzen schalt,
Und Filz und Wuchrer war,
Steht nun, als schwarze Spukgestalt,
Am nächtlichen Altar[17].»

16 Briefe, die neueste Literatur betreffend, XXI.Teil, Berlin 1765, S. 183, gezeichnet Re, was nach Haym, Herder, Berlin 1880, Bd.I, S.125, das Zeichen für Nicolai ist.

17 Höltys sämtliche Werke, 2 Bde., Weimar 1914 und 1918, I, S.198.

Es hülfe wenig, daß die letzte Strophe wieder den Anfang aufnimmt und das Lied in einer unzweifelhaften empfindsamen Andacht ausklingt. Wer gläubig mitzusingen begonnen hätte, fände sich ausgelacht und wäre wohl schwer zu überzeugen, daß nicht ein beliebiger Spötter, sondern der Dichter selber sein Spiel mit ihm treibt.

Doch treibt er wirklich sein Spiel mit ihm? Wir sagen nicht unbedenklich ja und schließen es nicht von vornherein aus. Hölty war nicht allein mit dem silbernen Mond und dem ländlichen Lenz vertraut. Es steckte – bei seiner Krankheit besonders rührend – auch viel Mutwillen in ihm. So nahm er sich etwa heraus, in einer von Klopstock geheiligten Form, in einer alkäischen Ode nämlich, seine Tobakspfeife zu besingen. In einigen «Parodie» überschriebenen Strophen erlaubt er sich einen Spaß mit dem Horazischen «Aequam memento rebus in arduis...» Reine Parodien sind auch die «Barden-Ode», die «Petrarchische Bettlerode» und «An Braga». Wie Hölty die Minnelieder meinte, läßt sich nicht ebenso sicher sagen. Man weiß nicht immer, ob ihm innig zumut ist oder ob es ihn lächert.

Dieser sonderbare Befund wird nur nach angestrengter Besinnung auf die geschichtliche Lage verständlich. Hölty ist nicht, wie Klopstock, von dem Gefühl einer höheren Sendung durchdrungen. Er fühlt sich deshalb auch nicht verpflichtet, den einmal gefundenen Ton der Feierlichkeit zeitlebens festzuhalten. Er liebt es, verschiedene Möglichkeiten der lyrischen Dichtung auszuprobieren, das heißt für ihn aber noch – oder wieder –, nach dem Prinzip der kritischen Dichtkunst fremde Muster nachzuahmen. Die Muster haben sich seit einigen Jahren abermals vermehrt, und Hölty läßt sich nichts entgehen. Miller schildert in einem Nachruf seine ruhelose Lektüre und fügt, bei aller Verehrung, hinzu:

«Als Dichter hätt' er nicht so vieles und so vielerlei lesen sollen. Oft hafteten ihm fremde Gedanken und Ideen an. Man sah oft aus seinen Gedichten, was er zuletzt gehört oder gelesen hatte. Er bestimmte sich zu sehr nach andern, auch nach seinen Freunden, wenn diese eine neue Gattung versuchten[18].»

18 a.a.O. II, S. 214.

Dann fährt er allerdings weiter:

«Doch hatte er immer noch so viel Eigenes, daß man seine Gedichte sogleich erkannte, wenn auch nicht sein Name dabei stand.»

Damit ist eigentlich alles gesagt. Derselbe Dichter, der noch, wie die ältere Generation, die Freiheit und Distanz der Kunstübung wahrt, ist doch bereits imstande, der poetischen Sprache seine Individualität und Seele einzuhauchen. Einige Muster kommen ihr weniger, andere kommen ihr mehr entgegen. Und so entsteht dies einzigartige Schwanken zwischen freiem Spiel und lyrischem Bann, das Hölty unter den Dichtern seiner Zeit auszeichnet und Mörike, den, aus andern Gründen, ähnlich gearteten Geist, bewog, den lieben Namen in eine Buche seines Gartens einzuschneiden.

Damit sind wir vorbereitet für eine Würdigung seiner Balladen. Der schon erwähnte Miller, ein Mitglied des Göttinger Hains, gelangt zu dem Schluß:

«Solche Anlage zum Drollichten trieb ihn an, verschiedne komische Romanzen zu machen, die nicht ohne Verdienst sind. Als er aus den Reliques of ancient English Poetry die höhere Romanze oder die Ballade kennen lernte, da machte er sehr gute Balladen, z.E. Adelstan und Röschen, die Nonne etc.[19]»

So unbestimmt dies ausgedrückt ist, man fühlte sich daraufhin legitimiert, in Höltys Schaffen komische von ernsten Balladen reinlich zu scheiden und ihn demgemäß sogar als den Begründer der ernsten deutschen Kunstballade herauszustreichen[20]. Die «Nonne» aber, die nach Miller auf die ernste Seite zu stehen käme, setzt folgendermaßen ein:

«Es liebt' in Welschland irgendwo
Ein schöner junger Ritter
Ein Mädchen, das der Welt entfloh,
Trotz Klostertor und Gitter;
Sprach viel von seiner Liebespein,
Und schwur, auf seinen Knien,

19 a.a.O. II, S. 214.

20 So, allerdings mit großer Behutsamkeit, W. Kayser, Geschichte der deutschen Ballade, Berlin 1936, S. 80ff.

Sie aus dem Kerker zu befrein,
Und stets für sie zu glühen[21]. »

Das kann natürlich nicht gut enden. Der Ritter hat kaum sein Ziel erreicht, da ist er der Nonne schon überdrüssig. Nun dingt sie eine Mörderschar. Der Verführer wird in die Hölle befördert. Damit aber noch nicht genug:

«Die Nonne flog, wie Nacht begann,
Zur kleinen Dorfkapelle,
Und riß den wunden Rittersmann
Aus seiner Ruhestelle.
Riß ihm das Bubenherz heraus,
Recht ihren Zorn zu büßen,
Und trat es, daß das Gotteshaus
Erschallte, mit den Füßen.

Ihr Geist soll, wie die Sagen gehn,
In dieser Kirche weilen,
Und, bis im Dorf die Hahnen krähn,
Bald wimmern und bald heulen.
Sobald der Seiger zwölfe schlägt,
Rauscht sie, an Grabsteinwänden,
Aus einer Gruft empor, und trägt
Ein blutend Herz in Händen.

Die tiefen, hohlen Augen sprühn
Ein düsterrotes Feuer,
Und glühn, wie Schwefelflammen glühn,
Durch ihren weißen Schleier.
Sie gafft auf das zerrißne Herz,
Mit wilder Rachgebärde,
Und hebt es dreimal himmelwärts,
Und wirft es auf die Erde.

Und rollt die Augen, voller Wut,
Die eine Hölle blicken,

21 Hölty, Werke I, S. 134.

Und schüttelt aus dem Schleier Blut,
Und stampft das Herz in Stücken.
Ein dunkler Totenflimmer macht
Indes die Fenster helle.
Der Wächter, der das Dorf bewacht,
Sah's in der Landkapelle.»

Abermals geraten wir in nicht geringe Verlegenheit. Kommt hier wirklich bereits, wie behauptet wurde, ein neues Weltgefühl, ein Sinn für Grausen und Geheimnis und für dämonische Schauer zur Sprache? Zugegeben, der Ton ist ganz verschieden von dem der Gleimschen Romanze. Auch dort erscheint zwar ein Gespenst. Doch Gleim beschränkt sich auf die Verse:

«Nun hat er keine frohe Stunde,
Des Nachts erscheint
Die treue Gattin, zeigt die Wunde
Dem Mann und weint.
Ein klägliches Gewinsel irret
Um ihn herum.
Ihn reut die Tat, er wird verwirret,
Er bringt sich um.»

Darüber regt sich niemand auf; wir haben noch immer die Freiheit, uns an der wohlgelungenen Nachahmung eines niederen Musters zu ergötzen. Hölty dagegen rückt dem Leser mit beschwörenden Worten zu Leibe. Er legt es darauf an, mit einem einprägsamen Vokabular, zumal mit sinnenmächtigen Verben, zusammengesetzten Substantiven und außerdem mit wilden Gebärden die gräßliche Stimmung zu verdichten. Aber *wem* will er damit imponieren? Sich selber macht er gewiß nichts vor. Auch die Göttinger werden sich kaum ins Bockshorn haben jagen lassen. Wir hören wenigstens nichts davon. Nein, zu der Erfindung einer Ballade wie «Die Nonne» gehört nicht nur der Ton, in dem sie abgefaßt ist, sondern auch die eines Zuhörerkreises, für den der neue Ton sich eignet. Und dieser ist freilich nun anders beschaffen als Gleims Gesellschaft, die sich auch einmal herabzulassen angenehm findet. Wir haben uns einfache Leute, Bauern, Mägde,

Knechte, vorzustellen. Diesen versuchte schon der kleine Hölty das Gruseln beizubringen. Er habe, erzählt uns wieder Miller, das Gespenstermäßige geliebt, und weil doch keine Gespenster kamen, «schlich er sich selbst einmal bei Nacht auf den Kirchhof und erschreckte die Bauern[22]». Das heißt gerade nicht, er sei dem Zauber dämonischer Mächte erlegen. Er fühlt sich angewandelt. Er kokettiert mit ihnen und fordert sie neugierig heraus; und wie sie sich nicht einstellen wollen, spielt er sie selbst. Genau so verhält er sich auch noch als Dichter. Von Gleim unterscheidet ihn die exaltierte mimische Darstellung. Er macht den Leuten das Entsetzliche und zugleich das Entsetzen vor. Und eben damit er das darf, erschafft er – in dem Ton, den er wählt – zugleich die schaudernde Zuhörerschaft hinzu. Vorausgesetzt wird dabei stillschweigend, daß auch der gebildete Leser sich solche Fiktionen gefallen lasse und die Kunst des Autors bewundre, dem Verständnis und der Bereitschaft niederer Kreise entgegenzukommen. Ob dann noch Eigenes mitschwingt, ob der Dichter gleichfalls ein wenig bebt – wer könnte das wissen und wer den Grad bestimmen? Er weiß es ja selber nicht.

Bemerkenswert aber für Höltys Stellung in der Geschichte ist der Umstand, daß ihm die Balladendichtung, gerade weil sie für ihn mit Fiktionen verbunden war, wieder verleidete. Am 3. März 1773 hatte er die «Nonne» in einer Bundesversammlung vorgelesen. Sie war sein letzter Versuch, es auch in dieser Gattung zum Meister zu bringen. Im April des folgenden Jahres schrieb er an Johann Heinrich Voß:

«Ich soll mehr Balladen machen? Vielleicht mache ich einige, es werden aber sehr wenige sein. Mir kommt ein Balladensänger wie ein Harlekin oder ein Mensch mit einem Raritätenkasten vor. Den größten Hang habe ich zur ländlichen Poesie und zu süßen melancholischen Schwärmereien in Gedichten. An diesen nimmt mein Herz den meisten Anteil[23].»

Er sehnte sich nach Gedichten aus der Fülle des Herzens, die ihn nicht nötigen würden, Rollen zu agieren. Er ging einer Lyrik entgegen, wie sie Goethe zu schaffen berufen war.

22 a.a.O. II, S. 213.
23 a.a.O. II, S. 198.

Möglich ist freilich auch, daß die «Lenore» ihn eingeschüchtert hat. Denn eben damals begann in Gelliehausen, wo ihr Schöpfer als Amtmann tätig war, der gewaltige Lärm.

«Nun hab ich eine rührende Romanze in der Mache, darüber soll sich Hölty aufhängen[24].»

So schrieb Bürger schon am 22. April 1773, als noch kaum eine Zeile vorlag. Und ähnlich geht es nun weiter von Brief zu Brief. Wir sind dafür dankbar. Der Dichter erlaubt uns, die Entstehungsgeschichte der «Lenore» genau zu verfolgen.

Am 6. Mai ist von der «überköstlichen Ballade» die Rede. Boie bekommt die erste Strophe zu hören. Sie lautete damals noch:

«Lenore weinte bitterlich,
Ihr Leid war unermeßlich;
Denn Wilhelms Bildnis prägte sich
Ins Herz ihr unvergeßlich.
Er war mit König Friedrichs Macht
Gezogen in die Prager Schlacht,
Und hatte nicht geschrieben,
Ob er gesund geblieben.»

Bürger ist seiner Sache sicher:

«Wenns bei der Ballade nicht jedem eiskalt über die Haut laufen muß, so will ich mein Leben lang Hans Casper heißen.»

Vier Tage später soll Boie die zweite, dritte und vierte Strophe bewundern. Sie weichen in Einzelheiten gleichfalls noch von der endgültigen Fassung ab.

Am 27. Mai versichert Bürger, Lenore nehme «täglich zu an Alter, Gnade und Weisheit bei Gott und den Menschen. Sie tut solche Wirkung, daß die Frau Hofrätin des Nachts davon im Bette auffährt. Ich darf sie gar nicht daran erinnern. Und in der Tat, des Abends mag ich mich selbst nicht damit beschäftigen. Denn da wandelt mich nicht minder ein kleiner Schauer an.»

Am 18. Juni ist ein besonders förderliches Ereignis zu melden. Bürger hat Herders soeben erschienenen «Briefwechsel über Ossian und die Lieder alter Völker» gelesen:

24 Briefe von und an Bürger, I, S. 105.

«O Boie, Boie, welche Wonne! als ich fand, daß ein Mann wie Herder eben das von der Lyrik des Volks und mithin der Natur deutlicher und bestimmter lehrte, was ich dunkel davon schon längst gedacht und empfunden hatte. Ich denke, Lenore soll Herders Lehre einigermaßen entsprechen.»

Wenn also immer wieder betont wird, Bürger habe Percys «Ancient Reliques» erst 1777 studiert, so ist zu erwidern, daß er nicht nur «Sweet William's Ghost», die in der Fabel der seinen so nahe verwandte Ballade, sondern auch den von Percy überlieferten – oder gedichteten? – «Edward» mit dem schaudervollen, abrupten Zwiegespräch zwischen Mutter und Sohn schon in Herders «Briefwechsel» lesen konnte. Herder wies ihn ferner auf die «Würfe» und «Sprünge» hin[25], die sich die alten Balladensänger erlaubten. Und also verwandelte Bürger den matten ursprünglichen Einsatz seiner «Lenore» in den hinreißenden, den wir kennen:

«Lenore fuhr ums Morgenrot
Empor aus schweren Träumen:
‚Bist untreu, Wilhelm, oder tot?
Wie lange willst du säumen?'
Er war mit König Friedrichs Macht
Gezogen in die Prager Schlacht,
Und hatte nicht geschrieben,
Ob er gesund geblieben.»

Im selben Sinne wurde später der ganze erste Teil, der gleichfalls nur Erzählung gewesen war, in den erregten Dialog zwischen Mutter und Tochter umgearbeitet.

Alles verbündet sich, um Bürger bei seinem großen Geschäft zu stärken. Im Juni 1773 erscheint der «Götz von Berlichingen»:

«Ich weiß mich vor Enthusiasmus kaum zu lassen. Womit soll ich dem Verfasser mein Entzücken entdecken? Den kann man doch den deutschen Shakespeare nennen, wenn man einen so nennen will.»

«Erschütterung, wie sie Shakespeare nur immer hervorbringen kann, habe ich in meinem innersten Mark gefühlt. Mitleid!

25 Herders sämtliche Werke, hg. von B. Suphan, V. Bd., Berlin 1891, S. 185.

Schrecken! – Grausen, kaltes Grausen, wie wenn einen kalter Nordwind anweht!»

«Dieser Götz von Berlichingen hat mich wieder zu drei neuen Strophen zur Lenore begeistert! – Herr, nichts weniger in ihrer Art soll sie werden, als was dieser Götz in seiner ist[26].»

Vom 12. August stammt die Rodomontade, die unsere Untersuchung eröffnet. Derselbe Brief betont, die «Lenore» sei angewiesen auf Deklamation. Richtig vorgetragen, werde sie aber die gräßlichste Wirkung tun. Denn, so fügt der Dichter mit den Worten des Geists im «Hamlet» hinzu:

«I have a tale unfold, whose lightest word
Will harrow up your souls, freeze your young blood...»

Das schon so lange angekündigte Werk ist aber noch nicht vollendet. Auch die Fassung, die Bürger am 9. September endlich dem Hain vorlegt, stellt nicht der Weisheit letzten Schluß dar. Vielmehr setzt erst jetzt die kritische Mitarbeit der Freunde ein. Ich greife nur einige Punkte heraus. Cramer zum Beispiel rügt die neue Lesart «taumelte zur Erde».

«*Taumelte* ist ein schönes Wort, aber die erste Lesart *warf sich* gefällt mir wohl so gut, weil sie mehr *freiwillige* Handlung ausdrückt und dazu dient, Lenoren strafbarer zu machen[27].»

«Warf sich» wird wieder hergestellt.

Anstelle von

«Daß Roß und Reiter schnoben
Und Kies und Funken stoben»

hieß es zuerst:

«Der volle Mond schien helle,
Wie ritten die Toten so schnelle.»

Damit war niemand einverstanden. Die Daktylen, meinte man[28], seien gekünstelt. Bürger stimmte zu, fand aber zunächst keinen Rat und wollte verzweifeln.

26 Briefe von und an Bürger, I, S. 129f.
27 a.a.O. I, S. 145.
28 a.a.O. I, S. 145.

«Und er erbarmt sich unser»

kam ihm selber schleppend vor. Er änderte in:

«Gott, Gott erbarmt sich unser[29].»

Große Mühe bereiteten einige Verse in der dritten Strophe. Bürger hatte zuerst geschrieben:

«Doch die erwünschte Kundschaft gab
Nicht einer, so da kamen.»

Cramer fand mit Recht, die Ellipsis von «derer» sei «gar zu unnatürlich[30]». Man stritt sich über «Angstgebärde» oder «wütige Gebärde». «Haho» erregte Anstoß als der Fuhrmannsruf, «der hier nichts tut und den man ohne Lachen doch nicht hört[31]». Auch dies ließ Bürger sich gesagt sein.

Lenore hatte der Mutter erwidert:

«Kein Öl mag Glanz und Leben,
Mag's nimmer wieder geben.»

Boie nannte die beiden Zeilen «zu fein und zu kalt in Lenorens Munde». Bürger antwortete:

«Diese Verse haben nicht gefallen wollen. Sie sind freilich wohl zu spitzfündig und witzig. Allein die hohe Verzweiflung ist allerdings witzig. Meinthalben mögen sie wegbleiben. Ich weiß aber keine andern. Man kann allenfalls: *Bei Gott ist kein Erbarmen! O weh* etc. wieder nehmen. Denn die Verzweiflung und jeder hohe Affekt ist arm an Ausdrücken und wiederholt ein und ebendasselbe öfter[32].»

Und darauf einigte man sich schließlich.

Zeile für Zeile wird so die Ballade unter die kritische Lupe genommen. Es ist ein wunderlich großes Schauspiel: auf der einen Seite die zwar begeisterten, aber doch ihres Richteramtes besonnen und mit gehörigem Selbstbewußtsein waltenden Freunde, auf der andern Seite Bürger, der sich noch immer ob seiner eigenen Leistung nicht zu beruhigen weiß, am liebsten jeden Einwand mit

29 a.a.O. I, S. 151.
30 a.a.O. I, S. 145.
31 a.a.O. I, S. 148.
32 a.a.O. I, S. 151.

dem «Götz»-Zitat zu Boden schlüge und doch, da ihm nicht recht geheuer ist, aufgeregt und beflissen zuhört und sich sogar meist gefügig zeigt. Auch Kürzungen, Zusätze werden erwogen. Ich greife nur eine einzige, allerdings ganz erstaunliche Probe heraus. Boie teilte Bürger mit:

«Im Hain wünscht man die Länge der Reise mehr angedeutet und etwan durch Bestimmung der Örter anschaulich gemacht.»

Schon drei Tage später, am 16. September, erwiderte Bürger:

«Über Nacht, Freund, bin ich des heiligen Kondorgeistes voll gewesen und habe drei so herrliche Strophen zu gemacht, daß Ihr für Freude mit den Flügeln klappen werdet. Es kam kein Friede in meine Gebeine die ganze Nacht, und selbst im Traume dichtete ich. Eure Idee, die weite Reise anzudeuten, konnte schwerlich besser hineingewebt werden[33].»

Es handelt sich um die Strophen, die wohl jedem Leser der Ballade am ehesten in Erinnerung bleiben:

«Zur rechten und zur linken Hand,
Vorbei vor ihren Blicken,
Wie flogen Anger, Heid' und Land!
Wie donnerten die Brücken! –
‚Graut Liebchen auch? – Der Mond scheint hell!
Hurra! die Toten reiten schnell!
Graut Liebchen auch vor Toten?' –
‚Ach nein! – Doch laß die Toten!' –»

«Wie flogen rechts, wie flogen links
Gebirge, Bäum' und Hecken!
Wie flogen links, und rechts, und links
Die Dörfer, Städt' und Flecken! –
‚Graut Liebchen auch? – Der Mond scheint hell!
Hurra! die Toten reiten schnell!
Graut Liebchen auch vor Toten?' –
‚Ach! Laß sie ruhn, die Toten!' –»

«Wie flog, was rund der Mond beschien,
Wie flog es in die Ferne!

33 a.a.O. I, S. 150 f.

Wie flogen oben über hin
Der Himmel und die Sterne! –
,Graut Liebchen auch? – Der Mond scheint hell!
Hurra! die Toten reiten schnell!
Graut Liebchen auch vor Toten?' –
,O weh! Laß ruhn die Toten' –»

Besonders die dritte Strophe ging ihrem Verfasser selbst über alle Begriffe. An Stolberg schrieb er, er habe sie «im eigentlichen Wortverstande geträumt» und halte sie für «Shakespearisch erhaben». Wir stehen am Ende des Monats September. Am 11. Oktober erfahren die Freunde des Hains, daß eine neue Ballade, «Der wilde Jäger», in Arbeit sei.

An dieser Entstehungsgeschichte ist manches für unser Problem von höchster Bedeutung. Bürger hat bisher nur – mit der «Prinzessin Europa» und dem «Raubgraf» – die derbe, drollige Art gepflegt. Nun setzt er sich in den Kopf, die Schauerballaden Höltys zu überbieten. Das glückt aber nicht auf den ersten Wurf, zumal nicht, wie man erwarten möchte, in einem einzigen Schöpfertaumel von Begeisterung und Entsetzen. Zwar, die Erregung ist groß; der Dichter spürt in allen Fibern: «It comes.» Dabei läßt aber die Aufsicht über die Sprache keinen Augenblick nach. Der Sinn für reine Reime und Verse, für ebenmäßigen Strophenbau, für eine korrekte Grammatik, für «das Richtige» überhaupt bleibt wach. Noch in der Vorrede zu der zweiten Ausgabe der Gedichte ist die Rede von «meinem Bestreben nach Klarheit, Bestimmtheit, Abrundung, Ordnung und Zusammenhang der Gedanken und Bilder, nach Wahrheit, Natur und Einfalt der Empfindungen, nach dem eigentümlichsten und treffendsten, nicht eben aus der toten Schrift, sondern mitten aus der lebendigsten Mundsprache aufgegriffenen Ausdrucke derselben, nach der pünktlichsten grammatischen Richtigkeit, nach einem leichten, ungezwungenen, wohlklingenden Reim- und Versbau[34].» Und 1776 tadelt Bürger in einem Brief an Boie «Künstlers Morgenlied» von Goethe:

«So nachsichtsvoll ich aber auch immer, bei hervorleuchtender Vortrefflichkeit, gegen kleine Nachlässigkeiten anderer bin, so

34 Gedichte von G. A. Bürger, Göttingen 1789, Vorrede.

treibts mir doch *Goethe* manchmal schier zu arg. *Des Künstlers Morgenlied* ist doch von ihm? Das brauchte nicht so sonderbar versifiziert und gereimt zu sein und würde nichts von seiner Vortrefflichkeit verlieren. Doch gibt mir so was noch einigen Trost. Denn der Racker würde mich sonst zur Verzweiflung bringen, wenn er nicht manchmal wenigstens etwas hinkte. Denn gehinkt ist es, es sei nun mit oder wider Willen. Hinkt er vorsätzlich, so fehlts an Geschmack. Denn das Hinken läßt nicht schön. Hinkt er wider Willen, so ists Unvollkommenheit. Beides gibt mir, der ich dem unbegreiflichen Zauberer nichts nachtun kann, Trost und Erholung[35].»

So sehr fehlt es Bürger demnach an Verständnis für eine unmittelbar aus dem Affekt geborene individuelle Sprachgestalt. Und kritisch verhält er sich auch noch dort, wo er ungestüm eigene Wege bahnt. Sämtliche Schritte werden von den gescheitesten Reflexionen begleitet. Mit Kunstverstand arbeitet er sich in die gespenstische Stimmung hinein. Dann freilich drohen ihn, wie den Zauberlehrling, die von ihm selbst heraufbeschworenen Mächte zu übermannen. In dämmrigen Abendstunden wird ihm vor seiner eigenen Dichtung bang. Und jetzt erst, wie er schon fertig zu sein glaubt, kommen die am meisten dämonischen, inspiriertesten Strophen zustande, jene «geträumte» zumal, auf die er mit vollem Recht am stolzesten war. Originalität als Endergebnis eines Prozesses, der sich über ein halbes Jahr hinzieht! Wir haben uns damit abzufinden, wie sehr auch ein solches Verfahren der Ideologie des Sturm und Drang widerspricht. Mit Bürger selber gehen wir einig. Er faßt gelegentlich seine ganze Poetik mit folgenden Worten zusammen:

«Poesie ist eine Kunst, die zwar *von* Gelehrten, aber nicht *für* Gelehrte, als *solche*, sondern für das *Volk* ausgeübt werden muß[36].»

Von Gelehrten, doch für das Volk! Das führt uns zu einer weiteren Einsicht, die gleichfalls die Entstehungsgeschichte mit wünschenswertester Klarheit vermittelt. Hölty dachte in seinen Gedichten sich jeweils den Zuhörerkreis hinzu. In den Gespenster-

35 Briefe von und an Bürger, I, S. 274f.
36 In der Vorrede zu der Ausgabe der Gedichte von 1789.

und Schauerballaden sind es Knechte, Mägde, Bauern. Die Minnelieder setzen wieder einen anderen, die Oden einen hochgebildeten Kreis voraus. Das heißt, er nahm als Dichter bei jeder Spezies eine bestimmte Rücksicht. Er machte sozusagen den Vorbehalt: Jetzt so, ein ander Mal anders! Es blieb bei einem leichten, in seiner Auswirkung schwer faßbaren «Als ob». Bürger dagegen kommt dank Herder und dank dem Goetheschen «Götz», der während der Arbeit an der «Lenore» erscheint, zu der beglückenden Überzeugung, daß alle wahre, große, mächtige Dichtung für das Volk bestimmt sei. Was er sich unter «Volk» vorstellt, mag noch so konfus und widerspruchsvoll sein. Genug, es ist *eine*, *die* höchste Instanz. Und also gibt es nun keinen Anlaß für jenes «ein ander Mal anders» mehr. Der Vorbehalt wird gegenstandlos.

Tatsächlich tritt denn auch, verglichen mit Hölty, jenes Spielelement, das man als Ironie bezeichnen möchte, wäre das Wort nicht längst zerredet, mehr und mehr zurück. Wir finden es noch am ehesten in einigen Strophenschlüssen bewahrt:

«Und hatte nicht geschrieben,
Ob er gesund geblieben.»

«Das Lied war zu vergleichen
Dem Unkenruf in Teichen.»

«Sein Körper zum Gerippe
Mit Stundenglas und Hippe.»

Schon durch die beiden unmittelbar aufeinander folgenden weiblichen Reime, sodann durch das genaue, zum Skandieren zwingende Auf und Ab entsteht der Eindruck von Geleier. Der Bänkelsänger meldet sich noch; und diese Stellen sind es denn auch, die die Freunde des Göttinger Hains doch wenigstens nicht vollständig Lügen straften, wenn sie sich von der neuen Ballade einen «Gassenhauer[37]» versprachen.

Nicht auf derselben Ebene liegen die Reminiszenzen an die Luther-Bibel und an das Kirchenlied. Gewiß, es war Bürgers auf die Dauer etwas unangenehme Gewohnheit, auch in den Briefen

37 Briefe von und an Bürger, I, S. 136. Zur Strophe vgl. Anm. 42a.

und im Gespräch bei passender und unpassender Gelegenheit heilige Worte für unheilige Gegenstände zu brauchen und damit gleichsam die Freiheit von dem geistlichen Joch zu demonstrieren. Doch für die Würdigung der «Lenore» hat dies weiter nichts zu bedeuten. Da werden die geistlichen Wendungen einfach deshalb gewählt, weil sie volkstümlich sind, volkstümlich aber nicht, wie die Bänkelsänger es meinten, sondern in reinerem, allgemeinerem Sinn. Ob nun die Mutter fromm zitiert:

«Was Gott tut, das ist wohl getan»,

oder, mit Bezug auf Wilhelm statt, wie Luther in «Ein' feste Burg», auf irdische Widersacher des Herrn:

«Laß fahren, Kind sein Herz dahin!
Er hat es nimmermehr Gewinn!»,

Lenore dagegen lästerlich Zeilen aus Dreses «Seelenbräutigam», aus Rambachs «Sei willkommen, Davidssohn» und andern Chorälen einflicht[38], ist religiös, im Hinblick auf den Dichter völlig irrelevant. Aus diesem Wortschatz schöpfen die einfachen Leute des 18. Jahrhunderts, in schicklicher oder, wie jeder beliebige Fuhrmann, der flucht, unschicklicher Weise. So wenig es Bürger jemals einfällt, als Hüter geistlicher Güter das eine zu loben oder das andre zu tadeln, so wenig denkt er an Blasphemie. Die kernige Sprache als solche gefällt ihm; und also bedient er sich ihrer, wo es nur angeht, mit größter Genugtuung.

Nicht anders haben wir sein Verhältnis zum Gespensterwesen und zu den dämonischen Schauern aufzufassen. Er denkt, wie er mit der «Lenore» beginnt, zunächst nicht weiter darüber nach, ob er selber an Geister glaubt oder nicht. Er will nur Hölty auf dem Feld volkstümlicher Poesie ausstechen. Zu dieser gehört ein volkstümlicher Stoff. Der Stoff der «Lenore» war Bürger durch ein niederdeutsches Volkslied, eine «herrliche Romanzengeschichte aus einer uralten Ballade[39]», empfohlen. Sie tat es ihm an, sie begeisterte ihn. Nach und nach begann er nun aber mit dem Gedanken zu spielen, daß dergleichen doch vielleicht wahr

38 Vgl. A. Schöne, Säkularisation als sprachbildende Kraft, S. 181.
39 Briefe von und an Bürger, I, S. 101.

sein könnte. Und schließlich kam es so weit, daß ein der Aufklärung noch ganz verschriebener Zeuge bemerken zu müssen glaubte:

«Als eine kleine Verirrung seines sehr gebildeten Verstandes betrachte ich seinen Hang, Gespenster und Spukereien nicht bloß zu fürchten, sondern in gewissen Stunden auch zu glauben[40].»

Wir würden sagen, Bürger sei bei seiner Volkspoesie allmählich selber ein wenig aus einem Gelehrten zum abergläubischen Volk geworden. Der Dichter habe den Menschen nachgezogen oder, wenn man lieber so will, in seinem Gemüt die Keime entwickelt, die zu andern Zeiten, unbegünstigt von dem Geist der Stunde, hätten verkümmern müssen. Wie dem auch sei – der Kunstverstand wird jedenfalls mehr und mehr zur Natur. Das willentliche Gebaren weicht der unwillkürlichen Regung, am Ende sogar, wie Bürger gesteht, dem Traum.

Zuerst aber ist der Wille am Werk. Wenn später Brentano weich anhebt:

«Ein Fischer saß im Kahne»

oder:

«Zu Bacharach am Rheine»,

so werden wir bei Bürger ganz anders empfangen. Der Vergleich mit der ersten Fassung erlaubt uns, genau zu bestimmen, worauf er hinaus will:

«Lenore weinte bitterlich,
Ihr Leid war unermeßlich;
Denn Wilhelms Bildnis prägte sich
Ins Herz ihr unvergeßlich.»

«Lenore weinte bitterlich» – das ist für Bürger zu vag und allgemein, als daß er es stehen ließe. Zudem verläßt bereits der zweite Vers den Bereich des Wahrnehmbaren und wendet sich, nach der Neigung modern gebildeter Menschen, dem Innern zu. Auch dies ist keineswegs wünschenswert. Dabei unterläuft noch ein grammatischer Fehler. Bürger will ja nicht sagen, jetzt erst habe sich Wilhelms Bild Lenorens Herzen eingeprägt. Das Plusquamperfekt, das einzig statthaft wäre, ist nur der Kürze der Zeile

40 Zitiert bei Kayser, a.a.O., S. 98.

und dem Reim zum Opfer gefallen. Die Reime wiederum lohnen das Opfer nicht; sie sind schwächlich und monoton.

Alle diese Mängel werden in der gültigen Fassung getilgt. Wir haben sogleich die Gebärde, die uns aufschreckt und Aufmerksamkeit erzwingt. Die schwachen Verben «weinte», «prägte» sind beseitigt. Das «fuhr» entfaltet seine Klangmacht. Die Reime – «tot» auf «rot», «säumen» auf «träumen» – tönen. Wir hören jenes gesättigte Deutsch, das in den siebziger Jahren außer Bürger nur noch Goethe schreibt. Immer wieder fühlen wir uns von der männlichen Führung der Sprache gestärkt:

«Und warf sich hin zur Erde,
Mit wütiger Gebärde.»
«Daß Roß und Reiter schnoben
Und Kies und Funken stoben.»

«Rasch auf ein eisern Gittertor
Gings mit verhängtem Zügel.
Mit schwanker Gert' ein Schlag davor
Zersprengte Schloß und Riegel.»

In andern Balladen stehen die Verse:

«Der Tauwind kam vom Mittagsmeer
Und schnob durch Welschland, trüb und feucht.»
(«Das Lied vom braven Mann»)

«Drauf ließ er heim sein Silberhorn
Von Dach und Zinnen schallen.
Herangesprengt, durch Korn und Dorn,
Kam stracks ein Heer Vasallen.»
(«Die Entführung»)

Das ist nicht jene Folge einzelner Explosionen, die bei unbegabteren Zeitgenossen verpufft. Sondern, wie bei Leisewitz – der ja gleichfalls den Göttingern nahesteht – ein Rest Lessingischer Nüchternheit die wildesten Emotionen bezähmt, so fügen die Teile sich alle zum Ganzen einer dichten, die Einbildungskraft eindeutig bestimmenden Realität.

Der kräftigen Bildlichkeit entspricht die gebieterische Instrumentation. Bürger genießt in vollen Zügen die wechselvollen

Vokale der starken Verben und setzt sie entschlossen ein. Er tummelt sich in Lautmalereien; mit «Hurre, hurre, hopp, hopp, hopp», «Sasa», «Husch, husch» wird nicht gespart. Auch die Stabreime sind ihm willkommen, nicht nur deshalb, weil er mit ihnen sich abermals einer halbvergessenen deutschen Tradition versichert, sondern weil sie der Rezitator energisch artikulieren muß: «Roß und Reiter», «Sing und Sang», «Klang und Klage», «Warf sich ... wütig», «Schädel ... Schopf», «Lisch aus, mein Licht». Zumal in diesen Stabreimen, in der Härte des Stimmeinsatzes, den sie verlangen, unterscheidet sich Bürgers von aller romantischen Diktion. Da schweben keine Laute von dem Felsen der Lorelei herab und singt kein Wanderer sehnsuchtsvoll. Da wird gefordert und aufbegehrt. Ein sehniger Griff umklammert uns und zwingt uns dort- und nicht anderswohin, ohne viel Federlesen; gemütvolles Ahnen und Zaudern ist nicht erlaubt. So fest und solid die einzelnen Vorstellungen nämlich auch ausgearbeitet sind, wir sollen uns nicht aufhalten. Mit wenigen Strichen wird alles erledigt. Die Vorliebe für einsilbige Wörter gehört in diesen Zusammenhang, also wieder die auch sonst geschätzten Imperfecta der starken Verben: «fuhr», «zog», «frug», «warf», «lief», «schloß», «half», «stieg», «ritt», «sprang», «schwang», «schlang»; ferner Gruppen wie «Gruß und Kuß», «Nacht und Graus», «Heid' und Land», «Stück für Stück», «Zopf und Schopf». Ein unübertreffliches Vokabular! Es ist sonor, von metallischem Klang; «das Erz der deutschen Zunge dröhnt»; und es gemahnt uns obendrein wieder, was Bürger nur recht sein kann, an Luther:

«Groß Macht und viel List»,
«Der Fürst dieser Welt»,
«Gut, Ehr', Kind und Weib».

Wie kommt dergleichen dem Dichter in einem ganz andern stilistischen Rahmen zustatten! Die rasche Folge von starken Stößen erzeugt ein stetiges accelerando. Und also triumphiert der Vers, der seiner Lautgestalt sowohl wie seinem Inhalt nach die Quintessenz des ganzen Gedichts enthält:

«Der Rappe scharrt, es klirrt der Sporn.»

Bei dieser Zeile duldete Bürger von seiten seiner ängstlichen Freunde nicht den leisesten Widerspruch:

«*Klirrt der Sporn* habt Ihr alle, so viel eurer tadeln, brevi manu unrecht. Nicht des Reims, sondern der Sache wegen ists da. Man muß sich in den Spornen eines Gespenstes eine magische Kraft vorstellen. Alles erinnert ihn zu eilen, der Rappe, der Sporn fängt von selbst an zu klirren, als wär' er begierig, bald wieder zu stacheln. Ach! ich merke, Ihr seht und begreift die tiefe Vortrefflichkeit noch nicht allenthalben[41].»

Wir können verstehen, warum er so schalt. Der magische Sporn wird zum Symbol von Bürgers dichterischem Organ. Der Sporn verletzt die Weichen des Pferdes; er stachelt das Träge gewaltsam auf und treibt es damit zu rasender Eile. Der aber so die Kreatur in Bewegung setzt, wird selber bewegt. Er galoppiert in die Nacht hinaus und reißt sein Opfer, Lenore, mit. Aufstacheln, Bewegen und Mitreißen: das ist es, was die Ballade will. Für den Bewegten und Mitgerissenen sind auch die Dinge bewegt und bewegend. Sie fliehen vorüber und gewinnen damit erst die atemberaubende, ungeheuere Intensität. Hier ein Anger und dort ein Baum, ein Haselbusch, ein Dorf, ein Gebirg! Unglaublich, wie dies alles noch fest erfaßt wird, aber eine ständig gesteigerte Aufmerksamkeit erheischt!

«Zur rechten und zur linken Hand,
Vorbei vor ihren Blicken,
Wie flogen Anger, Heid' und Land!
Wie donnerten die Brücken!»

Da wird uns noch etwas Zeit gewährt. Dann heißt es bereits in rascherer Folge:

«Wie flogen rechts, wie flogen links
Gebirge, Bäum' und Hecken!»

und unmittelbar darauf schon ganz überstürzt:

«Wie flogen links und rechts und links
Die Dörfer, Städt' und Flecken!»

41 Briefe von und an Bürger, I, S.162.

Die Augen wenden sich hin und her, um wahrzunehmen, und nehmen noch wahr: Bürger, der in dem ganzen Tumult die Zügel fest in den Händen behält. Dazu dann immer die Frage, die den verständigsten Geist ins Wanken brächte, Wilhelms zum Schein beschwichtigendes, in Wahrheit aber höhnisches und verstörendes «Graut Liebchen auch?», das alle Schauer der Seele entfesselt.

Die beiden bleiben nicht allein. Wie aus der Bewegung geboren, die gestaltgewordene Obsession, schließt sich das Spukgesindel an, der Leichenzug, die Galgenvögel: ein unabsehbar wachsender Troß wird mitgerissen in die Nacht voll Angst und bräutlicher Lüsternheit, bis schließlich alles, samt und sonders, das bleiche Land, der Himmel und die Sterne, die Erde, das Firmament, in einem einzigen Schwall von Grauen über die Hingerissenen strömt und nichts Gewisses mehr bleibt als, in dem unverrückten Rhythmus hörbar, der Hufschlag des galoppierenden Pferdes.

Damit hat Bürger sein Ziel erreicht. Er hat die bisher nur bedachte Welt in eine Bewegung gebracht, in der die Gestalten und Dinge sowohl wie der hingerissene Zuschauer und der entsetzt-überwältigte Hörer aufgehen. Kaum daß der Dichter selber noch mit knapper Not seine Haltung bewahrt und seine Regie der Emotionen bis zu dem gräßlichen Ende berechnet.

Was ihm bei alledem überraschend entgegenkommt und das Abenteuer der Seele begünstigt, ist der Ritt. Das zwischen die Schenkel gepreßte Pferd, das aufgestachelte und bedrängte und unablässig vorwärts gehetzte, ist die verkörperte, ungeahnte Kräfte entwickelnde Vitalität, von der die ältere Generation überhaupt nichts wissen zu wollen schien, das junge Geschlecht sich aber die einzig lebenswerte Erfahrung verspricht. Heftiger Anstrengung bedarf es, um das Gesetz der Trägheit zu brechen. «Erregt» und «aufgepeitscht»: die Metaphern gewinnen vollkommene Wirklichkeit. Der Schlag der Hufe auf dem festen Boden entspricht dem regelmäßigen, harten, stoßweisen Einsatz der Stimme. Die Provokation des Bewegenden und Erregenden in den Dingen durch die Bewegung hat vollen Erfolg. Dem Andrang der vorüberfliehenden Welt antwortet der Seelentumult und dieser jenem: der Unterschied von Innen und Außen wird wesenlos. Bewegung allein gilt noch, sonst nichts. Und jeden Augenblick wächst die Gefahr, zum mindesten für Lenores Gefühl und für den Hörer oder Leser, daß das zur Eile gespornte Tier am Ende mit dem Reiter durchgeht und aller Künste der Führung spottet.

Wir wundern uns nicht, dem Ritt in der Lyrik dieser Epoche so oft zu begegnen. Er wird, als willentliche Bewegung, so wichtig wie in der Hoch- und Spätromantik die willenlose Bewegung des auf den Fluten treibenden, von keinem Ruder geführten Kahns. Bürger selber geht von der «Lenore» sogleich zum «Wilden Jäger» über, mit dem er dann freilich erst nach einigen Jahren zu Rande kommt. Er mochte glauben, einen ebenso dankbaren Stoff gefunden zu haben. Darin aber täuschte er sich. Zunächst einmal fehlt die für den Anlauf so unentbehrliche Vorbereitung, ein Abschnitt also, der dasselbe zu leisten hätte wie das lange Zwiegespräch zwischen Mutter und Tochter. Der erste Vers schon bläst zur Jagd:

«Der Wild- und Rheingraf stieß ins Horn:
,Hallo, Hallo zu Fuß und Roß!'
Sein Hengst erhob sich wiehernd vorn;
Laut rasselnd stürzt ihm nach der Troß;
Laut klifft' und klafft' es, frei vom Koppel,
Durch Korn und Dorn, durch Heid' und Stoppel.»

Dann geht die Bewegung nicht in unaufhaltsam gesteigertem Tempo vorwärts. Der Reiter zur Rechten retardiert, zwar ohne Erfolg; doch immerhin benötigen seine Warnungen Zeit. Erst recht unterbrechen den Schwung die Reden des Grafen an die Opfer des Frevels; er müßte sie ungehört überrennen. Ungünstig ist auch das helle Licht. Und was noch sonst mitspielen mag: der «Wilde Jäger» fällt bei einem Vergleich mit der «Lenore» ab.

Verheißungsvoll setzt die «Entführung» ein:

«,Knapp', sattle mir mein Dänenroß,
Daß ich mir Ruh erreite!
Es wird mir hier zu eng im Schloß;
Ich will und muß ins Weite!' –
So rief der Ritter Karl in Hast,
Voll Angst und Ahnung, sonder Rast.

Es schien ihn fast zu plagen,
Als hätt er wen erschlagen.»

Die Fabel führt nun aber zu einem Zweikampf und mündet in einer Versöhnung, nimmt also einen Verlauf, der anekdotisch-zufällig ist und nicht, im tieferen Sinn, zur Sache gehört. Einzig die «Lenore» trägt das Siegel der höchsten Notwendigkeit und stimmt im Ganzen und jedem Zug. Es ist durchaus am Platz, daß Bürgers Name vor allem mit diesem unvergleichlichen Werk verbunden bleibt.

Der Vers «Daß ich mir Ruh' erreite» in der «Entführung» stammt aus Goethes «Untreuem Knaben», der schon einige Jahre früher entstanden, doch seinerseits der «Lenore» verpflichtet ist:

«Es war ein Buhle frech genung,
War erst aus Frankreich kommen,
Der hat ein armes Maidel jung
Gar oft in Arm genommen;
Und liebgekost und liebgeherzt,
Als Bräutigam herumgescherzt
Und endlich sie verlassen.

Das arme Maidel das erfuhr,
Vergingen ihr die Sinnen.
Sie lacht und weint und bet und schwur;
So fuhr die Seel von hinnen.
Die Stund da sie verschieden war,
Wird bang dem Buben, graust sein Haar;
Es treibt ihn fort zu Pferde.

Er gab die Sporen kreuz und quer
Und ritt auf alle Seiten,
Herüber, 'nüber, hin und her,
Kann keine Ruh erreiten;
Reit sieben Tag und sieben Nacht:
Es blitzt und donnert, stürmt und kracht,
Die Fluten reißen über...[42]»

42 Erste Fassung.

Goethe folgt der «Lenore» im metrischen Schema und in der Reimordnung[43]. Nur läßt er eine Zeile weg. Das Reimwort auf «verlassen», «Pferde», «über» bleibt überraschend aus. So wird der Leierton vermieden, den die «Lenore», wie uns deutlich geworden ist, am ehesten noch in einigen Strophenschlüssen bewahrt. Die Bänkelsängerei verstummt. Die letzten Spuren von Spiel und Vorbehalt schwinden dahin in einer ganz zur Natur gewordenen Volkstümlichkeit. Wir hören eine Sprache, wie sie Bürger, dem Gelehrten, nie gelungen ist und wie er sie, auf der Stufe der «Lenore» jedenfalls, schwerlich hätte verantworten wollen: den Satzbau etwa zu Beginn der ersten und der zweiten Strophe, zumal der zweiten, wo die naivste Parataxe einen Nebensatz mit «als» zu vertreten hat. Das ist viel weniger ein gekonntes als ein von inniger Liebe eingegebenes alt-einfältiges Deutsch.

Auch bei der Wahl des Themas fügt sich Goethe nicht den Wünschen eines von ihm selbst unterschiedenen Volks. Es ist die eigene Not, mit der er so lange nicht fertig geworden ist, die Schuld Weislingens, Clavigos und Fausts, für die sich, neben den Bühnenstücken, nun auch einmal die Ballade eignet. Auf jede künstliche Inszenierung des Entsetzens kann er verzichten. Wir spüren eine zu Beginn schon unausweichliche Herzensangst, die durch den magischen Sporn nicht erst heraufbeschworen, sondern nur zur Katastrophe gesteigert wird. Goethe *lebt* bereits in dem Element, das Bürger erzeugen muß.

So kommt sein Gedicht denn auch anders zustande. Briefe, wie sie Bürger während der Arbeit an der «Lenore» wechselt, voll von Fragen und Zweifeln, welche die Rechtmäßigkeit von einzelnen Versen und den Bau des Ganzen betreffen, hätte Goethe in den siebziger Jahren niemals schreiben können. Wir wissen darüber Bescheid. In «Dichtung und Wahrheit» schildert er sein Verfahren:

43 Eine schöne Würdigung der Strophe des «Untreuen Knaben» bietet Walter Hinck, Euphorion 1962, S. 25–48. Der Nachweis einer gleichgebauten «Lutherstrophe», die Goethe schon im «Jahrmarktsfest» aufnimmt, schließt aber nicht aus, daß er in dem stofflich der «Lenore» so verwandten «Untreuen Knaben» die Strophe Bürgers im Ohr gehabt habe. Und davon abgesehen: der künstlerische Vergleich der beiden Strophen wird von der Frage nach der faktischen Abhängigkeit überhaupt nicht berührt.

«Ich war dazu gelangt, das mir inwohnende dichterische Talent ganz als Natur zu betrachten, um so mehr als ich darauf gewiesen war, die äußere Natur als den Gegenstand desselben anzusehen. Die Ausübung dieser Dichtergabe konnte zwar durch Veranlassung erregt und bestimmt werden; aber am freudigsten und reichlichsten trat sie unwillkürlich, ja wider Willen hervor. ... Auch beim nächtlichen Erwachen trat derselbe Fall ein, und ich hatte oft Lust, wie einer meiner Vorgänger, mir ein ledernes Wams machen zu lassen und mich zu gewöhnen, im Finstern, durchs Gefühl, das was unvermutet hervorbrach zu fixieren. Ich war so gewohnt, mir ein Liedchen vorzusagen, ohne es wieder zusammenfinden zu können, daß ich einigemal an den Pult rannte und mir nicht die Zeit nahm, einen quer liegenden Bogen zurecht zu rücken, sondern das Gedicht von Anfang bis zu Ende, ohne mich von der Stelle zu rühren, in der Diagonale herunterschrieb. In eben diesem Sinne griff ich weit lieber zu dem Bleistift, welcher williger die Züge hergab: denn es war mir einigemal begegnet, daß das Schnarren und Spritzen der Feder mich aus meinem nachtwandlerischen Dichten aufweckte, mich zerstreute und ein kleines Produkt im Keim erstickte[44].»

Zu einem solchen «nachtwandlerischen Dichten» ist Bürger, nach eigenem Zeugnis, erst in einer letzten Phase der Arbeit an der «Lenore» und vermutlich in späteren Jahren nie wieder gelangt. Freilich stößt es Goethe dann wohl auch zu, daß ein Gedicht Fragment bleibt und dem angestrengtesten Bemühen, es abzuschließen, trotzt. So bricht gerade der «Untreue Knabe» am Ende der sechsten Strophe ab. Es geht nicht an, dahinter eine künstlerische Absicht zu vermuten[45]. In dem Singspiel «Claudine von Villabella», in das die Ballade eingelegt ist, wird das Verstummen durch eine Unterbrechung des Sängers begründet. Das scheint eine geistreiche Ausflucht des Dichters, den das Vorhandene reute, zu sein. Ein Bruchstück als solches in Ordnung zu finden, lag gewiß nicht in seiner Natur. Er hat auch mit den seltsamen Rechtfertigungen seiner Altersfragmente nur aus der Not eine Tugend gemacht.

44 Dichtung und Wahrheit, 16. Buch.
45 Vgl. dagegen wieder Walter Hinck, Euphorion 1962.

Als letztes Glied sei unserer Reihe noch der «Erlkönig» angeschlossen. 1782 entstanden, gehört er zwar bereits dem Zeitraum eines neuen Übergangs, der Vorbereitung der Klassik, an. Doch eben daß sich in dieser Epoche das so ergiebige Motiv des Ritts auf andere Weise darstellt, wirft auch ein Licht auf die mit der «Lenore» verbundenen Fragen zurück. Goethe geht diesmal nicht mehr unmittelbar von Bürger, sondern von Herders Übersetzung der dänischen Ballade «Erlkönigs Tochter» aus:

«Herr Oluf reitet spät und weit,
Zu bieten auf seine Hochzeitsleut'[46].»

An die «Lenore» erinnert indes die Aufteilung in einen Reiter, der die Zügel faßt und vorwärts drängt, und ein mitgeführtes Geschöpf, die Zwienatur von energischem Willen und hilflos ausgelieferter Seele. Und wieder entstehen, durch die Bewegung erweckt aus den vorüberfliehenden Dingen, die dämonischen Schauer. Es sind nun aber keine Gebilde des niederen Aberglaubens mehr, in denen sich das Entsetzen verdichtet. Der «Erlenkönig mit Kron' und Schweif», mit seiner wie Blätter lispelnden Stimme, umgeben von dem nächtlichen Reihen der Töchter, bleibt noch in der frevelhaften Gebärde eine edle Gestalt, jenseits von Gut und Böse, mit keinen menschlichen Maßen zu messen, ein Naturmythus, der keines Beistands trüber Überlieferungen bedarf, der sich dichterisch selber verbürgt. Vor allem fällt jedoch dem Reiter eine ganz andere Rolle zu. Er hat nicht, wie der Warner im «Wilden Jäger», das rohe Gelüst zu dämpfen; an moralische oder religiöse Begriffe denkt niemand mehr. Und was entscheidender ist und die neue Stufe besser erkennen läßt: es liegt ihm fern, wie Wilhelm in der «Lenore» das Grauen noch zu steigern. Im Gegenteil, er beschwichtigt, beruhigt. Er übersetzt die magisch gewordene in die natürliche Welt zurück. Er spricht der erregten Seele zu, wie Goethe während der zweiten Schweizer Reise im Gebirg auf menschenverlassenen Pfaden sich selber zusprach und seiner bedrohten Einbildungskraft die tödlichen Abenteuer verwies[47]. Damit gerät die Ballade in ein eigentümliches,

46 Herder, Sämtliche Werke, 25. Bd., S. 443.
47 Brief aus Realp, 12. November 1779.

reizvolles Zwielicht. Wir könnten sie rational auslegen und alles aus den Fieberphantasien des kranken Kindes erklären – was bei der «Lenore» oder dem «Untreuen Knaben» ja noch nicht möglich wäre. Doch diese Erklärung – oder sagen wir besser: Aufklärung – widerstrebt uns. Wir würden uns gegen die dichterisch-seelische Wahrheit des Erlkönigs verfehlen. Es graust uns, wie es dem Vater graust. Und dieses Grausen will anerkannt sein. So führt denn auch Goethes Entwicklung nicht auf ihren Ausgangspunkt zurück, nicht in den Geist der Jahrhundertmitte. Die Fülle des in der wilden Bewegung erschlossenen Lebens geht nicht verloren. Sie fügt sich in ein ungleich weiteres, aber in neuen Gesetzen wiederum stabilisiertes menschliches Reich. In diesem sind dämonische Wesen und Spukgestalten durchaus möglich, doch weder nur als Sensation, die man dem Volk gern gönnen mag und selbst mit halbem Lächeln mitmacht, noch als vielleicht doch wirkliche Mächte, die uns zu überwältigen drohen, sondern als Gleichnisse unserer Seele, die wunderbarer Bilder bedarf, wenn sie sich selber genug tun will – also so, wie Goethe gelegentlich seinen «Fischer» interpretiert:

«Es ist ja in dieser Ballade bloß das Gefühl des Wassers ausgedrückt, das Anmutige, was uns im Sommer lockt, uns zu baden[48].»

Als ein solches Gleichnis der Seele gibt sich auch der Erlkönig ja schon dadurch zu erkennen, daß er dem Knaben immer vor Augen steht, obwohl das Pferd an allem, was ihm ähnlich sieht, vorbeigaloppiert.

Nur von Balladen war bisher die Rede. Die epische Basis, die Geschichte, die aber nun nicht bedacht oder ruhig und klar berichtet, sondern zum Anlaß der heftigsten, sei es lyrischen, sei es pathetischen Emotionen wird, das Vorrecht, einzig die Höhepunkte, die das Gemüt erschütternden Momente der Fabel hervorzuheben und alles Übrige nur erraten oder in einem nebelhaften Dämmerlicht verschwinden zu lassen, die Möglichkeit, zwischen gelassener Darstellung und ernster Beschwörung jeden beliebigen Grad von Leidenschaft und jedes beliebige Tempo zu wählen: dies alles prädestiniert die Ballade zum Schauplatz des

48 Zu Eckermann, 3. November 1823.

Übergangs, der uns beschäftigt. So ist es denn auch kein Zufall, daß sie eben jetzt, am Anfang der siebziger Jahre, aus einem schattenhaften oder zweideutigen Zustand erlöst und zur würdigsten Poesie gezählt wird. Ebenso leicht ist einzusehen, daß in den achtziger Jahren sich der Reiz der Gattung schon wieder erschöpft, daß ihre Rolle, in neue Bereiche vorzudringen, ausgespielt ist und erst viel später, unter Voraussetzungen, die uns hier nichts mehr angehen, eine im klassischen Sinn veredelte und vertiefte Ballade entsteht.

Wir haben es hier aber nicht mit einem Kapitel der Gattungsgeschichte zu tun. Für unsere Betrachtung wird die Ballade, oder genauer: werden bestimmte Balladen nur deshalb bedeutsam, weil wir einen allgemeinen Vorgang an ihnen am besten ablesen können.

«Spute dich, Kronos!»

Um diese die ganze Jugend alarmierende Losung geht es auch bei dem «magischen Sporn». Die Zeit soll sich beeilen! Das langsame Nacheinander ist unerträglich. Wenn sich die Zeit beeilt, dann eilen die Dinge im Flug vorüber und treten aus der Folge der Geschehnisse nur noch die starken Momente hervor. Auf die neutralen Zwischenglieder zu achten, erlaubt das Tempo nicht mehr. Alles in *einem* Nu erfassen, sich selber in *einem* Nu verschwenden: das wäre das höchste, das letzte Ziel. Der für die ganze Epoche typische Explosivstil also ist es, dessen allmähliche Vorbereitung und Sieg in Gleims, Höltys, Bürgers und Goethes Balladen zutage tritt.

Doch auch mit diesem allgemeinen Ergebnis sind wir noch nicht zufrieden. Wir achten auf den Weg, den, in dem besonderen Fall, der Geist einschlägt, um dorthin zu kommen, wohin es ihn drängt, wovon ihn vorerst aber höchstens eine verschwommene Ahnung erfüllt. Und da nun sind wir baß erstaunt. Gleim hat mit Möglichkeiten gespielt, die außerhalb des Rahmens seiner vernünftigen, für die gute Gesellschaft eingerichteten Welt bestehen. Was aus dem Rahmen einer Welt herausfällt, aber ihn nicht gefährdet, ist komisch[49]; wir nehmen es lachend, in den feineren Formen

49 Vgl. E. Staiger, Grundbegriffe der Poetik, 5. Aufl., Zürich 1961, S. 192ff.

lächelnd entgegen. Gelächelt haben denn auch die Zeitgenossen, wenngleich oft unter Tränen, so wie man über Kinder Tränen der Rührung vergießen und lächeln kann. Als dann die derberen Nachahmungen kamen, scheint man in Gleims «Marianne» das Possierliche minder empfunden und das Spiel schon etwas ernster, doch freilich – wie damals die Literatur im großen und ganzen überhaupt – noch immer als Spiel genommen zu haben.

Mit Hölty verändert sich die Szene. Ihm geht es nicht mehr darum, nur für die Gesellschaft bestimmte Balladen zu schreiben, Gedichte, die dem Gebildeten schmeicheln, der sich freundlich zu ihnen herabläßt und dabei zum Bewußtsein seiner eigenen höheren Stufe gelangt. Hölty ist nach Kräften bemüht, dem «Volk» das Gruseln beizubringen. Immerhin, er rechnet mit dieser Kunst auch auf den Beifall der Kenner. Sie sollen bemerken, wie gut er es macht, wie trefflich er sich zu gebärden weiß. Das heißt: er spielt eine Rolle. Das ist schon mehr als nur literarisches Spiel. Er lebt sich in die Gefühle der imaginierten niederen Zuhörer ein und bringt es deshalb auch fertig, solche Gefühle wirklich hervorzurufen. Der Rolle bleibt er sich aber bewußt. Er kann sie mit einer andern, der des Minnesängers etwa, vertauschen. Und schließlich wird er der Rollen müde und trachtet nach einer unmittelbar dem Herzen entströmenden Poesie.

Von Höltys Balladen geht Bürger aus. Er möchte die «Nonne» überbieten. Doch während der Arbeit an der «Lenore» läuft er Gefahr, von seiner eigenen Dichtung überwältigt zu werden. Auch gelangt er, dank Herders «Briefen» und Goethes «Götz», zu der Überzeugung, daß alle starke und wahrhaftige Poesie für das Volk bestimmt sei. Damit ist es mit der Rolle und jeglicher Art von Vorbehalt aus. Der Dichter geht mit größter, geradezu närrischer Leidenschaft ins Zeug. Doch immer fühlt er sich noch, wie Hölty, von seiner Zuhörerschaft unterschieden. Er faßt die Dichtung auf als Arbeit *von* Gelehrten *für* das Volk. Nur während der letzten Phase der Entstehung der «Lenore» gerät auch dieser Unterschied noch ins Wanken.

Bei Goethe fällt er ganz dahin. Da ist es nicht so sehr Kunstwille, was den Dichter bestimmt, Balladen- und Volksliedtöne anzuschlagen, sondern Einverständnis, Liebe. Der «Untreue Knabe» ist aus dem Herzen Goethes und dem des Volks gesungen. Wir hören die Seelenangst dessen heraus, der Friederike verlassen hat. Da will nun niemand mehr wissen, ob der Schöpfer der Ballade selber an seine Geister glaubt oder nicht. Der Spuk ist legitimiert als Bild und Gleichnis eines verstörten Gemüts.

Was rührender Scherz und Spiel gewesen, ist zum «Als ob», zum bedrohlichen Ernst und endlich zum Bekenntnis geworden, oder, wie man auch sagen kann: Was Gleim noch außerhalb des Rahmens seiner vernünftigen Welt vorfand und harmlos als possierliche Folie der eigenen höheren Kultur einsetzte, gewinnt zusehends an Gewicht und Bedeutsamkeit und rückt in die Mitte, so, daß umgekehrt nun Gleim und seinesgleichen aus dem Rahmen fallen und von den erschütterungssüchtigen oder aus Herzensgrund volkstümlichen jüngeren Dichtern belächelt werden.

Man möchte meinen, ein solcher Prozeß sei so verwunderlich, daß er sich nur einmal habe ereignen können. Doch Parallelen zu finden, ist leicht. Der Stilwandel zu Beginn der siebziger Jahre nimmt an verschiedenen Stellen einen ganz analogen Verlauf. Im weiteren Umkreis des Göttinger Hains ist auf die sonderbare Entwicklung von Matthias Claudius hinzuweisen. Der Dichter des «Abendlieds», von dessen fliegenden Blättern Herder gesagt hat, sie seien «ohne Gelehrsamkeit und fast ohne Inhalt, aber für gewisse Silbersaiten des Herzens, die selten so gerührt würden[50]», der Mann, den Goethe im Unmut einmal einen «Narren» nannte, der «voller Einfaltsprätentionen stecke[51]» – er ist von Hause aus gar nicht jener schlichte Poet des Volks gewesen, als den man ihn, je nach Geschmack, zu bewundern oder gering zu schätzen pflegt. Er sprach und schrieb Französisch und Italienisch und verstand Latein, Griechisch, Englisch, Dänisch, Holländisch und sogar etwas Schwedisch und Spanisch. Seine Kenntnisse auf dem Gebiet des neueren deutschen, auch des philosophischen Schrifttums waren beträchtlich. Die eigene literarische Tätigkeit begann er 1763 mit den «Tändeleien und Erzählungen», Poesie und Prosa in reinstem Rokokostil. Auch was er 1768–1770 in dem «Hamburgi-

50 Zitiert bei W. Herbst, Matthias Claudius, Der Wandsbecker Bote, 4. Aufl., Gotha 1878, S. 2.

51 Zitiert bei Herbst, a.a.O., S. 242.

schen Adreß-Comptoir-Nachrichten» herausgab, entspricht noch in keiner Weise dem Bild, das sich ein Leser von ihm macht, der nur das halbe Dutzend seiner lyrischen Wunder und einige Proben seines schrullig-wehmutsvollen Humors aus Anthologien kennt. Zu einer originellen Figur entwickelt er sich erst mit den Jahren, und zwar offenbar so, daß die Literatur den Menschen allmählich nachzieht, also ähnlich wie der im übrigen freilich anders geartete Bürger, der während der Arbeit an der «Lenore» zum Erstaunen seiner Freunde in seinem eigenen Herzen die Ängste des abergläubischen Volks entdeckt. Die Metamorphose ist seltsam genug. In der Widmung des ersten Teils des «Wandsbecker Boten», der als selbständiges Werk, abgelöst von der Zeitung, 1774 erschienen ist, stellt sich als Verfasser «Asmus, pro tempore Bote in Wandsbeck» vor. Da Asmus aber im Adreßbuch nicht figuriert, ersucht er die Subskribenten, sich bei seinem Vetter «Matthias Claudius, homme de lettres», anzumelden, und fügt hinzu:

«Der * unter einem Stück will sagen, daß das Stück in meiner Mundart sei. In den Stücken ohne Stern hab ich mich mehr nach meinem Vetter gerichtet, und von diesen Stücken pfleg ich auch wohl vel quasi zu sagen, daß mein Vetter sie gemacht habe. Könnt auch sagen, daß mein Vetter sich in diesen Stücken nach niemand und in denen mit dem * nach mir und meinem Botenstab gefügt habe; ist alles eins[52].»

Die Stücke ohne *, die also von Matthias Claudius stammen oder in seiner Art verfaßt sein sollen, sind in gebildetem Deutsch geschrieben und halten sich auf der Stufe, die einem im Sinn des Jahrhunderts kultivierten Schriftsteller zugetraut werden darf. Es gibt da verschiedene Töne, die aber doch eine stilistische Einheit bilden. Die Skala reicht von dem zauberhaften, empfindsam-galanten Brief Nr. 1 an den Mond, die «stille, glänzende Freundin», bis zu den gelehrten Anmerkungen zu einem Gedicht des Vetters Asmus, Glossen, welche in diesem Zusammenhang komisch wirken und wirken sollen.

Asmus ist vertreten durch eine etwas verbauerte, kauzige Prosa, die nun ihrerseits neben den gepflegten unbezeichneten Stücken

52 M. Claudius, Werke, hg. von U. Roedl, Stuttgart 1954, S. 13.

komisch, doch nun im Sinne einer erfrischenden Naivität, gemeint ist. Da denkt man hin und wieder wohl an das Wort von den Einfaltsprätentionen, so bei der «Chria», die beginnt:

«Bin auch auf Unverstädten gewesen, und hab auch studiert. Ne, studiert hab ich nicht, aber auf Unverstädten bin ich gewesen, und weiß von allem Bescheid[53].»

Derselbe Asmus zeichnet indessen auch für ernste Gedichte, wie das «Abendlied eines Bauersmanns» und andre, die sich im Ton von vielen, die Matthias Claudius selber verantworten will, nicht wesentlich unterscheiden. Manchmal scheint er das Sternchen nur vergessen zu haben; und in den späteren Lieferungen des «Wandsbecker Boten» gibt er das Doppelspiel gänzlich auf.

Was geht da nun aber eigentlich vor? Der gelehrte Matthias Claudius, dem es, wie wir aus vielen persönlichen Zeugnissen wissen, in seiner Haut nicht wohl ist, erfindet zunächst einmal einen Menschen, der so ist, wie er selbst gern wäre. Dann fängt er an, im Namen dieses von ihm erfundenen Menschen zu dichten. Von Matthias Claudius aus gesehen, ist Asmus ein liebenswürdiger Tor, dem man mit freundlichem Lächeln zusieht. Asmus dagegen lächelt wiederum über Matthias Claudius und seine hohe Gelehrsamkeit. Bald rückt der eine, bald der andre in die Mitte und will ernst genommen werden; bald fällt er wieder aus dem Rahmen der von dem andern anerkannten Welt heraus. In ein und derselben Persönlichkeit also finden hier die Verschiebungen statt, die wir bei der Ballade in der Folge der Generationen beobachtet haben. Am meisten verblüfft uns nun aber dies, daß Matthias Claudius als gebildeter Schriftsteller zwar auch später noch oft das Wort ergreift, sogar immer öfter, je mehr die dichterische Kraft nachläßt, daß er Fénelon, St. Martin übersetzt und sich in Tiefen der Mystik versenkt, daß aber der Mensch buchstäblich von dem naiven Asmus aufgeschluckt wird, in seinen Briefen den Ton des tumben Toren anschlägt, seinen Haushalt mit dem «Bauernmädchen» führt, den Freunden die Geschichte ihrer zahllosen Schwangerschaften erzählt und hohe Besuche gern mit jenen Eulenspiegeleien empfängt, bei denen man nie recht weiß, was herzliche

53 a.a.O., S. 21.

Laune, was Pose und Schlaumeierei ist. Wieder erleben wir also das Schauspiel, daß aus der Liebäugelei mit Möglichkeiten, die unter der Würde wären, sofern man sie ernst zu nehmen gedächte, halber und ganzer Ernst wird und sogar ein Lebensstil hervorgeht.

Zum Schluß ist abermals Goethe zu nennen. Eine Ballade wie «Der untreue Knabe» erscheint uns nicht, wie Bürgers «Lenore», in einem stilistischen Zwielicht. Wir haben sie zwar als Phase eines Wandels begriffen; doch für sich allein betrachtet, scheint sie völlig in ihrem eigenen Wesen zu ruhen. Nun gibt es aber andre, stilistisch uneinheitliche Jugendwerke, die nicht so leicht zu beurteilen sind. Zu diesen zählt der «Satyros» und der «Ewige Jude», jener im Jahre 1773, dieser 1774 entstanden.

Der Held des «Satyros» ist ein Unflat. Er singt jedoch, nach einer schwer faßbaren Vorbereitung von wenigen Versen, jenes Einsamkeitslied, in dem schon Gundolf «Parodie» und «wahres Gefühl» vereinigt fand, das aber in andrer Umgebung kaum als Parodie genommen würde:

«Dein Leben, Herz, für wen erglüht?
Dein Adlerauge was ersieht?
Dir huldigt ringsum die Natur,
's ist alles dein,
Und bist allein!
Bist elend nur.

Hast Melodie vom Himmel geführt
Und Fels und Wald und Fluß gerührt,
Und wonnlicher war dein Lied der Flur
Als Sonnenschein,
Und bist allein,
Bist elend nur![54]»

Vermutlich ohne sich klar darüber zu sein, spricht Goethe unversehens aus dem Herzen dessen, den er bisher von außen als des Gelächters würdigen Burschen betrachtet hat.

54 Zitiert nach Morris, Der junge Goethe III, S. 288 f. (mit modernisierter Interpunktion).

Im «Ewigen Juden» lesen wir über Gott Vater und Sohn die folgenden Verse:

> «Der Vater saß auf seinem Thron,
> Da rief er seinem lieben Sohn,
> Mußt zwei- bis dreimal schreien.
> Da kam der Sohn ganz überquer
> Gestolpert über Sterne her
> Und fragt, was zu befehlen.
> Der Vater fragt ihn, wo er stickt –
> Ich war im Stern, der dorten blickt,
> Und half dort einem Weibe
> Vom Kind in ihrem Leibe.
> Der Vater war ganz aufgebracht
> Und sprach: Das hast du dumm gemacht.
> Sieh einmal auf die Erde...[55]»

Das ist so wenig blasphemisch gemeint wie Bürgers geistliche Anspielungen. Es ist – um wieder den Ausdruck Moses Mendelssohns zu brauchen – «possierlich». Freilich kann man Anstoß nehmen an einer possierlichen Trinität. Doch Goethe hat zweifellos nicht die Absicht, irgend jemandem zu nahe zu treten. Unverkennbar ist seine Lust am artistischen Spiel mit dem Primitiven. Er mimt Hans Sachsischen Biedersinn. Man soll das Spiel aber nicht vergessen. Der Stil einer solchen Partie ist ganz verständlich nur auf dem Hintergrund der gesellschaftsfähigen Poesie, auf die der Dichter noch reflektiert, von der aus seine Treuherzigkeit in einem komischen Licht erscheint, wie umgekehrt wiederum von der Einfalt die öde Vernunft beschämt werden soll. Auf einmal aber fallen alle solchen Nebengedanken weg. Christus schwingt sich zur Erde hernieder. Da quillt es aus innerster Seele empor in einer Sprache, die ihre Herkunft aus den obsoleten, niederen Zonen zwar immer noch nicht verleugnet, uns aber mit einer völlig selbstvergessenen Innigkeit überströmt, in der wir Töne vernehmen, die früher noch nie erklungen, die Goethes unverwechselbares Eigentum sind:

55 Morris, IV, S. 51 ff.

«Als er sich nun herniederschwung
Und näher die weite Erde sah,
Und Meer und Länder weit und nah,
Ergriff ihn die Erinnerung,
Die er so lange nicht gefühlt,
Wie man dadrunten ihm mitgespielt.
Er fühlt in vollem Himmelsflug
Der irdschen Atmosphäre Zug,
Fühlt, wie das reinste Glück der Welt
Schon eine Ahndung von Weh enthält.
Er denkt an jenen Augenblick,
Da er den letzten Todesblick
Vom Schmerzenhügel herab getan,
Fing vor sich hin zu reden an.
Sei, Erde, tausendmal gegrüßt!
Gesegnet all ihr meine Brüder.
Zum ersten Mal mein Herz ergießt
Sich nach dreitausend Jahren wieder,
Und wonnevolle Zähre fließt
Vom nimmer trüben Auge nieder.
O mein Geschlecht, wie sehn' ich mich nach dir!
Und du, mit Herz und Liebes Armen,
Flehst du aus tiefem Drang zu mir.
Ich komm, ich will mich dein erbarmen.
O Welt voll wunderbarer Wirrung,
Voll Geist der Ordnung, träger Irrung,
Du Kettenring von Wonn und Wehe,
Du Mutter, die mich selbst zum Grab gebar,
Die ich, obgleich ich bei der Schöpfung war,
Im Ganzen doch nicht sonderlich verstehe;
Die Dumpfheit deines Sinns, in der du schwebtest,
Daraus du dich nach meinem Tage drangst,
Die schlangenknotige Begier, in der du bebtest,
Von ihr dich zu befreien strebtest,
Und dann, befreit, dich wieder neu umschlangst,
Das rief mich her aus meinem Sternensaale,
Das läßt mich nicht an Gottes Busen ruhn.

Ich komme nun zu dir zum zweiten Male.
Ich säete dann und ernten will ich nun.»

Ganz selten streift uns noch eine Erinnerung an die gewollte Naivität:

«Wie man dadrunten ihm mitgespielt ...»
«Die Mutter, die mich selbst zum Grab gebar,
Die ich, obgleich ich bei der Schöpfung war,
Im Ganzen doch nicht sonderlich verstehe ...»

Auf solche Intarsien achten wir kaum. Wir lesen den Abschnitt benommen zu Ende. Und nun, als wäre ein Bann gebrochen, als wäre er aufgewacht, kehrt Goethe zu seinem artistischen Spiel zurück. Doch er hält es dabei nicht lange mehr aus. Der «Ewige Jude» bleibt Fragment. Dem Dichter dürfte, wie Hölty bei seinen Balladen, die «Rolle» verleidet sein.

Und endlich, um unsere Untersuchung mit dem gewaltigsten Beispiel zu krönen: Ereignet sich nicht dasselbe im «Faust»? Lessing hatte noch zu riskieren, daß ein einziger Ausruf «O Faustus!» das ganze Parterre zum Lachen brächte[56]. Goethe berücksichtigt diese Gefahr, indem er das Lachen halbwegs mitmacht und im Puppenspielton beginnt:

«Habe nun ach! die Philosophey,
Medizin und Juristerey,
Und leider auch die Theologie
Durchaus studiert mit heißer Müh.
Da steh ich nun, ich armer Tor,
Und bin so klug als wie zuvor...»

Für uns sind diese Verse schon längst so sehr vom Licht der Ewigkeit beglänzt, daß wir uns abgewöhnt haben, nach ihren Voraussetzungen zu fragen. Doch die stilistische Lage ist nicht anders als im «Ewigen Juden». Wie dort bei Christi Erdenfahrt auf einmal die Fülle des Herzens einströmt, ändert sich hier der Ton nach etwa dreißig Versen, dort, wo es heißt:

56 Mendelssohn an Lessing, 19. November 1755.

«Daß ich erkenne, was die Welt
Im Innersten zusammenhält,
Schau alle Würkungskraft und Samen
Und tu nicht mehr in Worten kramen...»

Nur fällt hier der Dichter nicht wieder zurück. Er gibt die reservatio mentalis der Rolle für immer auf und schafft das Werk, das äußerlich zwar auf weite Strecken seinem Ursprung aus primitiven Mustern treu bleibt, doch keinen Zweifel mehr an dem unbedingten menschlichen Einsatz erlaubt.

Blicken wir nun auf unsere ganze Untersuchung zurück, so suchen wir vergeblich nach einem Begriff, der die doch deutlich erkannte Einheit des Phänomens zu bezeichnen vermöchte. Hin und wieder ist uns der Ausdruck «Parodie» in die Feder geflossen. Da sind nun aber sogleich die leidigsten Mißverständnisse abzuwehren. Wir haben zunächst zu unterscheiden, ob ein Dichter hohe oder niedere Muster parodiert, das heißt, dem Gelächter, oder, wenn er gelinder verfährt, dem Lächeln preisgibt. Alsdann ist zu fragen, aus welcher Gesinnung Parodien entstehen. Von beißendem Spott bis zu der liebevollsten, herzlichsten Ironie und einer unschuldigen Lust am Spiel sind sämtliche Abstufungen denkbar. Der alte Goethe hatte keine Freude an parodistischer Dichtung. Er dachte an die komische Verballhornung hoher Literatur und meinte, wer dergleichen unternehme, beraube sich selber der Aussicht, eine ernste Dichtung von der Art der parodierten zu schaffen[57]. An Zelter schrieb er am 26. Juni 1824:

«Wie ich ein Todfeind sei von allem Parodieren und Travestieren, hab ich nie verhehlt; aber nur deswegen bin ich's, weils dieses garstige Gezücht das Schöne, Edle, Große herunterzieht, um es zu vernichten; ja selbst den Schein seh ich nicht gern dadurch verjagt.»

Die freundliche Nachahmung niederer Muster zog er hier offenbar nicht in Betracht, auch nicht die Neugier, die sich zur Probe, halb zur Erheiterung, halb im Ernst, auf einem von dem herr-

57 Zu Eckermann, 11. Februar 1831.

schenden Geist gering geschätzten Gelände bewegt und damit keineswegs «vernichtet», sondern im Gegenteil eine neue verbindliche Poesie anbahnt. Er selber aber, der auf vielen Pfaden Bewanderte, hatte sich in den Jugendjahren auch darin versucht, mit überwältigendem Erfolg.

Wenn wir bereit sind, diese Möglichkeiten gleichfalls einzubeziehen, dürfen wir sagen, der Wandel des Stils, von dem hier die Rede gewesen ist, nehme den Umweg über die Parodie.

Der neue Geist in Herders Frühwerk

Die großen Errungenschaften Herders stellen sich nicht so dar, wie man zu seinem Ruhme wünschen möchte. Ein schwer faßbares Ärgernis beirrt den Blick der reinen Verehrung, den ihm doch jeder Denker, jeder Kritiker und Historiker der beiden letzten Jahrhunderte schuldet. Schon in der Persönlichkeit tritt es hervor. Goethe hat sie geschildert[1]. Er spricht von etwas Weichem im Betragen, geistreichem, liebenswürdigem Wesen in glücklichen Stunden, doch auch von unberechenbarem Wechsel der Laune, anhaltender verdrossener Stimmung und einem fatalen Bedürfnis, den jüngeren, ehrerbietigen Freund zu kränken. So war es in Straßburg. Später, in Weimar, hatte er sich mit Klagen und Beschwerden des ewig unzufriedenen geistlichen Herrn auseinanderzusetzen, Taktlosigkeiten zu verzeihen oder gar undurchsichtige Machenschaften wieder ins reine zu bringen. Da ließ er denn alle Hoffnung auf ein förderliches Verhältnis fahren. Unbedingt ergebene Jünger dagegen wie Jean Paul und, eine Zeitlang wenigstens, Fritz Jacobi waren ergriffen von Herders Sanftmut und wahrhaft evangelischer Güte.

Manches in diesem widerspruchsvollen Charakter deutet auf eine heimliche Unzufriedenheit mit sich selbst, ein dunkles Gefühl, dem eigenen Maß des Daseins nicht gewachsen zu sein. Erzogen in erzprotestantischer Welt, die von der Bibel, von Luthers Katechismus und Kirchenliedern hallte, im Geist der Aufklärung gebildet, arm, auf Brotherren angewiesen, Seelsorger, Prediger und Erzieher, also schon von Amtes wegen zu musterhaftestem Wandel verpflichtet – und nun begabt mit einem völlig neuen, wunderbaren Organ für archaische Wucht und Leidenschaft, vom Urlaut wilder Völker, von dem gewaltsamen Leben der Frühe

1 Dichtung und Wahrheit, 10. Buch.

trunken – von «Barbareien», nach dem damals noch beinahe allgemein gültigen Urteil –, wie hätte ein solcher Mann sich fassen und seiner mächtig werden können? Hundert Jahre später wanderten Dichter und Künstler aus gleicher Bedrängnis in exotische Länder aus. Ein solcher Entschluß lag Herder fern. Er blieb mit seiner Empfindlichkeit angewiesen auf Zivilisation und war ja auch wieder gewillt, ein treuer Bürger seiner Epoche zu sein. Manchmal aber scheint er doch alle Geduld zu verlieren, mit dem tintenklecksenden Saeculum brechen zu wollen und eine gemäßere Existenz einen flüchtigen Augenblick lang zu erwägen, zum Beispiel in einigen nicht für die Öffentlichkeit bestimmten Aufzeichnungen während der Reise von Riga nach Frankreich:

«Wo ist das feste Land, auf dem ich so feste stand? Und die kleine Kanzel und der Lehnstuhl und das Katheder, worauf ich mich brüstete? Wo sind die, für denen ich mich fürchtete und die ich liebte! – o Seele, wie wird dirs sein, wenn du aus dieser Welt hinaustrittst? Der enge, feste, eingeschränkte Mittelpunkt ist verschwunden, du flatterst in den Lüften, oder schwimmst auf einem Meere – die Welt verschwindet dir – ist unter dir verschwunden! – Welch neue Denkart! Aber sie kostet Tränen, Reue, Herauswindung aus dem Alten, Selbstverdammung! – bis auf meine Tugend war ich nicht mehr mit mir zufrieden; ich sah sie für nichts, als Schwäche, für einen abstrakten Namen an, den die ganze Welt von Jugend auf realisieren lernt! Es sei Seeluft, Einwürkung von Seegerichten, unstäter Schlaf, oder was es sei, ich hatte Stunden, wo ich keine Tugend, selbst nicht bis auf die Tugend einer Ehegattin, die ich doch für den höchsten und reellsten Grad gehalten hatte, begreifen konnte! Selbst bei Besserung der Menschen; ich nehme menschliche Realitäten aus, fand ich nur Schwächung der Charaktere, Selbstpein oder Änderung der falschen Seiten – o warum ist man durch die Sprache, zu abstrakten Schattenbildern, wie zu Körpern, wie zu existierenden Realitäten verwöhnt! – Wenn werde ich so weit sein, um alles, was ich gelernt, in mir zu zerstören, und nur selbst zu erfinden, was ich denke und lerne und glaube. – Gespielen und Gespielinnen meiner Jugendjahre, was werde ich euch zu sagen haben, wenn ich euch wieder sehe und euch auch über die Dunkelheit erleuchte, die mir selbst noch anhing! Nichts, als menschliches Leben und Glückseligkeit, ist Tugend: jedes Datum ist Handlung; alles übrige ist Schatten, ist Raisonnement. Zu viel Keuschheit, die da schwächt, ist ebensowohl Laster, als zu viel Unkeuschheit: jede Versagung sollte nur Negation sein: sie zur Privation, und diese gar zum Positiven der Haupttugend zu machen – wo kommen wir hin? – Gespielin meiner Liebe, jede Empfindbarkeit, die du verdammest, und ich blind gnug bin, um nicht zu erkennen, ist auch Tugend, und mehr als die, wovon du rühmest, und wofür ich mich fürchte. Du bist tugendhaft gewesen: zeige mir deine Tugend auf. Sie ist Null, sie ist Nichts! Sie ist ein Gewebe von Entsagungen, ein Facit von Zeros. Wer sieht sie an dir? Der, dem du zu Ehren sie dichtest? Oder du? Du würdest sie wie alles vergessen, und dich, so wie zu manchem, gewöhnen? O es ist zweiseitige Schwäche von einer und der andern Seite, und wir nennen sie mit dem großen Namen *Tugend*[2]*!*»

So redet Herder im Alter von fünfundzwanzig Jahren, auf dem früh erreichten Höhepunkt seiner Bahn, dem trüben, gewöhnlichen Alltag durch den Aufenthalt auf dem Schiff entrückt, ein nordischer Seher am Mast, von ungeheuren Gesichten heimgesucht. Nicht nur als Denker, sondern auch menschlich ganz nahe ist er hier seiner Idee, dem Dasein aus der Kraft des Ursprungs unter dem offenen Himmel Gottes. Doch alsbald fällt er wieder zurück. Die Anwandlung ist sogar schon vorüber, bevor er sie aufzuzeichnen beginnt. Er drückt sich im Präteritum aus. Er sagt «ich wollte», nicht «ich will» und geht dann zaghaft zum Futurum über: «Wann werde ich so weit sein?» Er ist nie so weit; er gibt es auf, seine Lebensgestaltung in Zweifel zu ziehen, und meint dann, sich selbst überwunden zu haben. Doch echter Entsagung ist er nicht fähig. So könnte man eher behaupten: er hatte den Mut nicht, sein höheres Ich zu ergreifen. Denn dieses höhere Ich war ein Prophet im ältesten Stil; und Herder blieb ein Kritiker und Gelehrter, ein Schriftsteller nur und also ein Spätling. Nun aber doch wieder ein Kritiker und Gelehrter mit dem Hintergrund

2 Herders sämtliche Werke, hg. von B. Suphan, Berlin 1877ff., IV, S. 349f.

der heiligen und heroischen Vorzeit, leidend unter einer Rolle, die ihn auf die Stufe der jämmerlichen Skribenten der Gegenwart stellte, voll Spott und Hohngelächter über den Klüngel, zu dem er doch gleichfalls gehörte, in seiner Verachtung darum ohnmächtig und stets im Zwiespalt mit sich selbst. Daraus erwuchs sein Gram, der nach außen als leidige Grämlichkeit erschien, die Seelennot, deren sichtbare Oberfläche die schlechte Laune war, erwuchsen alle die Peinlichkeiten: sein Ressentiment gegen Goethe, dem er den ausgeglichenen Sinn, die innere Freiheit übelnahm, sein unvornehmer Hunger nach Lob, die Unfähigkeit, Kritik zu ertragen, die meist beleidigte Miene, das Gefühl, sich überall wehren zu müssen und dennoch immer zu kurz zu kommen – der ganze Jammer also um diesen im innersten Kern so zarten, so sensiblen und feingliedrigen Geist. Es ist der tiefe, bängliche Schatten eines zu hellen, für ihn und seine Umgebung fast unerträglichen Lichts.

Denselben Schwierigkeiten begegnen wir in der Gesamtheit von Herders Schriften. Meist bedurfte er eines äußeren Anlasses, um zur Feder zu greifen, eines Preisausschreibens, eines Gegners, der bekämpft, einer These, die schleunigst widerlegt werden mußte, wodurch denn alles von vornherein eine höchst zufällige Form erhielt. Das Werk, mit dem er debütierte, das seinen Ruhm begründete, sind die «Fragmente über die neuere deutsche Literatur» mit dem Untertitel «Eine Beilage zu den Briefen, die neueste Literatur betreffend», also Marginalien zu den kritischen Studien Lessings, Abbts, Mendelssohns, Kritik der Kritik, das Mittelbarste, was sich als literarisches Genus vorstellen läßt. Auch die zweite größere Schrift, die «Kritischen Wälder», sind Auseinandersetzungen, diesmal mit Lessing und Klotz. So trat der Künder göttlicher Frühe vor die Öffentlichkeit – mit Journalistik, die sich zu Büchern auswuchs. Und überdies schrieb er noch anonym, nicht so wie Hamann, der mit seiner Verfasserschaft kokettierte, indem er sie hinter den seltsamsten Namen verbarg; auch nicht in der Art der etwas faden Gesellschaftsscherze, die damals üblich waren, sondern aus Ängstlichkeit. Er wollte sich keine Blöße geben. So machte es ihm nichts aus, ein Buch zu verleugnen oder, wo dies nicht mehr anging, Berichtigungen zu liefern, die eher

Widerrufe waren. Sogar die Volksliedersammlung, die schon im Druck war, zog er wieder zurück, eingeschüchtert von dem bloßen Gedanken, daß man seine plebeische Liebhaberei verhöhnen könnte. Als er sie schließlich doch herausgab, schob er Autoritäten vor, verklausulierte sich und unterdrückte jedes klare Bekenntnis.

Nach alle dem dürfen wir nicht erwarten, in seinem Werk ein einigermaßen einheitliches Wesen wahrzunehmen. An welchen Herder soll man sich halten? An den Geistlichen, der schwankt zwischen Pietismus und Orthodoxie? oder an den Hofmeister und Gesellschafter fürstlicher Herren, der sich einer aufklärerischen Gesinnung befleißigt und sogar Worte wie «Licht der Vernunft» und «Fortschritt» über die Lippen bringt? Oder an den Begründer des Historismus, an den Entdecker alter Kulturen, den Psychologen und Sprachphilosophen? Wir sind genötigt, so zu unterscheiden. Denn dies alles auf einen Nenner zu bringen, ist unmöglich. Wer Herder im Ganzen darstellen will und die Einheit der Darstellung aus der Einheit von Herders Geist zu gewinnen hofft, sieht sich betrogen und genötigt, nicht nur einzelne Unstimmigkeiten, sondern prinzipielle Gegensätze, sogar in rasch auf einander folgenden Schriften, zuzugeben. So Rudolf Haym in seiner noch heute unübertroffenen Biographie[3], die, gerade weil sie auf jeden Versuch eines Ausgleichs, einer Systematisierung verzichtet, der Totalität des verwirrenden Phänomens gerecht wird. Man kann nun freilich auch anders vorgehen, indem man es nämlich von vornherein aufgibt, Herder als Ganzes beschreiben zu wollen, statt dessen aber *einen* Bereich seiner Wirksamkeit, genauer, *eine* Potenz ins Auge zu fassen versucht und innerhalb dieser Grenzen nach der Einheit im Mannigfaltigen fragt. Dies soll auf den folgenden Blättern geschehen. Wir kümmern uns nicht um den Prediger, den konformen Erzieher und Moralisten, sondern einzig um jenen Geist, in dem, um 1770, eine neue Weise des Denkens und, ihr zugeordnet, eine neue Natur und Geschichte zutage trat. Die Einheit dieses Mannigfaltigen wiederum suchen wir nicht, nach Art der Ideengeschichte, in einem Problem – der Historie etwa

3 Herder nach seinem Leben und seinen Werken, 2 Bde., Berlin 1880 und 1885.

oder der Sprache[4] –, sondern in der Struktur der hier, in diesem Umkreis, schöpferischen und originalen Einbildungskraft. Das heißt: wir fragen nach dem Stil des Herder eigentümlichen, besser, *eines* ihm eigentümlichen Denkens. Daß diese fragliche Einheit eine zwar nachweisbare, aber dennoch durch unsere Auswahl aus der Fülle von Herders Schaffen gestiftete ist, verkennen wir dabei keineswegs. Doch niemand, der auszusprechen wagt, was eine Gestalt, ein Werk oder eine geschichtliche Welt gewesen sei, hat jemals anders verfahren können. Jeder Begriff und jede umrissene Anschauung beruht auf Auswahl. Bei Herder ist sie nur rigoroser und scheidet nur um so entschiedener aus, je unentschiedener er sich selbst gibt. Mit andern Worten: Unser Thema lautet nicht «Herder», sondern «Der neue Geist in Herders Frühwerk» – im Frühwerk deshalb, weil sich später alles noch unauflöslicher mischt und weil der Glanz verblaßt, der von den vorweimarischen Schriften ausstrahlt.

Auch damit sind wir aber mit unsern Vorbehalten noch nicht zu Ende. Selbst in den Dokumenten, die eindrucksvoll den «neuen Geist» bezeugen, haben wir uns mit einer weiteren Unannehmlichkeit zu befassen, nämlich mit Herders fragwürdiger Sprache. Wie weit entfernt er sich von Lessing! Lessing kann schreiben, wovon er will, von Langes Horaz, vom christlichen Glauben, von der Erziehung des Menschengeschlechts oder irgendeinem erbärmlichen Lustspiel: wir lesen es mit dem größten Vergnügen, weil in der Prosa, wovon sie auch handle, der Geist des unvergleichlichen Mannes immer vollkommen zugegen ist, erkennbar in jeder syntaktischen Wendung, in jedem Auftakt und jeder Kadenz. Wer einen repräsentativen Text sucht, braucht bei Lessing nicht zu zaudern. Wie steht es aber nun mit Herder? Wir müssen, ein wenig betreten, gestehen, daß dieser Autor, den wir zu Recht mit Lessing, Wieland und Klopstock zu den größten vor Goethe und Schiller zählen, ein unzuverlässiger Schriftsteller war.

Zunächst einmal neigt er dazu, Persönliches mit dem Gegen-

4 Vgl. F. Meinecke, Die Entstehung des Historismus, München 1959. H. A. Salmony, Die Philosophie des jungen Herder, Zürich 1949. D. W. Jöns, Begriff und Problem der historischen Zeit bei J. G. Herder, Göteborg 1956.

stand zu vermengen. Der Hang zur Polemik verleitet ihn oft zu einer falschen Akzentuierung. Er fühlt sich in einer nebensächlichen Frage betroffen und holt weit aus; an dem Hauptproblem dann, sofern ihn da niemand stört, kann er eilig vorübergehen. Damit behindert er das Verständnis. Auch abgesehen von solchen polemischen Neigungen fällt es ihm aber schwer, Unwesentliches und Wesentliches zu unterscheiden; überhaupt: zu unterscheiden fällt ihm schwer. Sein ganzes Wesen sträubt sich dagegen. In seinen letzten Lebensjahren, dem hoffnungslosen Kampf mit Kant, ist eben dies das Hauptargument gegen die «Kritik der reinen Vernunft», daß Kant zu viel und zu scharf unterscheide und so den Menschen auseinanderreiße in unvereinbare Teile. Herder ist eher daran gelegen, auch das deutlich Verschiedene sanft ineinander übergehen zu lassen, Grenzen zu verwischen und eine schwankende, mehr gefühlte als gedachte Einheit herzustellen. Dadurch verschwimmen die Begriffe. Ein Wort wird bald so, bald anders genommen, damit wir unvermerkt von dem einen Bereich in den andern hinübergleiten. Auch Goethe ist dieses Gleiten eigen; er bleibt sich dessen aber bewußt und gleicht das Übergängliche einer Beschreibung im Sinne der Metamorphose rechtzeitig durch eine Besinnung auf den festen Typus wieder aus.

Herder übersieht die Lage nicht. Er strebt nach einer so innigen Fühlung mit dem wechselnden Leben, daß er sich selten zusammennimmt und für eine reinliche Ordnung sorgt. Schon in der Zeichensetzung nicht. Sie ist unlogisch, richtet sich nach musikalischen Erwägungen oder auch nur nach dem Anspruch des Atems und stört den Leser, der, in theoretischen Schriften, die Teile klar aufeinander beziehen zu müssen glaubt[5].

Mit alledem könnte Herders Diktion, auf ihre Weise, noch immer angemessen und einstimmig, also nach rein ästhetischen Maßen «schön» sein. Nun drängen sich aber andere, unnatürliche Eigenschaften auf. Herder war mit Hamann befreundet. Man weiß, wie sehr er ihn verehrt hat. Ganze Partien der «Fragmente», der «Kritischen Wälder» sind Ausführungen einiger sibyllinischer Sprüche in den «Sokratischen Denkwürdigkeiten»

5 In den Zitaten wird zwar die Orthographie, aber nicht die Interpunktion modernisiert.

und in der «Aesthetica in nuce», Übersetzungen gleichsam aus einem kapriziösen und trunkenen, geistlich-weltlichen und ironischen Gestammel in eine dem allgemein Üblichen wenigstens angenäherte Sprache. In eine angenäherte, aber beileibe nicht konventionelle! Herder war viel zu tief durchdrungen von seiner Außerordentlichkeit, als daß er sich auch nur in seiner kritischen Journalistik der Gesellschaft unterworfen hätte. Er schielte doch immer zu Hamann hinüber und fieberte wieder vor Ungeduld, wenn er an sein erstauntes Publikum dachte. Dieses Fiebern, dieses Schwanken zwischen dem Willen zu breitester Wirkung und esoterischem Gehaben kommt seiner Prosa nicht zugute. Er schreibt in einer beängstigenden Hast, als ob er sich selber betäuben müßte. Da wimmelt es denn von Anakoluthen und halb mißglückten Konstruktionen, von mißverständlichen Redensarten und undurchsichtigen Bezügen, andrerseits aber auch wieder von Absonderlichkeiten und Skurrilitäten, die allzu absichtsvoll eingestreut sind, als daß sie echte, originale Gewalt zu bezeugen imstande wären. An Hamann erinnert die Manier, Wörter durch Sperrung hervorzuheben; in frühen Schriften wird manchmal fast ein Drittel des Textes derart ausgezeichnet – was den gewollten Effekt natürlich beinahe wieder vernichtet. Auch die ungewohnten Wortzusammensetzungen wetteifern mit Hamann: «Regkraft, Kleinling, Nachplaudergeschichte, Erdenichts, Ziehwolke, Tadeltraum, Hohnlüge, Kitzelphilosoph, Dazukommenheiten, Hinlässigkeit...[6]» Das soll aus Tiefen des Ursprungs geschöpft, ein aus dem Felsen unter dem Stab des Propheten springender Wortquell sein. Doch seltsam! Die wenigsten dieser Neuprägungen haben sich eingebürgert – im Gegensatz zu denen des jungen Goethe, die in großer Zahl Gemeinbesitz geworden sind. Die Kompressionen und Machtwörter Herders machen den Eindruck von Kraftmeierei; sie sind nervös und affektiert. Es fehlt des Basses Grundgewalt, das feste rhythmische Fundament.

Selbst Hamann – als «christlicher Sokrates» im Hinblick auf den Hermenfrevel – tadelte die «alkibiadische Verhunzung des Artikels[7]», also Redewendungen wie: «wenn Bibel ihre Sache

6 Vgl. Haym, a.a.O. I, S. 517.
7 Haym, I, S. 596.

ist», «Schöpfer ists, der die Einheit denkt», «Predigers fast ganzes Amt». Die zahlreichen Inversionen sind zwar durch Herdersche Stiltheorien geschützt; sie wirken sich aber nicht so aus, wie sie sollten, nämlich nicht als Durchbruch elementarer Leidenschaft durch die Regeln der Schulgrammatik, sondern erzeugen nur ein eigentümliches Flackern. Dies alles geht uns heute schwer ein. Herder konnte nun freilich auch anders. Schon die frühen Schriften bieten ein völlig uneinheitliches Bild. Die für die Berliner Akademie bestimmten sind gemäßigter als etwa die Phantasien über die «älteste Urkunde des Menschengeschlechts». Hin und wieder begegnen wir auch Stellen von wunderbar schwebender Pracht; sie scheinen absichtslos, bei dämmernder Reflexion, gelungen zu sein. Doch wie es im Einzelnen auch bestellt sei: Herder ist kein Meister der Prosa, man mag ihm noch so viel nachsehen und zugute halten; gerade ein Meister ist er wesentlich nicht, vielmehr geziert, unsicher, beirrbar, leicht zu stören durch Nebenabsichten, voll von falschen Prätentionen. So kommt es, daß sich zwar Ungezählte im folgenden Jahrhundert auf ihn als ihren Erwecker berufen und dennoch keine seiner Schriften zum ewigen Vorrat deutscher Prosa gehört.

Wie sollen wir einen solchen Schriftsteller lesen? Es ist kein leichtes Geschäft. Oft müssen wir das Wesentliche der unangemessenen, manierierten Formulierung zuerst entwinden. Noch öfter müssen wir weite Strecken öden Landes durchwandern, bis wieder ein Brunnen lebendiges Wasser spendet. Zusammengefügtes hin und wieder zu trennen, weit Entlegenes zu verbinden, wird unerläßlich sein. Die Mühe, die das kostet, gibt uns einen schwachen Begriff der Mühsal, die es Herder kostete, seine großen Erleuchtungen festzuhalten und gegen den Andrang des gewohnten, üblichen Denkens zu behaupten.

Schon in den frühesten Schriften Herders bemerken wir den unruhigen Drang, die Dinge nicht so sehr, nach Lessings Weise, zu prüfen, zu sichten, zu ordnen, als vielmehr ihnen nahezukommen, auf sie einzugehen, sich in ihr Geheimnis zu vertiefen und ihr Inneres zu durchdringen. Wie ist dies möglich? Welcher Organe bedarf es und welcher Beschaffenheit der Dinge selbst, damit die ersehnte innige Fühlung zustande kommt? Solche Fragen bringen, ausgesprochen oder unausgesprochen, das Denken immer wieder in Gang und sichern, bei allem Wechsel der Interessen, eine einheitliche Richtung. Wir beginnen mit der eigenwilligen Theorie der Sinne, die 1778 in einer Schrift über «Plastik», aber auch schon in einem «Kritischen Wäldchen» von 1769 entwickelt wird. Der Untertitel von «Plastik» lautet: «Einige Wahrnehmungen über Form und Gehalt aus Pygmalions bildendem Traume». Herder ist nicht der einzige, der sich in diesen Jahrzehnten auf den von Ovid überlieferten Mythos besinnt. Dem Künstler, der die Elfenbeinstatue mit seinen Küssen zum Leben erweckt, begegnen wir als Titelhelden in einem Monodrama Rousseaus. Hamann erwähnt ihn im Eingang der «Sokratischen Denkwürdigkeiten», um die Belebung des Vergangenen durch den echten Historiker anzudeuten. Noch Lessing hätte mit diesem Thema kaum etwas anzufangen gewußt. Schäferstündchen und Kunstbetrachtungen pflegte er auseinanderzuhalten. Und Goethe wird in den «Tag- und Jahresheften» erklären, das Stück Rousseaus sei «unzuläßlich und unerfreulich[8]». Kein Wunder! Seinem auf dem klaren Gegenüber beharrenden Schauen mußte die Umarmung eines Kunstwerks als Skandal erscheinen, eher geeignet, Kunst als solche zu vernichten, als zu beleben. Herder denkt darüber anders. Er gibt von vornherein gar nicht zu, daß Plastik durch das distanzierende Auge wahrgenommen werde. Das sei nur eine Täuschung, die bei genauerer Überlegung verschwinde. Das Auge sehe die Plastik zwar, rekonstruiere aber beim Sehen die angemessene Wahrnehmung, die einzig dem «Gefühl» – das heißt dem Tastsinn – vorbehalten sei:

«Wenn der Kenner der Malerei sein Gemälde beschreibt: so hat er Fläche vor sich: er setzt ihre Figuren in ihrer Anlage und Gegenwart auseinander; er schildert, was er vor sich siehet. Lasset aber den Liebhaber des Apollo im Belvedere, und des Torso, und der Niobe beschreiben; er hat nicht Fläche; er hat Körper, den er fühlt, zu schildern, oder vielmehr nicht zu schildern, sondern andern fühlbar zu machen. Da tritt seine fühlende Einbildung in

8 Tag- und Jahreshefte 1811.

die Stelle des kältern, auseinander setzenden Auges: da fühlet sie den Herkules immer in seinem ganzen Körper und diesen Körper in allen seinen Taten. Sie fühlet in den mächtigen Umrissen seines Leibes die Kraft des Riesenbezwingers, und in den sanften Zügen dieser Umrisse den leichten Kämpfer mit dem Achelous: sie fühlet die große prächtige Brust, die den Geryon erdrückte, und die starke unwankbare Hüfte, die bis an die Grenzen der Welt geschreitet, und die Arme, die den Löwen erwürget, und die unermüdbaren Beine, und den ganzen Körper, der in den Armen der ewigen Jugend Unsterblichkeit genoß. Die fühlende Einbildungskraft hat hier kein Maß, keine Schranken. Sie hat sich gleichsam die Augen geblendet, um nicht bloß eine tote Fläche zu schildern: sie siehet nichts, was sie vor sich hat; sondern tastet, wie in der Finsternis, und wird begeistert von dem Körper, den sie tastet, und durchzeucht mit ihm Himmel und Hölle und die Enden der Erde, und fühlet von neuem, und spricht alles, dessen sie ihr Gefühl erinnert. Tote Maleraugen! verarget ihr nicht, daß sie nicht bloß auseinander setzt, und pinselt und klecket und wie ihr betrachtet. Kennt ihr etwas Unerschöpflichers und Tieferes als Gefühl? Etwas Begeisterndes, als das Solidum seines schönen Gegenstandes? und etwas Lebhafteres, als die von ihm erfüllte Einbildungskraft? Wie die Fläche zum Körper: so verhält sich eure Schilderung zu solcher Beschreibung[9]!»

So in dem vierten «Kritischen Wäldchen». Dieselbe Schrift nennt zu Beginn das Auge den «kältesten unter den Sinnen».

«Es ist aber auch eben deswegen der künstlichste, der philosophischte Sinn: es wird nur, wie es Blindgewesene zeugen, mit vieler Mühe und Übung erlangt; es beruhet auf vielen Gewohnheiten und Zusammensetzungen: es würkt nicht anders, als durch unablässiges Vergleichen, Messen, und Schließen: es muß uns also, auch in dem es würkt, zu allen diesen feinen Seelebeschäftigungen, Kälte und Muße lassen, ohne die es nicht würken kann[10].»

Was hat wohl Goethe zu dieser Würdigung seines «inneren Lichts» gesagt? Es geht zwar Herder nicht darum, den hohen

9 Herder, a.a.O. IV, S. 66.
10 a.a.O. IV, S. 45.

Rang des Gesichts zu bestreiten. Hoch aber ist dieser Rang für ihn nur gemäß den Begriffen der Aufklärung. In dem «Plastik»-Aufsatz sagt er wörtlich: das Gesicht «klärt auf[11]». Und wie ganz anders drückt er sich aus, wenn er diesem aufklärenden Sinn das « dunkel ertastende Gefühl» gegenüberstellt.

Ähnlich konfrontiert er die Leistung des Gesichts mit der des Gehörs:

«Die Würkungen dessen, was in unser Ohr angenehm einfließt, liegen gleichsam tiefer *in unsrer* Seele, da die Gegenstände des Auges ruhig *vor uns* liegen. Jene würken gleichsam *in einander*, durch Schwingungen, die in Schwingungen fallen: sie sind also nicht so *aus einander*, nicht so deutlich. Sie würken durch eine Erschütterung, durch eine sanfte Betäubung der Töne und Wellen; die Lichtstrahlen aber fallen, als goldne Stäbe, nur stille auf unser Gesicht, ohne uns zu stören und zu beunruhigen. Jene folgen aufeinander, lösen sich ab, verfließen und sind nicht mehr; diese bleiben und lassen sich langsam erhaschen und wiederholen[12].»

Daraus ergibt sich eine Reihe. Am einen Ende steht das Gesicht, das alles nebeneinander, klar, doch äußerlich, fern und kalt wahrnimmt. Ihm folgt das «Gefühl» (der Tastsinn also), das sich besonders eignet, Leidenschaften zu erregen und als Vermittler der «richtigsten, gewissesten und vollständigsten Ideen» zu walten, weil es sich nicht mit dem Schein begnügt. Indes «bleibt das Gefühl noch außen». «Die Einbildungskraft», so heißt es, «muß sich gleichsam an die Stelle des Gefühls setzen, um es redend zu machen[13].»

«Das Gehör allein, ist der innigste, der tiefste der Sinne. Nicht so deutlich, wie das Auge ist es auch nicht so kalt: nicht so gründlich wie das Gefühl ist es auch nicht so grob; aber es ist so der Empfindung am nächsten, wie das Auge den Ideen und das Gefühl der Einbildungskraft. Die Natur selbst hat diese Naheit bestätigt, da sie keinen Weg zur Seele besser wußte, als durch Ohr und – Sprache[14].»

11 a.a.O. VIII, S. 8.
12 a.a.O. IV, S. 47.
13 a.a.O. IV, S. 111.
14 a.a.O. IV, S. 111.

Man kann bei Herder nie damit rechnen, daß es bei einer einmal getroffenen systematischen Anordnung bleibt. Schon in der Preisschrift über den Ursprung der Sprache nennt er das Gehör den «mittleren Sinn» und argumentiert:

«Gefühl empfindet alles nur in sich, und in seinem Organ; das Gesicht wirft uns große Strecken weit aus uns hinaus: das Gehör steht an Grad der Mitteilbarkeit in der Mitte[15].»

Aus dieser Mittelstellung leitet er nun – wie früher aus der vollkommenen Innerlichkeit – die Eignung des Gehörs für die Bildung der Sprache ab. Daß sich eine solche schwankende Systematik nie recht durchzusetzen vermochte, ist zu begreifen. Wir aber fragen nicht nach naturwissenschaftlich gültigen Resultaten. Wir fragen nach Herders Einbildungskraft. Und da genügt es uns festzustellen: Die Sinne, deren man sich im Rahmen des rationalen Denkens beinahe schämt und denen sogar noch Kant in der Regel das Adjektiv «niedrig» beigibt, werden hier wesentlich, weil sie die Kluft zwischen Innen- und Außenwelt überbrücken. Außerdem werden die Sinne bestimmt im Hinblick auf ihre Eindringlichkeit, so, daß man nicht leicht überhören kann, wo Herder am meisten sympathisiert.

Aus der Ordnung der Sinne ergibt sich die Ordnung der korrespondierenden Künste. Mit sichtlicher Verlegenheit spricht Herder von der Architektur. Die Einheit im Mannigfaltigen, das Grundprinzip des Schönen, sei hier zwar am leichtesten zu erkennen. Doch ebendeshalb habe die Baukunst einzig propädeutischen Wert. Sie heißt «nur eine Vorbereitung außer dem Tore der wahren Kunst[16]». Ihr folgt die Plastik, die Formen nachahmt und das Gefühl, den Tastsinn, anspricht. Sie soll sich auf isolierte Gestalten beschränken, weil man nur um solche mit der Hand herumfahren kann. Dagegen stellt die Malerei ein sichtbares Nebeneinander im Raume, genauer gesagt, auf der Fläche dar. Die Tonkunst bietet das reine Nacheinander und wirkt durch «Energie[17]» allein im Element der Zeit. Der Dichtkunst endlich kommt das Schaffen eines «erhellten Nacheinander» zu; sie vereinigt die Vor-

15 a.a.O. V, S. 64.
16 a.a.O. IV, S. 156.
17 a.a.O. IV, S. 162.

züge der Musik mit denen der Malerei. Die Aufteilung ist nicht ganz klar. Doch wieder wird Herder um so beredter, je mehr er sich den «eindringlichen», intensiven Künsten nähert. Wir folgen ihm weiter in dieser Richtung.

Das erste «Kritische Wäldchen» ist «Herrn Lessings Laokoon» gewidmet. Lessing hat seine Unterscheidung der Poesie und der Malerei in folgenden Sätzen zusammengefaßt:

«Gegenstände, die neben einander oder deren Teile neben einander existieren, heißen Körper. Folglich sind Körper mit ihren sichtbaren Eigenschaften, die eigentlichen Gegenstände der Malerei.

Gegenstände, die auf einander, oder deren Teile auf einander folgen, heißen überhaupt Handlungen. Folglich sind Handlungen der eigentliche Gegenstand der Poesie.

Doch alle Körper existieren nicht allein in dem Raume, sondern auch in der Zeit. Sie dauern fort, und können in jedem Augenblicke ihrer Dauer anders erscheinen, und in anderer Verbindung stehen. Jede dieser augenblicklichen Erscheinungen und Verbindungen ist die Wirkung einer vorhergehenden, und kann die Ursache einer folgenden, und sonach gleichsam das Zentrum einer Handlung sein. Folglich kann die Malerei auch Handlungen nachahmen, aber nur andeutungsweise durch Körper.

Auf der andern Seite können Handlungen nicht für sich selbst bestehen, sondern müssen gewissen Wesen anhängen. In so fern nun diese Wesen Körper sind, oder als Körper betrachtet werden, schildert die Poesie auch Körper, aber nur andeutungsweise durch Handlungen[18].»

Das heißt: der eigentliche Bereich der «Malerei» – der bildenden Kunst – ist der Raum, der Bereich der Dichtung die Zeit. Herder erwidert, Lessing habe die Musik vergessen, die einzige ganz der Zeit verschriebene Kunst:

«Malerei wirkt ganz *durch den Raum*, sowie Musik *durch die Zeitfolge*. Was bei jener das Nebeneinandersein der Farben und Figuren ist, der Grund der Schönheit, das ist bei dieser das Aufeinanderfolgen der Töne, der Grund des Wohlklanges. Wie bei jener

18 Lessing, Sämtliche Schriften, hg. von Lachmann-Muncker, IX. Bd., Stuttgart 1893, S. 94f.

auf dem Anblicke des Koexistierenden das Wohlgefallen, die Wirkung der Kunst beruhet; so ist in dieser das Sukzessive, die Verknüpfung und Abwechselung der Töne das Mittel der musikalischen Wirkung. Wie also, kann ich fortfahren, jene, die Malerei, bloß durch ein Blendwerk, den Begriff der Zeitfolge in uns erwekken kann: so mache sie dies Nebenwerk nie zu ihrer Hauptsache, nämlich: als Malerei durch Farben, und doch in der Zeitfolge zu wirken: sonst gehet das Wesen und alle Wirkung der Kunst verloren. Hierüber ist das Farbenklavier Zeuge. Und also im Gegenteile die Musik, die ganz durch Zeitfolge wirkt, mache es nie zu ihrem Hauptzwecke, Gegenstände des Raums musikalisch zu schildern, wie unerfahrne Stümper tun. Jene verliere sich nie aus dem Koexistenten, diese nie aus der Sukzession: denn beide sind die *natürlichen* Mittel ihrer Wirkung[19].»

An anderer Stelle bemüht sich Herder, die eigentümliche Wirkung der Musik genauer zu beschreiben. Er spricht von ihrer «Innigkeit[20]», von der singenden Mitteilung der Affekte; er deutet sie, um ein Wort der Preisschrift über den Ursprung der Sprache vorwegzunehmen, als «tönende Empfindung». Damit läßt sich freilich keine Theorie der Musik bestreiten, vor allem dann nicht, wenn man, wie Herder, gegen jede mathematische Interpretation protestiert. Wieder scheiden sich die Zeiten. Leibniz hat die Musik bekanntlich ein «abgekürztes Rechnen» genannt; er dachte an die Intervalle, die zahlenmäßig faßbar sind. Herder leugnet, daß die zahlenmäßigen Proportionen etwas mit der Wirkung zu schaffen haben, und läßt es sogar bei einer Würdigung des einzelnen Tons – im Unterschied zum bloßen Schall – bewenden. Gegen das «Wunder von Tonwissenschaft», von «Setzkunst», also gegen die hochentwickelte Polyphonie des Barockzeitalters, hebt er mit Nachdruck das «Wunder der einzelnen Energie[21]» hervor. Auch damit läßt sich musiktheoretisch nicht viel anfangen; doch stilgeschichtlich ist es von größter Bedeutsamkeit. Das Generalbaßzeitalter geht um 1750 zu Ende. Der Kontrapunkt weicht einer entschiedenen Vorherrschaft der Melodie. Man denke an die Sen-

19 a.a.O. III, S. 136.
20 a.a.O. IV, S. 112.
21 a.a.O. IV, S. 108.

sation von Rousseaus Singspiel «Le devin du village», vor allem jedoch an die Mannheimer Schule mit ihren Überraschungseffekten, ihrem unwiderstehlichen Orchestercrescendo, ihren bald jäh erregenden, bald wieder rührenden Weisen. Dergleichen kommt Herders Lehre schon wesentlich näher als Joh. Seb. Bach, obwohl es natürlich auch in Mannheim noch immer viel gelehrter zugeht, als sich der unbesorgte Verfasser des «Kritischen Wäldchens» träumen läßt.

Wenn aber nun die Musik die Zeit, die bildende Kunst den Raum beansprucht, was bleibt noch übrig für die Dichtung? «Die Kraft», sagt Herder und erklärt:

«Wie in der Metaphysik *Raum*, *Zeit* und *Kraft* drei Grundbegriffe sind, wie die mathematischen Wissenschaften sich alle auf einen dieser Begriffe zurückführen lassen; so wollen wir auch in der Theorie der schönen Wissenschaften und Künste sagen: die Künste, die *Werke* liefern, wirken im Raume; die Künste, die durch Energie wirken, in der Zeitfolge; die schönen Wissenschaften, oder vielmehr die einzige schöne Wissenschaft, die Poesie, wirkt durch *Kraft*. – Durch *Kraft*, die einmal den Worten beiwohnt, durch Kraft, die zwar durch das Ohr geht, aber unmittelbar auf die Seele wirket. Diese *Kraft* ist das Wesen der Poesie, nicht aber das Koexistente oder die Sukzession[22].»

Unmittelbar darauf heißt es noch klarer:

«Das Wesen der Poesie ist Kraft, die *aus dem Raum*, (Gegenstände, die sie sinnlich macht) in der Zeit (durch eine Folge vieler Teile zu Einem poetischen Ganzen) wirkt: kurz also *sinnlich vollkommene Rede*[23].»

Womit denn Herder in die bekannte Baumgartensche Definition einbiegt.

«Kraft» ist vorerst nur ein Wort. Doch wenn wir den Gehalt, den es für Herder besitzt, entfalten, so geraten wir mitten in die ästhetische Revolution hinein, die sich in Deutschland um 1770 ereignet.

Auch «Kraft» meint wieder «Eindringlichkeit». Es ist die Kraft, die «durch das Ohr geht» und «unmittelbar auf die Seele

22 a.a.O. III, S. 137.
23 a.a.O. III, S. 138.

wirkt». Die Kraft der Dichtung bleibt nun aber auf die Sprache angewiesen. Und daß die Sprache uns mit der Umwelt meist gerade nicht vereinigt, sondern auseinander setzt, ja, daß so etwas wie ein Gegenüber, wie Gegenständlichkeit, sich allererst durch Sprache bildet, das hat gerade Herder besser als alle seine Zeitgenossen und als die meisten, die später über die Sprache nachgedacht haben, begriffen. Der Mensch, im Unterschied zu den Tieren, ist ausgezeichnet durch Reflexion. Er braucht Reflexion, Besinnung, weil seine Sinne nicht mehr so genau auf die Umwelt abgestimmt sind. Besinnung und Sprache gehören zusammen.

«Der Mensch beweiset Reflexion, wenn die Kraft seiner Seele so frei würket, daß sie in dem ganzen Ozean von Empfindungen, der sie durch alle Sinnen durchrauschet, Eine Welle, wenn ich so sagen darf, absondern, sie anhalten, die Aufmerksamkeit auf sie richten, und sich bewußt sein kann, daß sie aufmerke. Er beweiset Reflexion, wenn er aus dem ganzen schwebenden Traum der Bilder, die seine Sinne vorbeistreichen, sich in ein Moment des Wachens sammeln, auf Einem Bilde freiwillig verweilen, es in helle, ruhigere Obacht nehmen, und sich Merkmale absondern kann, daß dies der Gegenstand und kein andrer sei. Er beweiset also Reflexion, wenn er nicht bloß alle Eigenschaften, lebhaft oder klar erkennen; sondern Eine oder mehrere als unterscheidende Eigenschaften bei sich *anerkennen* kann: der erste Aktus dieser Anerkenntnis gibt deutlichen Begriff; es ist das erste Urteil der Seele – und –

wodurch geschahe die Anerkennung? Durch ein Merkmal, was er absondern mußte, und was, als Merkmal der Besinnung, deutlich in ihn fiel. Wohlan! lasset uns ihm das εὕρηκα zurufen! *Dies Erste Merkmal der Besinnung war Wort der Seele! Mit ihm ist die menschliche Sprache erfunden!*

Lasset jenes Lamm, als Bild, sein Auge vorbeigehn: ihm wie keinem andern Tiere. Nicht wie dem hungrigen, witternden Wolfe! nicht wie dem blutleckenden Löwen – die wittern und schmecken schon im Geiste! die Sinnlichkeit hat sie überwältigt! der Instinkt wirft sie darüber her! – Nicht wie dem brünstigen Schafmanne, der es nur als den Gegenstand seines Genusses fühlt, den also wieder die Sinnlichkeit überwältigt, und der Instinkt darüber herwirft! – Nicht wie jedem andern Tier, dem das Schaf gleichgültig ist, das es also klar-dunkel vorbeistreichen läßt, weil ihn sein Instinkt auf etwas anders wendet! – Nicht so dem Menschen! Sobald er in die Bedürfnis kommt, das Schaf kennen zu lernen: so störet ihn kein Instinkt: so reißt ihn kein Sinn auf dasselbe zu nahe hin, oder davon ab: es steht da, ganz wie es sich seinen Sinnen äußert. Weiß, sanft, wollicht – seine besonnen sich übende Seele sucht ein Merkmal, – das Schaf *blöket!* sie hat Merkmal gefunden. Der innere Sinn würket. Dies Blöken, das ihr am stärksten Eindruck macht, das sich von allen andern Eigenschaften des Beschauens und Betastens losriß, hervorsprang, am tiefsten eindrang, bleibt ihr. Das Schaf kommt wieder. Weiß, sanft, wollicht – sie sieht, tastet, besinnet sich, sucht Merkmal – es blökt, und nun erkennet sies wieder! ‚Ha! du bist das Blökende!' fühlt sie innerlich, sie hat es *menschlich* erkannt, da sies deutlich, das ist, mit einem Merkmal erkennet und nennet ...

Der *Schall* des Blökens, von einer menschlichen Seele, als Kennzeichen des Schafs, wahrgenommen, ward, kraft dieser Besinnung, *Name* des Schafs, und wenn ihn nie seine Zunge zu stammeln versucht hätte. Er erkannte das Schaf am Blöken: es war gefaßtes Zeichen, bei welchem sich die Seele an eine Idee deutlich besann – was ist das anders als Wort? und was ist die ganze menschliche Sprache, als eine Sammlung solcher Worte? Käme er also auch nie in den Fall, einem andern Geschöpf diese Idee zu geben, und also dies Merkmal der Besinnung ihm mit den Lippen vorblöcken zu wollen, oder zu können; seine Seele hat gleichsam in ihrem Inwendigen geblökt, da sie diesen Schall zum Erinnerungszeichen wählte, und wiedergeblökt, da sie ihn daran erkannte – *die Sprache ist erfunden! eben so natürlich und dem Menschen notwendig erfunden, als der Mensch ein Mensch war*[24]. »

Der Mensch, heißt das, wird auf das Sanfte, Weiße, Wollige nicht durch unwiderstehliche Triebe hingerissen. Dank der Schwäche seines Instinkts vermag er sich zu distanzieren. Aus der Distanz gelingt es ihm, von der verworrenen Fülle seiner Sinnesempfindungen abzusehen und ein Merkmal auszusondern. Das

24 a.a.O. V, S. 34 ff.

Weiße, Sanfte, Wollige blökt. «Bäh» macht es; Bäh ist sein Name, der Name nun aber nicht nur des einzelnen Sanften und Wolligen, das vorbeigestrichen und wiedergekommen ist, sondern jedes Wolligen, Sanften, das blökt, es sei nun groß oder klein, sei männlich, weiblich, alt oder jung. Das Wort wird zum Begriff, der mannigfaltige Dinge im Hinblick auf ein identisches Merkmal zusammenfaßt. In all dem – in der Lösung aus der untrüglichen Sicherheit des Instinkts, in dem Vermögen zurückzutreten, der Freiheit, abzusehen von vielem und dafür eines anzuerkennen, der Bildung von Begriffen, von etwas Stetigem und Identischem, das den Wechsel der Erscheinungen auffängt und verständlich präsentiert – in alle dem sieht Herder einen einzigen fundamentalen Vorgang, *das* Ereignis, in dem der Mensch sich aus dem Bann der Natur befreit und überhaupt erst ganz zum Menschen, zum «Freigelassenen der Schöpfung», wird.

Wie diese Erklärung ein neues Verständnis der Völker und ihrer Geschichte ermöglicht, lassen wir vorerst außer Betracht. Dagegen gilt es einzusehen, daß Herder sich gerade deshalb so ausgezeichnet auf die auseinandersetzende Sprache versteht, weil er auch über die Macht einer andern, unbegrifflichen Sprache Bescheid weiß, einer Sprache, die keine Gegenstände bedeutet, die weiter nichts als Ausdruck der Empfindung ist und, als Ausdruck, Eindruck macht.

«*Schon als Tier, hat der Mensch Sprache.* Alle heftigen, und die heftigsten unter den heftigen, die schmerzhaften Empfindungen seines Körpers, alle starke Leidenschaften seiner Seele äußern sich unmittelbar in Geschrei, in Töne, in wilde, unartikulierte Laute. Ein leidendes Tier sowohl, als der Held Philoktet, wenn es der Schmerz anfället, wird wimmern! wird ächzen! und wäre es gleich verlassen, auf einer wüsten Insel, ohne Anblick, Spur und Hoffnung eines hülfreichen Nebengeschöpfes. ...

Die geschlagene Saite tut ihre Naturpflicht: sie klingt! Sie ruft einer gleichfühlenden Echo; selbst wenn keine da ist, selbst wenn sie nicht hoffet und wartet, daß ihr eine antworte. ...

Das war gleichsam der letzte, mütterliche Druck der bildenden Hand der Natur, daß sie allen das Gesetz auf die Welt mitgab: ‚empfinde nicht für dich allein: sondern dein Gefühl töne!' und da dieser letzte schaffende Druck auf alle von Einer Gattung Einartig war: so wurde dies Gesetz Segen: ‚deine Empfindung töne deinem Geschlecht Einartig, und werde also von allen, wie von Einem, mitfühlend vernommen[25]‘! »

Wo solche Töne verlauten – Ach! und O!, hélas! ὀτοτοί, παπαῖ – bedarf es noch keiner Reflexion. Wir schwingen mit; wir werden hineingerissen in den Schmerz, den Jubel und finden uns unmittelbar verständigt.

Nun läßt sich diese Sprache aus der begrifflichen niemals ganz verdrängen:

«Unsre künstliche Sprache mag die Sprache der Natur so verdränget: unsre bürgerliche Lebensart und gesellschaftliche Artigkeit mag die Flut und das Meer der Leidenschaften so gedämmet, ausgetrocknet und abgeleitet haben, als man will; der heftigste Augenblick der Empfindung, wo? und wie selten er sich finde? nimmt noch immer sein Recht wieder, und tönt in seiner mütterlichen Sprache unmittelbar durch Akzente[26].»

Und eben diese Akzente – Herder könnte auch «Laute» und «Rhythmen» sagen – erzielen oft eine gewaltige, durch keine Vernunft deutbare Wirkung.

«Was ists, was dort im versammleten Volke Wunder tut, Herzen durchbohrt und Seelen umwälzet? Geistige Rede und Metaphysik? Gleichnisse und Figuren? Kunst und kalte Überzeugung? Sofern der Taumel nicht blind sein soll, muß vieles durch sie geschehen, aber alles? Und eben dies höchste Moment des blinden Taumels, wodurch wurde das? – Durch ganz eine andere Kraft! Diese Töne, diese Gebärden, jene einfachen Gänge der Melodie, diese plötzliche Wendung, diese dämmernde Stimme – was weiß ich mehr? Bei Kindern, und dem Volk der Sinne, bei Weibern, bei Leuten von zartem Gefühl, bei Kranken, Einsamen, Betrübten, würken sie tausendmal mehr, als die Wahrheit selbst würken würde, wenn ihre leise, feine Stimme vom Himmel tönte. Diese Worte, dieser Ton, die Wendung dieser grausenden Romanze u.s.w. drangen in unsrer Kindheit, da wir sie das erstemal hörten, ich weiß nicht, mit welchem Heere von Nebenbegriffen des Schau-

25 a.a.O. V, S. 5f.
26 a.a.O. V, S. 7f.

ders, der Feier, des Schreckens, der Furcht, der Freude, in unsre Seele. Das Wort tönet, und wie eine Schar von Geistern stehen sie alle mit Einmal in ihrer dunklen Majestät aus dem Grabe der Seele auf: sie verdunkeln den reinen, hellen Begriff des Worts, der nur ohne sie gefaßt werden konnte. Das Wort ist weg, und der Ton der Empfindung tönet. Dunkles Gefühl übermannet uns: der Leichtsinnige grauset und zittert – nicht über Gedanken, sondern über Silben, über Töne der Kindheit, und es war Zauberkraft des Redners, des Dichters, uns wieder zum Kinde zu machen. Kein Bedacht, keine Überlegung, das bloße Naturgesetz lag zum Grunde: ,*Ton der Empfindung soll das sympathetische Geschöpf in denselben Ton versetzen*[27]*!*' »

Abermals ein denkwürdiger Abschnitt! Herder betont die lyrisch-pathetischen Elemente der Dichtung und deutet ihre Macht über unser Gemüt nun nicht mehr bloß als Schwingen gleichgestimmter Saiten im Sprecher und Hörer, sondern zugleich als «Erinnerung», Erinnerung an die Kindheit, einen Zustand also, in dem wir noch mehr an die «tierische» Sprache verwiesen waren. Der Doppelsinn von «Erinnerung», der eine Wendung zum Vergangenen und ein Innigwerden anzeigt, leuchtet damit überraschend auf.

Daß hier das geschriebene Wort verbleicht, daß als die wahre Sprache nur die gesprochene oder gesungene gilt, versteht sich von selbst, eröffnet aber unerwartete Perspektiven. Noch Jakob Grimm in seiner «Deutschen Grammatik[28]» verwechselt Buchstaben und Laute. Herder unterscheidet: Die Zahl der Buchstaben ist begrenzt; die Laute dagegen lassen sich gar nicht zählen, so mannigfaltig, so gleitend, so unbestimmbar-variabel sind sie[29]. Eben deshalb eignet ihnen eine so große Intensität – wie allem, was begrifflich nicht erfaßt, nicht festgestellt und damit gegenständlich gemacht werden kann, zum Beispiel auch Düften und schillernden Farben. Die Intensität der Laute genießt der Übersetzer Herder zumal in fremden Personen- und Ländernamen. Ewald von Kleist, in seiner Umdichtung des «Lieds eines Lapp-

27 a.a.O. V, S. 16 f.
28 J. Grimm, Deutsche Grammatik.
29 a.a.O. V, S. 13.

länders», läßt die originalen Namen weg und glaubt genug getan zu haben, wenn er, konventionell-fremdartig, seine Lappländerin «Zama» nennt[30]. Herder berauscht sich an dem Klang von «Orra See[31]» – in anderen Liedern an «Abenamar», «Mirriland», «Angantyr», «Gaundul», «Skogul», «Storda». Er macht sich Gedanken über das Phänomen der Aura der Wörter, die wechselt, je nachdem wir sie intonieren, und je nach der Stellung im Ganzen des Satzes. Er preist die Leistung der Inversionen, die dem Affekt entspringen und deshalb auch den Affekt zu erregen vermögen. Durch die Volksliedersammlung soll dies alles im Deutschen erneuert werden. Das Stilideal heißt nicht mehr «Klarheit», sondern eindeutig «Mächtigkeit».

Es stellt sich glanzvoll dar im «Eduard», einem der ältesten, aber immer wieder umgearbeiteten Stücke:

«Dein Schwert, wie ists von Blut so rot?
Edward, Edward!
Dein Schwert, wie ists von Blut so rot,
Und gehst so traurig her – O!
O ich hab geschlagen meinen Geier tot,
Mutter, Mutter!
O ich hab geschlagen meinen Geier tot,
Und keinen hab ich wie Er – O!»

Jede Strophe schließt mit dem «O!», das uns, je öfter es wiederholt wird, nur fürchterlicher das Herz durchbohrt. Der Name «Edward» tut das Seine. Ebenso fühlbar sind die Alliterationen «Rotroß», «Hof und Hall» in einer der folgenden Strophen. «Rotroß» ist zudem ein Machtwort, das schon als solches Eindruck macht. An Inversionen fehlt es nicht. Sie teilen die Erregung mit, in der sich das furchtbare Zwiegespräch abspielt. Der Vers wird nirgends eingeebnet. Die Unregelmäßigkeiten scheinen sich sogar mit dem Entsetzen zu steigern, lautet die letzte Strophe doch so:

«Und was willt du lassen deiner Mutter teur?
Mein Sohn, das sage mir – O!

30 E. von Kleist, Sämtliche Werke, Berlin 1803, II, S. 58.
31 Herder, a.a.O. XXV, S. 93.

Fluch will ich euch lassen und höllisch Feur,
Mutter, Mutter!
Fluch will ich euch lassen und höllisch Feur,
Denn ihr, ihr rietets mir! – O[32]!»

Das wird hervorgestoßen in einem schon fast an Wahnsinn grenzenden Zustand. Was nehmen wir auf? Zunächst nur diesen Ton der «grausenden Romanze», der uns hinreißt und erschüttert, noch ehe wir wissen, wovon sie handelt. Und wovon handelt sie denn? Man könnte eine Geschichte rekonstruieren, die ungefähr der Hypothesis einer äschyleischen Tragödie gliche. Diese Geschichte erfahren wir aber nicht im Zusammenhang. Die Ermordung des Vaters auf den Rat der Mutter wird überhaupt nicht motiviert. Es ist geschehen. Das genügt, um uns die Haare sträuben zu lassen. Und nur auf diesen Effekt kommt es an. Mit seinem Verzicht auf Begründung und seiner Auflösung des Zusammenhangs gelingt dem Dichter ganz, was er will: nämlich die Bildung des Gegenübers, der Gegenständlichkeit, zu verhindern und statt dessen mit jähen Stößen einzudringen auf unser Herz. So ist es bestellt mit der Dichtung als «Kraft» gemäß der Poetik im ersten «Wäldchen». Von allen Dichtungsarten trifft die Bestimmung am ehesten die Ballade.

Ähnlich wirkten auf Herders Gemüt die Ossianischen Gesänge. Wir haben es heute leicht, die «Fälschung» festzustellen und uns über seinen historischen Irrtum zu wundern. Wenn wir die Frage «echt oder unecht?» beiseite schieben, so müssen wir sagen, daß damals, außer in Klopstocks Oden, keine zeitgenössische Lyrik zu finden war, die es mit Macpherson an Sprachgewalt hätte aufnehmen können.

«Vom See in Büschen des Lego
Steigen Nebel, die Seite blau, von Wellen hinauf:
Wenn geschlossen die Tore der Nacht sind,
Überm Adlerauge der Sonne des Himmels[33].»

32 a.a.O. XXV, S. 476.
33 a.a.O. XXV, S. 423.

Das war der Ton, den Herder brauchte, mehr als den müheloseren, milden, den Arnim und Brentano liebten. Noch ist die Stunde nicht gekommen, da sich die Seele, aufgelöst, von den Fluten der Stimmung dahintragen läßt; noch will die Stimmung errungen und gegen die kühle Helle durchgesetzt sein. Und dazu eignet sich Macpherson zweifellos besser als Lieder wie «Es ging ein Mägdlein zarte» oder «Da droben auf jenem Berge». Herder vermeidet zwar auch solche schlichte Volksliedweisen nicht. In dem Konzert der Völker kann es ihm gar nicht bunt genug zugehen. Sein Herz gehört aber doch weit mehr dem Erhabenen, Wuchtigen, Grandiosen, der Chevy-Chase-Ballade, den Sagas und – Shakespeare, immer wieder Shakespeare! Er liest ihn anders als ihn noch Lessing gelesen hat, nicht als Kenner des menschlichen Herzens oder gar als freien Verwalter der aristotelischen Regeln. Er greift die gewaltigen Szenen heraus und übersetzt zunächst aus «Hamlet» «Probe einer schauderhaften Metaphysik über Tod und Leben», dann «Macbeth's schreckliche Dolchszene», «Szene Othellos mit Licht und Schwert», «Bastardszene Edmunds», «Lear unter freiem Himmel mit Donner und Blitzen». Erst wie dies dasteht, scheint es ihm richtig, «abzustimmen zu sanftern Stellen» und Verse aus dem «Wintermärchen» und aus dem «Sommernachtstraum» zu bieten[34]. So in dem ältesten Manuskript der Volksliedersammlung, das 1773 der Druckerei übergeben und wieder zurückgezogen wurde. Der Volksliedersammlung! Herder hatte kein Bedenken, Shakespeare in diesen befremdlichen Rahmen einzufügen. Offenbar war er geneigt, «volkstümlich» alle Dichtung zu nennen, die seinem Geschmack im Gegensatz zu dem der meisten Zeitgenossen entsprach. Und seinen Geschmack befriedigte die Folge heftiger Leidenschaftsstöße. Dergleichen war ihm Beweis von «Kraft», geeignet, auch im Leser und Hörer das Selbstgefühl von Kraft zu steigern. Mit der Gelassenheit des Epos kam er, bei aller Bewunderung für Homer, nicht ebenso leicht ins Reine. Wenig sagte ihm der dramatische Calcul an sich, die Fuge von Affekten oder der streng durchdachte Bezug des Einzelnen auf Probleme. Selbst Sophokles war für ihn bal-

34 a.a.O. XXV, S. 34ff.

ladesk. Die französische Tragödie ließ ihn kühl, und für den wendigen Witz des Lustspiels hatte er nicht den geringsten Sinn.

Besonders aufschlußreich ist für uns in diesem Zusammenhang eine Bemerkung zur Frage der Einheit von Zeit und Ort.

«Überhaupt wäre der ganze Knäuel von Ort- und Zeitquästionen längst aus seinem Gewirre gekommen, wenn ein philosophischer Kopf über das Drama sich die Mühe hätte nehmen wollen, auch hier zu fragen: ‚was denn *Ort* und *Zeit* sei?' Solls das Bretterngerüste, und der Zeitraum eines Divertissements au théatre sein: so hat niemand in der Welt Einheit des Orts, Maß der Zeit und der Szene, als – die Franzosen. Die Griechen – bei ihrer hohen Täuschung, von der wir fast keinen Begriff haben – bei ihren Anstalten für das Öffentliche der Bühne, bei ihrer rechten Tempelandacht vor derselben, haben an nichts weniger als das je gedacht. Wie muß die Täuschung eines Menschen sein, der hinter jedem Auftritt nach seiner Uhr sehen will, ob auch so was in so viel Zeit habe geschehen können? und dem es sodann Hauptelement der Herzensfreude würde, daß der Dichter ihn doch ja um keinen Augenblick betrogen, sondern auf dem Gerüste nur eben so viel gezeigt hat, als er in der Zeit im Schneckengange seines Lebens sehen würde – welch ein Geschöpf, dem das Hauptfreude wäre! und welch ein Dichter, der darauf als Hauptzweck arbeitete, und sich denn mit dem Regelnkram brüstete: ‚wie artig habe ich nicht so viel und so viel schöne Spielwerke auf den engen gegebnen Raum dieser Brettergrube, théatre françois genannt, und in den gegebnen Zeitraum der Visite dahin eingeklemmt und eingepaßt! die Szenen filiert und enfiliert! alles genau geflickt und geheftet' – elender Zeremonienmeister! Savoyarde des Theaters, nicht Schöpfer! Dichter! Dramatischer Gott! Als solchem schlägt dir keine Uhr auf Turm und Tempel, sondern du hast Raum und Zeitmaße zu schaffen, und wenn du eine Welt hervorbringen kannst, und die nicht anders, als in Raum und Zeit existieret, siehe, so ist da im Innern dein Maß von Frist und Raum; dahin du alle Zuschauer zaubern, das du allen aufdringen mußt, oder du bist – was ich gesagt habe, nur nichts weniger, als dramatischer Dichter[35].»

35 a.a.O. V, S. 226f.

Lessing hatte die Regel der Einheit von Ort und Zeit zurückgewiesen, weil er der Ansicht war, eine technische Notwendigkeit des antiken Theaters sei damit unbesehen auf den Bühnen der Neuzeit eingeführt worden[36]. Herder geht der Sache mit ganz anderen Mitteln auf den Grund. Er unterscheidet zwischen der Uhrzeit, als der objektiven, und der gelebten Zeit – «le temps vécu[37]». Und wenn er nun sagt, der Dichter müsse sein eigenes Zeit- und Raummaß schaffen, dieses Maß bestehe im «Innern», und was da im Innern lebe, gelte es allen Zuschauern aufzudringen, so findet er unvermutet die fundamentalste Formel für alles, wovon bisher die Rede gewesen ist. Die beiden «Formen der Anschauung» – um den Terminus Kants zu brauchen – werden gerade insoweit mißachtet, als sie eine allgemeingültige Gegenständlichkeit konstituieren. Herder hat einen Dichter im Auge wie Goethe im «Vorspiel auf dem Theater», einen Menschen nämlich, «der in sein Herz die Welt zurückeschlingt» und als in seinem Innern verwandelte wiederum aus dem Herzen ausströmt. Dann ist der Abstand überwunden. Der Zuschauer und die Bühne werden eins in erregter Innerlichkeit.

Doch damit fällt ein wichtiges Wort, das erklärt sein will: Inneres, Innerlichkeit. Was ist das «Innere», das zu erschließen, in dessen Bereiche einzudringen, Herder so sehr am Herzen liegt? Man denkt zunächst, der Guckkastenvorstellung vom Menschen gemäß, an etwas, das innerhalb unseres Körpers wohnt, und hat dazu ein gewisses Recht. Der Ängstliche kennt das pochende Herz; die hoffnungslose Sehnsucht ist mit dem «brennenden Eingeweide» vertraut. Seelisches realisiert sich so. Die Seele ist innerlich, mehr als der Geist, von dessen Aufenthalt im Gehirn wir keine so fühlbare Kunde haben und der uns auch immer nach außen verweist. Sobald wir kritischer werden, genügt uns aber auch die Redensart von der Innerlichkeit der Seele nicht mehr, zumal wenn wir von Herder kommen und ernst damit machen, daß wir uns in etwas vertiefen und etwas zu durchdringen befähigt sind und daß wir in solcher Vertiefung ein anderes Inneres, nämlich das der äußeren Dinge, der Gegenstände, oder vielleicht auch

36 Hamburgische Dramaturgie, 46. Stück.
37 E. Minkowski, Le Temps vécu, Paris 1933.

anderer Menschen erreichen. Daraus ergibt sich das Paradox, daß gerade das innerlichste Gemüt am meisten «außer sich» sein kann; und unsere ganze populäre Deutung wird vorerst einmal zunichte.

Kehren wir daraufhin wieder zu Herder zurück, der die Frage aufgescheucht hat, so gibt er uns eine befremdliche Antwort. Er ist überzeugt, der einzige Schlüssel, «in das Innere einzudringen», sei die Analogie[38]. Was heißt bei Herder «Analogie»? In der Preisschrift über den Ursprung der Sprache stellt sich das Problem, wie der Mensch, nachdem er akustische Merkmale für die Benennung der Gegenstände gewählt hat, zu Gegenständen übergeht, die keine akustischen Merkmale haben. Herder erklärt: Der Schöpfer der Sprache kommt weiter mit Hilfe der Synästhesie:

«Allen Sinnen liegt Gefühl zum Grunde, und dies gibt den verschiedenartigsten Sensationen schon ein so inniges, starkes, unaussprechliches Band, daß aus dieser Verbindung die sonderbarsten Erscheinungen entstehen. Mir ist mehr als Ein Beispiel bekannt, da Personen, natürlich, vielleicht aus einem Eindruck der Kindheit, nicht anders konnten, als unmittelbar durch eine schnelle Anwandelung mit diesem Schall jene Farbe, mit dieser Erscheinung jenes ganz verschiedne, dunkle Gefühl verbinden, was durch die Vergleichung der langsamen Vernunft mit ihr gar keine Verwandtschaft hat: denn wer kann Schall und Farbe, Erscheinung und Gefühl vergleichen? Wir sind voll solcher Verknüpfungen der verschiedensten Sinne; nur wir bemerken sie nicht anders, als in Anwandlungen, die uns aus der Fassung setzen, in Krankheiten der Phantasie, oder bei Gelegenheiten, wo sie außerordentlich merkbar werden. Der gewöhnliche Lauf unsrer Gedanken geht so schnell; die Wellen unsrer Empfindungen rauschen so dunkel in einander: es ist auf einmal so viel in unsrer Seele, daß wir in Absicht der meisten Ideen, wie im Schlummer an einer Wasserquelle sind, wo wir freilich noch das Rauschen jeder Welle hören, aber so dunkel, daß uns endlich der Schlaf alles merkbare Gefühl nimmt. Wäre es möglich, daß wir die Kette unsrer Gedanken anhalten, und an jedem Gliede seine Verbindung

38 Herder, a.a.O. VIII, S.170.

suchen könnten – welche Sonderbarkeiten! welche fremde Analogien der verschiedensten Sinne, nach denen doch die Seele geläufig handelt[39]!»

Wir halten fest: die einzelnen Sinne sind verbunden durch Analogie. Wir können deshalb von Klangfarben, Farbtönen, süßen und herben Farben, rauhen und weichen Tönen sprechen. Als Wurzel der Analogie der Sinne bezeichnet Herder das Gehör:

«Wenn wir in spätern Sprachen den Zorn schon als Phänomenon des Gesichts, oder als Abstraktum in den Wurzeln charakterisieren, z.E. durch das Funkeln der Augen, das Glühen der Wangen u.s.w. und ihn also nur sehen oder denken: so höret ihn der Morgenländer! Höret ihn schnauben! höret ihn brennenden Rauch und stürmende Funken sprühen! Das ward Stamm des Worts: die Nase Sitz des Zorns: das ganze Geschlecht der Zornwörter und Zornmetaphern schnauben ihren Ursprung.

Wenn uns das *Leben* sich durch Pulsschlag, durch Wallen und feine Merkmale auch in der Sprache äußert: so offenbarte es sich jenem laut otmend. Der Mensch lebte, da er hauchte; starb, da er aus hauchte: und man hört die Wurzel des Worts, wie den ersten belebten Adam hauchen[40].»

Sogar die kältesten Abstraktionen des Denkens sind aus solchen sinnlichen Anschauungen hervorgegangen:

«Der ganze Bau der morgenländischen Sprachen zeuget, daß alle ihre Abstracta voraus Sinnlichkeiten gewesen: der *Geist* war Wind, Hauch, Nachtsturm! *Heilig* hieß abgesondert, einsam: die *Seele* hieß der Otem: der *Zorn* das Schnauben der Nase u.s.w. Die allgemeinern Begriffe wurden ihr also erst später durch Abstraktion, Witz, Phantasie, Gleichnis, Analogie u.s.w. angebildet – im tiefsten Abgrunde der Sprache liegt keine einzige[41]!»

Der Abschnitt ist nicht allein für die historische Sprachwissenschaft ergiebig. Er nimmt zugleich die Metapher in Schutz, die Ausdrucksweise also, die man im Rahmen der Aufklärung noch als «uneigentliche» glaubte entschuldigen zu müssen und deren man sich nur ungern, gedankenlos oder mit schlechtem Gewissen,

39 a.a.O. V, S.61.
40 a.a.O. V, S.70.
41 a.a.O. V, S.78.

bediente. Hier wird sie als archaisch-mächtige legitimiert und als Zeugnis der Analogie sogar philosophisch begründet.

Nun aber weiter! In allen Teilen gegründet auf Analogie ist die Schrift «Vom Erkennen und Empfinden der menschlichen Seele». Sie hebt damit an, daß wir, sobald wir das große Schauspiel wirkender Kräfte in der Natur betrachten, überall «Ähnlichkeit mit uns[42]» bemerken. Wir sprechen von Wirksamkeit und Ruhe, von Schwere als einem Sehnen zum Mittelpunkt, von Anziehung, Trägheit und Kraft. «Der empfindende Mensch fühlt sich in alles, fühlt alles aus sich heraus. ... Was wir wissen, wissen wir nur aus Analogie[43].»

Auch bei der Erkenntnis unseres eigenen Wesens sind wir angewiesen auf ihre geheimnisvolle Führung. Herder folgt der Analogie, die zwischen den Reizen und den Sinnen, zwischen dem synästhetischen Organ und der Seele, zwischen der Seele und dem Erkennen und Wollen besteht, und mengt auf diese Weise alle Vermögen und Eigenschaften zusammen. Für das Eine im Mannigfaltigen findet er unvergeßliche Worte:

«Da unser Gebäude nichts von solchem hölzernen Weberstuhle weiß, da alles in Reiz und Duft und Kraft und ätherischem Strom schwimmet, da unser ganzer Körper in seinen mancherlei Teilen so mannigfaltig beseelt, nur *Ein Reich unsichtbarer*, *inniger*, aber *minder heller* und *dunkler Kräfte* zu sein scheinet, das im genauesten Bande ist mit der Monarchin, die in uns denket und will, sodaß ihr alles zu Gebote steht, und in diesem innig verknüpften Reich Raum und Zeit verschwindet: was natürlicher, als daß sie über die herrsche, *ohne die sie nicht das wäre*, *was sie ist?* denn nur durch dies Reich, in diesem Zusammenhang ward und ist sie *menschliche Seele*[44].»

Soviel zur Erinnerung an ein Denken, das immer wieder die Rolle des Gegenspielers der sogenannten exakten Naturwissenschaft übernehmen wird.

Noch wissen wir aber nicht, was Herder berechtigt, die Analogie den Schlüssel zu nennen, der das Innere aufschließt. Ver-

42 a.a.O. VIII, S. 169.
43 a.a.O. VIII, S. 170.
44 a.a.O. VIII, S. 192.

schiedenes ist analog, das heißt: Es stimmt in etwas überein. In dem, was Auge und Ohr wahrnehmen, muß irgend etwas Gemeinsames sein, sonst hätten wir keinen Anlaß, von farbigen Klängen und klingenden Farben zu sprechen. Was dieses Gemeinsame sei, ist freilich schwer mit Worten zu sagen. Herder bezeichnet es einmal als «inneren Äther[45]» und meint damit sowohl, was unsere Sinne untereinander, wie was sie mit ihren Gegenständen verbindet. Demnach beträfe die Analogie einen Zwischenbereich, der weder subjektiv noch objektiv, sondern beides, in beidem nämlich das «Innere», wäre, das Innere unserer Sinne, das Innere dessen, was unsere Sinne erfassen.

Das wird noch deutlicher, wenn wir die Analogien im Eingang der Schrift «Vom Erkennen und Empfinden der menschlichen Seele» betrachten. Daß der Mensch und die Natur einander entsprechen («Entsprechung» ist das deutsche Wort für Analogie), besagt hier wieder: sie stimmen irgendwie überein; ein Gemeinsames waltet, das uns für beide die gleichen Begriffe wie Kraft, Trägheit, Ruhe, aufdrängt. Auch dieses Gemeinsame ist nicht subjektiv und nicht objektiv, sondern das «Innere». Und nur weil das Innere beide Bereiche durchdringt und einigt, vermag der Mensch die Schöpfung unmittelbar zu verstehen.

Etwas weiter dringen wir vor, wenn wir uns noch einmal auf Herders Polemik gegen die klassische Regel der Einheit des Orts und der Zeit besinnen. Herder mißachtet in der Dichtung die beiden Formen der Anschauung, sofern sie eine allgemeingültige Gegenständlichkeit konstituieren[46]. Ebenso lehnt er sich gegen ihre Herrschaft auf in der Analogie. Der kleine begrenzte Mensch entspricht der großen, grenzenlosen Natur. Die Morgenröte am Horizont entspricht der Morgenröte der Menschheit. Prozesse, die Jahrtausende währen, sind Prozessen von der Dauer weniger Stunden analog. Was heißt dies aber anderes als: Der geometrische Raum und die Uhrzeit stürzen ein. Die Gegenständlichkeit schwindet; das Innere tut sich auf. Und da nun ein analogisches Denken schließlich jeder Verführung erliegt und keine Schranke mehr respektiert, «so fällt», wie Goethe sich ausgedrückt hat, am

45 a.a.O. VIII, S. 190.
46 Vgl. S. 146

Ende «alles identisch zusammen[47]». Das ist der Herdersche oder – genauer gesagt – *ein* Herderscher Weg zu Gott.

Wo Gott *im* Innern, Gott *als* Inneres waltet, da ist dem Menschen verheißen: «Keine Ferne macht dich schwierig.» Noch die entlegensten Räume durchdringen dieselben Mächte, die uns beseelen. Ein neuer Mönch von Heisterbach erfährt die Wahrheit des neunzigsten Psalms: «Tausend Jahre sind vor dir wie der Tag, der gestern vergangen ist.» Wir kennen uns im Vergangenen so gut wie im Gegenwärtigen aus, vorausgesetzt, daß wir in uns selbst nichts Menschliches unterdrücken und uns göttlicher innerer Fülle bewußt sind. Herder vertieft sich in die Geschichte. Der Schlüssel ins Innere, der uns als Analogie verständlich geworden ist, bewährt sich angesichts der geschichtlichen Welt als Identifikation, als «Einsfühlung», oder wie wir heute gewöhnlich sagen, als Einfühlung.

«Es ist schwer, aber billig, daß der Kunstrichter sich in den Gedankenkreis seines Schriftstellers versetze und aus seinem Geist lese[48]», des Schriftstellers, aber ebensowohl eines ganzen Volks, einer alten Kultur. «Gedanken» und «Geist» sagt Herder noch. Zutreffender wäre «Stimmung», «Seele».

Vor allem ist es ungehörig, Vergangenes nur vom Standpunkt seiner eigenen Zeit aus anzuschauen.

«Durchaus muß man aus seiner Zeit, und aus seinem Volk auszugehen wissen, um von entfernten Zeiten und Völkern zu urteilen[49].»

«Ausgehen» heißt natürlich nicht: ‚von seiner eigenen Zeit ausgehen', sondern umgekehrt: ‚den Standpunkt seiner eigenen Zeit verlassen.' Hier hat sich nur der Sprachgebrauch geändert. Ein Unvermögen Herders dagegen, das Eigenste auszusprechen, bemerken wir, wenn er «urteilen» sagt. Gerade an einem Urteil nämlich liegt ihm eigentlich gar nichts mehr. Die Einfühlung schließt das Urteil aus. Wer urteilt, tritt zurück, vergleicht und mißt den Gegenstand an einem festen Koordinatensystem von Normen, Mustern, Gesetzen und Regeln. Wer sich einfühlt, gibt

47 Artemis-Ausgabe, XVII, S. 706.
48 Herder, a.a.O. I, S. 247.
49 a.a.O. II, S. 73.

sich selber als maßgebende Größe preis; er geht in einem anderen auf. Und alsdann, wie ein Licht aufgeht, geht auch das andere auf in ihm, so, wie es in einem Kritiker, der urteilt, nie aufgehen kann. Denn weil der Kritiker alles auf das Allgemeine der vorausgesetzten Normen und Muster hin ansieht, werden ihm an den Gegenständen nur allgemeine Züge bedeutsam, indes sich in der Einfühlung für ein Gemüt, das mitschwingt, die ganze Fülle des Lebens offenbart. Wenn wir von Gottsched, aber sogar noch von Lessing, hinüberwechseln zu Herder, so ist es, als teile sich vor der Bühne des Welttheaters der riesige Vorhang und alles Lebendige stelle sich jetzt erst dar, gegründet in sich selbst.

Zunächst als Reihe der Nationen, wie sie nach- und nebeneinander ihr Wort in der Geschichte sprechen. Herder läßt sich durch die geheiligten Autoritäten, die Franzosen oder die Alten, nicht mehr beirren. So schätzt er Winckelmann zwar als Deuter der griechischen Kunst, er tadelt ihn aber, sofern die «Geschichte der Kunst des Altertums» die Griechen kanonisiert. Man könnte es ja auch anders halten, nämlich nicht, als ob dies selbstverständlich wäre, nur als Grieche etwa über die Kunst der Ägypter sprechen, sondern einmal als Ägypter über die Kunst der Griechen. Das käme dann ungefähr so heraus:

«Als ich, o ihr Griechen! in eure Hallen voll handelnder Bildnisse geriet – überraschet von allen Seiten durch Stellung, veränderte Bewegung, Handlung, kühnen Ausdruck, freilich geriet ich außer mich auf mancherlei Art. Ich erschrak für dem, der auf mich zu fallen schien, und wich zurück: ich weinte mit dem Weinenden, sah mit der flehenden, geängstigten, sterbenden Niobe gen Himmel, und wollte dem seufzenden Laokoon zu Hülfe eilen; aber endlich wollte mein an *dieser* Handlung, *diesem* Zustande gesättigtes Auge, Fortgang sehen, voll reger Ungeduld währte ihm die lebende Eine Handlung zu lange. Mache doch fort! rief ich zur handelnden Figur und zürnte mit dem Schöpfer, der auf ewig die Brust Laokoons beklemmte, das Auge gen Himmel gekehrt, die schöne Niobe ewig sterben, ewig den Apollo zürnen, und die Medea ewig morden lasse. Soll Herkules ewig den Atlas tragen, nachdem selbst die unerbittliche Juno sich versöhnt, und die Götter ihn mit himmlischer Ruhe belohnet? Grausamer Timomachus, soll ewig dein niedergeschlagner Ajax sich grämen, und wie Theseus ewig unglücklich dasitzen? – Deine abscheuliche Kolchide ewig nach Blut dürsten – Elender, schickt sichs für deine Hand, Säuglingen ewigen Tod zu geben! – Ich wandte mich auf lachende Handlung, aber mein unruhiger Geist, durch täuschende Nachäffung aufgebracht, und durch das verewigte Einerlei, durch die handlungslose Handlung, und sich nicht bewegende Bewegung zurückgestoßen, fand zu bald unwillig Grenzen. Wie lange wirst du, junger Fechter, dir das brustab strömende Öl gießen? Wie lange, du kleiner Hermaphrodit! Wollust atmen? Du lächeln, du hüpfen, du Blitze werfen, du – –

Ich ging in meinen Tempel, und alles empfing mich mit tiefer, schweigender, ungestörter Ruhe! Hier keine verdrehte Figur (*σκόλιον ἔϱγον*) kein vorübergehender Augenblick, der hier angeheftet, keine fortschreitende Handlung, die stille stünde, keine gewaltsame Bewegung, unnatürlich verewigt: denn wer bist du, Tor, der du der fliehenden Zeit die Flügel binden, die flatternde Psyche versteinern, und einem raschen Gedanken, einer aufwallenden Bewegung, die dem Nichts zueilet, die Ewigkeit geben wolltest; du greifst nach einer vorüberströmenden Welle, und bauest auf ein wegrauschendes Blatt. Nur in der Ruhe wohnt Ewigkeit: in ihr ist der ewige Augenblick, immer ohne Ermüdung und Rückprallung zu betrachten: unsre Häuser und Handlungen sind Herbergen; aber die Gräber sind unsre ewige Wohnungen, und was dich nicht ermüden soll, sei schweigend wie ein Grabmal. So siehe diese Figur voll Einfalt und großer Ruhe: sie scheint zu gehen und gehet nicht: jene hat eine ewige Säule hinter sich, damit uns ihr Stehen nicht ermüde, und diese sitzt mit untergeschlagnen Beinen (die vielleicht natürlichste Sitzart eines Menschen, und bei so vielen Nationen in Brauch:) siehe diese, keine Sehnen und Adern erhitzen und zerren den Körper, Muskeln drängen sich nicht hervor: alles ist in Ruhe. Diese Ruhe ist für uns ein Himmel, wenn eure flüchtigen Geister umhereilen, und um sich zu beschäftigen, die ganze Natur, wie ein wildes Meer voll Wellen erregen[50]. – »

50 a.a.O. II, S. 133f.

Was haben die Zeitgenossen Herders sich wohl bei diesen Zeilen gedacht? Waren sie sich bewußt, daß er hier einen Weg – und zwar einen hochgefährlichen Weg – ins Unbetretene bahnte? Natürlich ging es ihm nicht darum, das ägyptische Urteil zu unterschreiben. Im Munde eines zwischen ägyptischer Plastik wandelnden Griechen hätte er wohl die Prosahymnen Winckelmanns auf Phidias und Praxiteles zu überbieten versucht. Der Hintergedanke wäre beide Male jedoch der gleiche gewesen: Du Grieche, du Ägypter *urteilst*; ich, Herder, dagegen urteile nicht. Ich weiß, daß Urteile nur von einem bestimmten Standpunkt aus möglich sind, und möchte mich zu einer freieren Betrachtung der menschlichen Dinge erheben.

Zu dieser freieren Betrachtung gehört das Axiom des historischen Denkens:

«Jede Nation hat ihren *Mittelpunkt* der Glückseligkeit *in sich*, wie jede Kugel ihren Schwerpunkt[51].»

Wir ergänzen: Nicht nur der Glückseligkeit, sondern alles Trachtens, Leidens und Tuns überhaupt.

Wieder lassen wir uns nicht stören, wenn er in diesem Zusammenhang manchmal von «Nationalvorurteilen[52]» spricht. Nur der Ausdruck ist noch von dem längst zur Gewohnheit gewordenen Hochmut des rationalen Denkens gefärbt. Tatsächlich weiß Herder die nationalen Vorurteile mehr zu schätzen als den kosmopolitischen Sinn, von dem man so viel Aufhebens macht, weshalb er denn auch rät, sie «zu sammeln, zu vergleichen und zu erklären[53]». Bei dieser Arbeit fällt auf alles ein neues eigentümliches Licht. Es könnte manchmal fast so aussehen, als würden jene Autoren, die die Kritik der Aufklärung kanonisiert hat, also zum Beispiel Äsop und Horaz, auf eine tiefere Stufe gesetzt, andere, so die Schöpfer der Edda oder die morgenländischen Dichter, über alle Gebühr erhoben. Doch hier wie dort meint Herder dasselbe. Horaz wie die Schöpfer der Edda werden als Nationalcharaktere gewürdigt. Das sieht bei Horaz wie eine Entthronung, bei dem Sänger der Völuspa dagegen wie eine Erhebung aus. Doch von Ent-

51 a.a.O. V, S. 509.
52 a.a.O. I, S. 265.
53 a.a.O. I, S. 265.

thronung und Erhebung kann gar nicht mehr die Rede sein, wo überhaupt kein Urteil fällt.

Gehen wir von dem Weltbürgertum der Aufklärung über die Nationalcharaktere noch mehr ins Besondere, so gelangen wir endlich zum einzelnen Menschen. Herder, der Deuter, der nicht mehr urteilt, der das Einzelne nicht auf eine allgemeingültige Norm ausrichtet, fühlt sich angezogen von dem Wunder der Individualität. Den ersten Spuren begegnen wir schon in dem fragmentarischen Denkmal für Thomas Abbt, den in jungen Jahren verstorbenen Mitarbeiter an den «Briefen, die neueste Literatur betreffend», dem er besonders zugetan war, in dem er am ehesten einen Bundesgenossen verehren zu dürfen glaubte. Die Schrift über Abbt beginnt mit den Worten:

«Eine Menschenseele ist ein Individuum im Reiche der Geister: sie empfindet nach einzelner Bildung, und denket nach der Stärke ihrer geistigen Organen. ... Immer ist unsere Psychologie noch nicht weit über die Kindheit hinaus, wenn sie bloß nach dem Bekanntesten, das alle menschliche Seelen gemein haben, ihren Weg durch Schlüsse und Erratungen fortsetzt; ohne auf die Besonderheiten einzelner Subjekte mit der Genauigkeit zu merken, mit welcher der Naturforscher die Körper der Tiere zergliedert, um sich in die innere Werkstätte der Natur einzuschleichen. Ungeheuer, Mißgeburten, Seltenheiten sind ihm willkommen, unterrichtend und nützlich; und so sollten es dem Weltweisen alle außerordentliche Geister sein, die wie Kometen aufgehen, und verschwinden. Wenn unsre systematische Philosophen in der Geisterlehre *Linneus* sind, die eigensinnig schichten und klassifizieren: so ist ein unsystematischer Kopf an ihre Seite zu stellen, der, wie Buffon, eigensinnig in ihre Klassen falle, und Individua zergliedre[54].»

Wieder fällt uns eine Entgleisung in rationale Begrifflichkeit auf. «Individuum» heißt «das Unteilbare». Mit Recht! Das Individuum ist, um seiner Einzigkeit und Unwiederholbarkeit willen, unteilbar. Es ist nicht aus bekannten, fertigen Elementen zusammengesetzt. Gerade Herder, der dafür so viel Verständnis hat,

54 a.a.O. II, S. 257ff.

dürfte deshalb nicht von einem «Zergliedern» sprechen. Er meint es aber auch nicht so. Er weiß, das Individuelle ist allein durch Einfühlung erreichbar. Das lehrt der folgende herrliche Abschnitt, den jeder beherzigen sollte, der über Individuen schreiben will:

«So werden wir Abbt, wenigstens in Gedanken oft mit andern zusammenhalten, um *seine* Muse zu erkennen. Erlangen wir dies, so wird das zweite sein, zu bemerken, wie er diese *seine* Art auf *verschiedne* Gegenstände anwendet, und sie nach einerlei Handgriff bearbeitet. Dies gibt seiner Denkart Schranken und Umriß, jedem Leser aber einen Knäuel zu eignen Betrachtungen in die Hände. Der Schriftsteller hat alles getan, wenn er diese *Eigenheit* nur mit verstohlnem Wink *zeigt*, und sie, durch ein und das andre stille Wort zu *erklären* sucht; alsdenn überläßt er den Leser sich selbst und dem lebendigen Anschauen, um diese Züge zu fühlen und bei sich aufzuklären[55].»

Die Stelle diene zugleich als Beispiel für Herders schwer zugängliche Prosa. Wir kommentieren: Es gilt zuerst, die persönliche Eigenart Abbts zu erfassen. Dann ist darzulegen, wie Abbt diese Art auf verschiedene Themen anwendet, wir würden sagen: wie sich sein «Stil» als Eines im Mannigfaltigen durchhält. Dieser Stil, als individueller, ist grundsätzlich unerreichbar für allgemeine Begriffe, zu denen ein Interpret versucht sein könnte. Man wird daher gut tun, die lebendige Vorstellung im Geiste des Lesers nur umschreibend anzuregen.

Empfänglichkeit für die individuelle Schwingung ist vorausgesetzt. Empfänglichkeit jedoch, Bereitschaft, kann auch ausgebildet und im Einzelnen vorbereitet werden, und zwar durch die bekannten Mittel der wissenschaftlich-historischen Forschung, wie sie schon um die Mitte des Jahrhunderts von Lowth, Blackwell, Heyne und dann besonders von Herder selbst gefordert und angewandt worden sind: durch Einführungen also in die Sitten und Gebräuche der Zeit, aus welcher der fragliche Schriftsteller stammt, das Land, in dem er aufgewachsen, den Glauben, der seine Kindheit bestimmt, den Staat, der ihn erzogen hat, und was

55 a.a.O. II, S. 264.

man noch alles beiziehen mag, um gleichsam die Resonanz des individuellen Tones zu verstärken.

Ermessen wir, wie unerhört dies damals war? Wir besinnen uns wieder: Die ganze Kritik der Aufklärung, von Gottscheds «Kritischer Dichtkunst» bis zu Nicolai, Lessing und Wieland, und ebenso die Geschichtswissenschaft, die noch vom Geist Voltaires beherrscht ist, richtet sich, als kritische, urteilende, auf ein *τέλος* aus, auf einen letzten Sinn, auf eine gültige Norm, auf einen Zweck. Sie fragt, worauf es ankommt. Herder dagegen erkundigt sich nach der Herkunft. Die Frage «Worumwillen?» beschäftigt ihn weniger als die Frage «Woher?». Deshalb bleibt die Aufklärung im Allgemeinen. Normen müssen, als solche, ja für vieles gelten. Herder dagegen, der nach der Herkunft fragt, gelangt zum Individuellen. Das Individuelle ist ihm kostbar, weil er nach der Herkunft fragt; und umgekehrt: er fragt nach der Herkunft, weil er das Individuelle liebt.

Geht er nun immer weiter zurück, so kündigt sich die der ganzen Epoche heilige Idee des Ursprungs an. In der zweiten Fassung der «Fragmente» findet sich der Abschnitt:

«Es ist immer eins der angenehmsten Felder, auf welche sich die menschliche Neugierde verirren kann: über den Ursprung dessen, was ist, zu philosophieren. Können wir uns nur halb mit dem süßen Traume schmeicheln, zu wissen: *was* etwas sei? unbefriedigt klettert unsere Wißbegierde sogleich höher an: war es immer so? wie ward es? Zuletzt hat sie sich also bis auf den kühnen Gipfel verstiegen, auf dem sie wie ein Wolkengeschöpf erscheint: den Ursprung selbst wissen zu wollen: ihn entweder historisch zu erfahren, oder philosophisch zu erklären, oder dichterisch zu mutmaßen.

Das letzte ist freilich nur für die Einbildungskraft befriedigend: für den Verstand höchstens eine Spur von Fußtritten, um zu der Höhle zu kommen, wo der Riese selbst schlummert; aber auch in dieser Absicht voll Reiz. Die ältesten Nachrichten von der Kindheit der Welt: der Anfang merkwürdiger Verfassungen: frühe Erfindungen in Wissenschaften und Künsten: die Kosmogonien, die sich jedes Volk erträumte: die dichterischen Fiktionen, in welche sich alle Weisheit und Kunst bei ihrer Geburt, wie in Windeln einkleideten – alle diese Überbleibsel vom Ursprunge der Dinge, würden, wenn man sie als Reste eines altes Aeons sammlete, Baugerät zu einem Tempel sein, der von Ruinen erbauet, groß ins Auge fiele[56].»

Schon in der ersten Fassung heißt es:

«So lange man nicht Ideen in ihre Quelle zurückzulenken weiß, in den Sinn des Schriftstellers: so schreibt man höchstens wider ihn[57].»

Der erste Abschnitt handelt davon, daß man Erfindungen, Künste, Verfassungen auf ihren Ursprung zurückführen müsse. Der zweite Abschnitt verlangt, daß die Ideen eines Autors auf seine Individualität zurückgeführt werden. «Zurückführen» ist das gemeinsame Thema, «erklären aus...», das Geschäft, dem Herder selber sich zeit seines Lebens widmet. Alle «Frühe» fasziniert ihn. In die Morgenröte des Tages und in die Morgenröte des Daseins, in die Kindheit und Jugend, vertieft sich seine verzauberte Einbildungskraft. Die morgenländischen Dichter, die «älteste Urkunde des Menschengeschlechts», der «Ursprung der Sprache» – dies alles gehört in den innersten Tempelbereich seines Geistes; und ebenso die unerforschte Tiefe der Seele, der innere Quell, aus dem eine Reihe von Schöpfungen, eine Folge erhabener Werke entspringt: das Geheimnis des Originalgenies.

Nun liegt im Begriff des Originalen eine seltsame Zweideutigkeit. «Ursprünglich» ist der wörtliche Sinn. Man meint aber immer auch «eigenartig». «Ursprünglich» und «eigenartig» zu sondern, finden sich Herder und seine Zeitgenossen schon deshalb nicht veranlaßt, weil sie ja nur einen Gegenbegriff zur «Nachahmung» im Sinne haben. Wer keine Muster nachahmt, ist ein Originalgenie, das heißt: ursprünglich und eigenartig zugleich. Sehen wir aber genauer hin, so finden wir, daß die beiden Bedeutungen gar nicht so eng zusammengehören. Eigenartig ist eher der Spätling, der dekadente Artist, der alles daran setzt, interessant zu sein. Ursprüngliche Kunst, ursprüngliches Denken dagegen ist meist nicht eigenartig, sondern im Gegenteil monoton, einfach, groß und ungeschlacht. Je weiter wir in der Geschichte

56 a.a.O. II, S. 61.
57 a.a.O. I, S. 142.

zurückgehen, desto ähnlicher sehen sich die großen Schöpfungen einer Kultur. Und wenn wir noch tiefer hinunterloten, so kommen wir in die Nacht, in der, nach Hegel, «alle Kühe schwarz sind[58]», zum Urgestammel, zu magischen Lauten, die alles und deshalb nichts mehr sagen. Ein zweiter Bereich des Allgemeinen tut sich vor unseren Blicken auf, dem oberen, hellen Bereich der allgemeinen Normen entgegengesetzt. Was kann der Erklärer gewinnen, der in diese Dunkelzonen eintaucht? Nichts! Es ist unmöglich, eine hochentwickelte Religion und ausgebildete Kunst aus primitivem Leben oder einer noch tieferen Schicht verstehen zu wollen. Dennoch versucht man es immer wieder – in einer Literaturwissenschaft, die Blut und Boden für den Charakter einer Dichtung verantwortlich macht, in einer Psychologie, die das bewußte Leben der menschlichen Seele auf das unbewußte zurückführt. Der verhängnisvollen Täuschung, die hier waltet, hat sich auch Herder nicht immer ganz zu entziehen vermocht. Wir können wohl verstehen, warum. Das Primitive und Archaische ist auch wieder das Mächtigere. Das Interesse am Ursprung vereinigte sich mit dem an der Intensität, so daß es denn nahelag zu meinen, man habe genug geleistet, wenn der numinose Hintergrund einer modernen Erscheinung aufgedeckt sei.

Doch in der Regel läßt es Herder nicht bei diesem Verfahren bewenden. Er führt uns zwar zurück in die alte Finsternis und das Schweigen des Ursprungs, doch er entwickelt auch wieder aus der Tiefe bis zur Höhe hinauf. Sein Auge folgt dem Pfad der Geschichte. Er schildert genetisch. Und eben in solchen Schilderungen der Genesis, des Wegs vom Anfang bis zur Vollendung und darüber hinaus zum Ende, entfaltet sich die ganze unendliche Fülle des individuellen Lebens. Wie die Farben zwischen dem reinen Schwarz und dem reinen Weiß entstehen, so liegt das Individuelle zwischen dem Allgemeinen des Grundes und dem Allgemeinen des Ideals. Es stellt sich dar in Herders Untersuchungen zur Geschichte der Sprache, der Dichtung, des Denkens, der Religion, in jenem ungeheuren, als Ganzes nie zu bewältigenden, auf vielen Gebieten durchgeführten Programm, das

58 Vorrede zur «Phänomenologie des Geistes».

er während der Reise von Riga nach Frankreich in rhapsodischer Prosa darlegt:

«Welch ein Werk über das menschliche Geschlecht! den menschlichen Geist! die Kultur der Erde! aller Räume! Zeiten! Völker! Kräfte! Mischungen! Gestalten! Asiatische Religion! und Chronologie und Policei und Philosophie! Ägyptische Kunst und Philosophie und Policei! Phönizische Arithmetik und Sprache und Luxus! Griechisches Alles! Römisches Alles! Nordische Religion, Recht, Sitten, Krieg, Ehre! Papistische Zeit, Mönche, Gelehrsamkeit! Nordisch asiatische Kreuzzieher, Wallfahrter, Ritter! Christliche, heidnische Aufweckung der Gelehrsamkeit! Jahrhundert Frankreichs! Englische, holländische, deutsche Gestalt! – Chinesische, japonische Politik! Naturlehre einer neuen Welt! Amerikanische Sitten u.s.w. – – Großes Thema: das Menschengeschlecht wird nicht vergehen, bis daß es alles geschehe! Bis der Genius der Erleuchtung die Erde durchzogen! Universalgeschichte der Bildung der Welt[59]!»

Unter dem Titel «Historismus» glaubt man eine solche Betrachtungsweise längst zur Genüge zu kennen. Es fragt sich aber, ob wir uns vorzustellen vermögen, worin sie gründet und wohin sie den Menschen führt. Herder, der auf das Urteil verzichtet, dieser Pygmalion, der sich einfühlt, dem das Intensive kostbar und der Abstand schmerzlich ist, der Raum und Zeit, sofern sie die Gegenständlichkeit konstituieren, aufhebt, sich versenkt und sich vertieft und erschüttert, erregt, bewegt sein will, er stürzt sich in den Strom der Geschichte und fühlt in schaudernder Lust, wie über ihm die Woge zusammenschlägt. Was heißt das? Es ist ein berauschender und, im wahrsten Sinn, unheimlicher Vorgang. Der Mensch büßt seine Heimat ein. Er hat nicht mehr, wo er sein Haupt hinlegen soll, oder hat es überall – was gleichviel ist wie nirgends; denn Heimat kann nicht überall sein. Wir reden noch behutsam, wenn wir ihn nur mit einem Nomaden vergleichen, der heute hier und morgen dort zu flüchtiger Rast sein Zelt aufschlägt, bald unter den Propheten der Frühe, bald unter den Griechen und Römern oder dem rauhen Geschlecht des germanischen

59 Herder, a.a.O. IV, S. 353.

Nordens. Wir sprechen offener, wenn wir uns fragen, ob hier denn nicht die Grenzen der Menschheit auf eine durchaus unbegreifliche Weise überschritten werden. Unsere ganze Existenz ist perspektivisch eingerichtet. Schon die Sprache legt die Perspektive fest. Darüber weiß gerade Herder am besten Bescheid. Denn in der Wahl des Merkmals, das, nach seiner Ursprungstheorie, maßgebend ist für die Begriffsbildung, entscheidet sich der Geist eines Volks von Fall zu Fall, bis es alles benannt und bestimmt hat in seiner Beschaffenheit. Dem Römer ist der Mond «die Leuchtende» (luna), dem Griechen «der Messende» (*μήν*). Das deutsche «Haus» ist «Bergendes», das französische «maison» beruht auf einem Wort, das «Aufenthaltsstätte» bedeutet. So wird die Welt in jeder Sprache anders ausgelegt; und eine anders ausgelegte Welt ist eine andere Wirklichkeit. Was widerfährt nun einem Menschen, der viele Sprachen nicht nur technisch meistert, sondern in viele sich einzudenken und einzufühlen vermag? Und was ereignet sich, wenn Herder heute als Ägypter über griechische Kunst und morgen als Grieche über ägyptische Kunst befindet, wenn sein historisches Genie sich bald in einen Skalden verwandelt und bald in einen Patriarchen der orientalischen Literatur? Von wo aus sind solche Verwandlungen möglich? Wie schließen sie sich wieder zur Einheit eines lebendigen Wesens zusammen? Wir können es nicht in Worte fassen. Jeder geschichtliche Geist, der arabische, griechische, römische, keltische, englische, deutsche, ist eine Totalität, ein alles Tun und Leiden, alles Hoffen und Bangen, Entwerfen, Leisten, Vollenden, Versagen durchwaltender Hauch. Wie soll es gelingen, aus einer solchen Totalität herauszutreten und in ein «griechisches Alles», in ein «römisches Alles[60]» einzugehen?

«Die Individualität», sagt Hegel, «ist, was ihre Welt als die ihrige ist[61].»

Wenn aber ein Historiker bald in dieser, bald in jener Welt lebt («Welt» im Sinne von *κόσμος*, Ordnung), was ist er dann noch «in Wirklichkeit»? Man gibt sich zufrieden mit der Antwort: Er steht auf dem historischen Standpunkt. Unheimlich ist

60 a.a.O. IV, S. 353.
61 «Phänomenologie des Geistes.»

aber gerade, daß es keinen historischen Standpunkt gibt, daß vielmehr historisch denken und fühlen auf jeden Standpunkt verzichten heißt. Wer kann bestehen ohne Standpunkt?

Mit dieser Reihe von Fragen soll keine neue Untersuchung des Historismus eingeleitet, sondern einzig unser Staunen über ein ungeheures, zwar vorbereitetes, aber in erster Linie doch durch Herder ins Werk gesetztes Ereignis der Geistesgeschichte erneuert werden. Hundert Jahre später deutet Nietzsche die historische Ubiquität als Maske des Nihilismus. Ranke, mit seiner Erklärung, daß jede Epoche unmittelbar zu Gott sei, weicht vor dem relativistischen Denken in eine romantische Ahnung zurück. Die These wie die Antithese scheinen aufgehoben in Heideggers Lehre vom «Ende der Metaphysik[62]». «Ende der Metaphysik» besagt, vom Historismus aus gesehen: Wenn viele «Welten» – *κόσμοι*, Sinngefüge, Ordnungen – denkbar sind, ist keine bestimmte mehr verpflichtend. Erst jetzt aber auch, da nicht mehr *ein* Sinn alles begründet, sondern der eine Sinn von einem andern und wieder von einem folgenden abgelöst wird, erst jetzt ist es möglich, über das einzelne Sinngefüge hinaus nach einem Grund, aus dem er sich bildet, also, philosophisch gesprochen, nach einem «Grund der Metaphysik» zu fragen. Die Frage zielt im Zuge von Heideggers Ontologie in den «Abgrund», ins «Nichts» und weiter in die «Huld des Seins[63]». Ob damit überhaupt noch Faßliches ausgesagt ist, bleibe offen. Wenn die Frage über den menschenmöglichen Horizont hinausführt, werden wir uns erst recht der Unheimlichkeit von Herders Leistung bewußt.

Herder selber scheint sie freilich noch verborgen geblieben zu sein. Er hatte genug damit zu tun, die Fülle des Stoffs vorläufig zu sichten und seine neuen Erkenntnisorgane an neuen Themen zu erproben. Und da er ohnehin in systematischem Denken nicht sonderlich stark war, gab er sich manchmal auch zu rasch mit einer Scheinlösung zufrieden. Eine solche stellt der ungenaue Begriff der «Humanität» in seinen späteren Schriften dar[64]. Wenn Humanität so viel wie höhere, zartere, tugendhaftere, «mensch-

62 M. Heidegger, Nietzsche, II. Bd., Pfullingen 1961, S. 199.
63 M. Heidegger, Was ist Metaphysik?, 5. Aufl., Frankfurt a. M., S. 44.
64 Vgl. besonders die «Briefe zur Beförderung der Humanität».

lichere » Gesinnung bedeuten soll, dann kehrt in dem Versuch, in ihr den letzten Sinn der Geschichte zu fassen, nur der alte Fortschrittsgedanke der Aufklärungsphilosophie zurück. Soll Humanität jedoch der Inbegriff alles Menschenmöglichen sein, so läßt sich erst recht keine neue transhistorische Ordnung damit begründen. Denn dann gehört zum Menschlichen immer auch das Allzumenschliche und sogar, was wir «unmenschlich» nennen. Worauf es ankommt, erfahren wir nicht aus *diesem* Entwurf der Humanität, und *jenen* entkräftet die Unverbindlichkeit jedes historisch bedingten Ziels.

Unendlicher Wechsel hier, der lauter gleichberechtigte Lebensgestalten hervorbringt, allmählicher Fortschritt dort: das sind die beiden Aspekte, die keine Vermittlung zuzulassen scheinen. Herder hat sich dennoch um eine solche bemüht, und zwar schon früh, in einem Exkurs der «Fragmente», der die Basis seines ganzen geschichtlichen Denkens bildet, dem Abschnitt «Von den Lebensaltern einer Sprache». Im Titel wird bereits der fundamentale Gedanke ausgesprochen. Es geht auch hier um eine Analogie: Die Stufenfolge in der Entwicklung einer Sprache gleicht der Folge der Altersstufen des Menschen.

«Eine Sprache in ihrer Kindheit bricht wie ein Kind, einsilbichte, rauhe und hohe Töne hervor. ... So wie sich das Kind oder die Nation änderte: so mit ihr die Sprache. Entsetzen, Furcht und Verwunderung verschwand allmählich, da man die Gegenstände mehr kennen lernte; man ward mit ihnen vertraut und gab ihnen Namen, Namen, die von der Natur abgezogen waren, und ihr so viel möglich im Tönen nachahmten. ... Das Kind erhob sich zum Jünglinge: die Wildheit senkte sich zur politischen Ruhe: die Lebens- und Denkart legte ihr rauschendes Feuer ab: der Gesang der Sprache floß lieblich von der Zunge herunter ... und dieses jugendliche Sprachalter, war bloß das poetische: man sang im gemeinen Leben, und der Dichter erhöhte nur seine Akzente in einem für das Ohr gewählten Rhythmus. ... Je älter der Jüngling wird, je mehr ernste Weisheit und politische Gesetztheit seinen Charakter bildet: je mehr wird er männlich, und hört auf, Jüngling zu sein. Eine Sprache, in ihrem männlichen Alter, ist nicht eigentlich mehr Poesie; sondern die schöne Prose. ... Das hohe

Alter weiß statt Schönheit bloß von Richtigkeit. Diese entziehet ihrem Reichtum, wie die Lacedämonische Diät die attische Wollust verbannet. ...[65] »

Soviel zur Erinnerung an die bekannte, folgenschwere Konzeption. Die Stufen sind nicht so genau und sinnvoll unterschieden wie in Cassirers «Philosophie der symbolischen Formen», wo auf die «Sprache in der Phase des sinnlichen Ausdrucks» die «Sprache in der Phase des anschaulichen Ausdrucks» und auf diese die «Sprache als Ausdruck des begrifflichen Denkens» folgt. Doch Herder zieht immer den scharfen Schnitten die gleitenden Übergänge vor. Es wäre sinnlos, über die einzelnen «Alter» mit ihm rechten zu wollen.

Entscheidend ist hier die Absicht, den Begriff von einem Geschichtsprozeß, der nach bestimmten Gesetzen abläuft, mit der Idee des Eigenrechts alles geschichtlichen Lebens zu vereinen. Jede Lebensstufe hat Anspruch, nach eigenem Maß gemessen zu werden. Es ziemt sich nicht, von einem Jüngling bereits die Weisheit des Alters zu fordern, und ebensowenig, von einem Greis die blühende Kraft und Fülle der Jugend. Ein echt historisches Postulat, so scheint es. Wo man ihm Folge leistet, wird man etwa die Bildersprache der Bibel nicht mehr nur entschuldigen oder von einem Kind auf der Bühne nicht mehr jene altklugen Reden erwarten, die noch Lessing dem armen Töchterchen Marwoods in den Mund legt[66].

Bald zeigen sich aber Schwierigkeiten. Die Sprache wandelt sich für Herder nach biologischen Gesetzen. Es spricht von «blühen», «reifen», «welken». Nun mag man vielleicht noch finden, daß Reifen so köstlich wie Blühen und Knospen sei. Vom Welken wird man das kaum mehr behaupten. Und Herder selbst mit seinem der Morgenfrühe zugewandten Antlitz dürfte doch wohl der letzte sein, der ein ehrliches Preislied auf den müde zur Grube wankenden Greis anstimmt. Er mag ausweichen, wie er will: die biologische Auffassung des Geschichtsprozesses schränkt bereits die Freiheit des historischen Denkens ein und stellt die Werturteile nur auf den Kopf, die doch ausgemerzt werden sollten. Das

65 Herder, a.a.O. I, S. 152ff.
66 «Miß Sara Sampson.»

zeigt sich, erheiternd übrigens, schon am Ende des kleinen «Sprachenromans»:

«Je mehr die Grammatici den Inversionen Fesseln anlegen; je mehr der Weltweise die Synonymen zu unterscheiden, oder wegzuwerfen sucht, je mehr er statt der uneigentlichen eigentliche Worte einführen kann; je mehr verlieret die Sprache Reize: aber auch desto weniger wird sie sündigen[67].»

Ein nicht leicht zu entwirrender Passus! Herder, als Kind seiner Zeit, bezeichnet die Schönheiten einer archaischen, kindlichen Sprache immerhin noch als «Sünden». Zugleich aber gibt er implicite zu, daß ihm die Sünde reizvoll vorkommt und daß er sie gegen die Tugenden der modernen Autoren zu schützen gedenkt.

Noch undurchsichtiger sind die allgemeinen Sätze in der Präambel:

«So wie der Mensch auf verschiedenen Stufen des Alters erscheinet: so verändert die Zeit alles. Das ganze Menschengeschlecht, ja die tote Welt selbst, jede Nation, und jede Familie haben einerlei Gesetze der Veränderung: vom Schlechten zum Guten, vom Guten zum Vortrefflichen, vom Vortrefflichen zum Schlechtern, und zum Schlechten: dieses ist der Kreislauf aller Dinge. So ists mit jeder Kunst und Wissenschaft: sie keimt, trägt Knospen, blüht auf, und verblühet. – So ists auch mit der Sprache[68].»

Das sieht nach einem Gemeinplatz aus, ist aber voll von ungeklärten und unvereinbaren Hintergedanken. Zunächst widersprechen die Wertprädikate «schlecht», «gut», «vortrefflich», «schlechter», «schlecht» der Haupttendenz, für jedes Alter Anerkennung zu fordern. Alsdann soll ihre Reihenfolge an einen Kreislauf denken lassen. Das «Schlechte» des Anfangs ist aber zweifellos anderer Art als das «Schlechte» des Endes. Die Linie kehrt nicht in sich selber zurück. Wenn die Pflanze Samen erzeugt und das Wachstum wieder von vorn beginnt, so ist dies bei der altgewordenen Sprache offenbar nicht der Fall. Sie welkt dahin. Aus Abstraktionen blüht keine sinnliche Fülle mehr auf. Das unzutreffende Bild des Kreises meldet eine Verlegenheit, die Herder schwer zu schaffen macht.

67 Herder, a.a.O. I, S.155.
68 a.a.O. I, S.151f.

Er hat sich mit den «Briefen, die neueste Literatur betreffend» nicht zum bloßen Zeitvertreib beschäftigt, sondern um den gegenwärtigen Stand der Dinge wahrzunehmen und die Frage abzuklären, wie dem noch allzu dürftigen deutschen Schrifttum aufzuhelfen sei. Der Dreiundzwanzigjährige sieht sich in der Rolle des weisen Mahners. Er überblickt die vierundzwanzig Bände der Briefe und sitzt nun da

«wie Marius auf den Trümmern Carthagos, da er die Schicksale Roms und Phöniziens überdachte, oder wie ein alter ehrlicher Markgraf, der über sein deutsches Vaterland denkt[69].»

Was soll er nun aber den deutschen Autoren der Gegenwart und der Zukunft raten? Wo echte Literatur als Ergebnis eines Wachstumsprozesses gilt, erscheint es sinnlos, von andern Völkern und Zeiten etwas lernen zu wollen. Die «Nachahmung», die Winckelmann noch als «einzigen Weg» pries, «groß, ja, wenn es möglich ist, unnachahmlich zu werden[70]», versündigt sich nach Herder an der Individualität einer Nation. So rügt er den Verfasser jüdischer Schäfergedichte, Breitenbauch, weil er in deutscher Sprache mit «orientalischen Mastkälbern[71]» pflügen wollte; und jene, die den Ehrgeiz haben, ein deutscher Horaz, ein deutscher Lukrez, ein deutscher Cicero zu werden – Ehrentitel, mit denen man damals freigebig umzugehen gewohnt war –, müssen sich sagen lassen, das sei viel eher ein Tadel als ein Ruhm. Man ahme nicht nach, *was* römische Dichter, sondern *wie* sie geschaffen haben, ihre Kraft und Größe, und eifere ihnen nach auf deutsche Art[72].

An anderer Stelle heißt es dann aber doch wieder:

«Wo steht unsre deutsche Sprache? In allen Staaten ist zu unsrer Zeit die Prose die Sprache der Schriftsteller, und die Poesie eine Kunst, die die Natur der Sprache verschönert, um zu gefallen. Gegen die Alten und gegen die wilden Sprachen zu rechnen, sind die Mundarten Europens mehr für die Überlegung, als für die Sinne und die Einbildungskraft.

69 a.a.O. I, S. 133.
70 Winckelmanns Werke, hg. v. C. L. Fernow, I. Bd., Dresden 1808, S. 7.
71 Herder, a.a.O. I, S. 260.
72 a.a.O. I, S. 383.

Die Prose ist uns die einzig natürliche Sprache, und das seit undenklichen Zeiten gewesen – nun sollen wir diese Sprache ausbilden? Wie kann das sein? Entweder zur mehr dichterischen Sprache, damit der Stil vielseitig, schön und lebhafter werde; oder zur mehr philosophischen Sprache, damit er einseitig, richtig und deutlich werde; oder wenn es möglich ist, zu allen beiden.

Das Letzte kann in einem gewissen Grade geschehen; und muß nach unsrer Zeit, Denkart und Notwendigkeit auch geschehen. Alsdenn werden wir zwar von beiden Seiten nicht die höchste Stufe erreichen, weil beide Enden nicht einen Punkt ausmachen können; allein wir werden in der Mitte schweben, und von den sinnlichen Sprachen durch Übersetzungen und Nachbilden borgen; andernteils durch Reflexionen der Weltweisheit das Geborgte haushälterisch anwenden. Wir werden für neue Bürger Vorteile ausmachen; und nicht dem spartanischen Eigensinn nachahmen, der allen fremden Ankömmlingen und Gebräuchen den Eintritt versagt; wir werden aber auch, so wie die Akademie della Crusca, und Johnson in seinem Wörterbuch, die Landeskinder zählen, ordnen und gebrauchen, so daß die fremde Kolonien bloß die Mängel des Staats unterstützen dörfen. – Man bilde also unsre Sprache durch Übersetzung und Reflexion[73].»

Doch läßt sich auch nur ein so behutsamer Rat mit Herders Ideen vereinen? Durch Reflexion, das möchte noch angehen. Die Pflege des abstrakten Denkens liegt auf der Linie der Entwicklung. Daß aber das Übersetzen aus sinnenmächtigeren Sprachen bei den Autoren einer Spätzeit mehr bewirke als eine äußerliche Verwendung von Inversionen, Machtwörtern und andern archaischen Eigenheiten, das dürfte Herder selbst, nach seinen Voraussetzungen, nicht erwarten. Indes, er täuscht sich darüber hinweg. Wie später Görres, Nietzsche und Klages verschleiert er die Absurdität, von Greisen Jugend fordern zu müssen.

Die Bückeburger Schrift «Auch eine Philosophie zur Geschichte der Menschheit» erweitert die biologische Konzeption auf die gesamte Geschichte. Herder erinnert uns an das Bild der Edda von

73 a.a.O. I, S.158.

Allvaters Baum, der über die Himmel ragt und dessen Wurzeln unter den Welten gründen. So soll die Geschichte aufgefaßt werden. Das Gleichnis ist erhebend. Doch es klärt die Lage nicht. Im Gegenteil! Neue Fragen drängen sich auf.

Im «Sprachenroman» war nur von *einem* Organismus, dem sich entwickelnden und zerfallenden Lebewesen jeweils *einer* Sprache, die Rede. In der Weltgeschichte treten Völker nacheinander und oft genug auch nebeneinander auf, die alle gleichen Anspruch haben, als Einzelorganismen zu gelten. Wie verhalten sich diese Einzelorganismen zu dem behaupteten Organismus der Menschheitsgeschichte? Im Sinne Herders wäre zu sagen: Ähnlich wie die Sprache eines einzelnen Menschen zu der Sprache des ganzen Volks, in dem er aufwächst. Die Sprache jedes einzelnen Menschen ist einmal kindlich gewesen und dann älter, jugendlich, männlich geworden – innerhalb einer Sprache, die ihrerseits wieder eine bestimmte Stufe der Gesamtentwicklung darstellt. Nicht anders durchläuft ein Volk die Folge von Keimen, Blühen, Reifen und Welken innerhalb des geschichtlichen Ganzen, das während der Blüte dieses Volkes eine bestimmte Stufe erreicht hat. Die einzelnen Völker treten hervor und sprechen ihr gültiges Wort nach dem *καιρός*, der Stunde, die ihren Charakter in der Menschheitsgeschichte begünstigt: die kindlichen Morgenländer zuerst, die schulgerechten Ägypter und Phönizier etwas später, die jugendlich-schönen Griechen im Frühling der Welt, nach ihnen die männlich-ernsten Römer.

Was folgt nun aber auf die Römer? Der Einbruch der germanischen Stämme in den mittelmeerischen Raum, die Völkerwanderung, Auf- und Untergang gewaltiger Staatengebilde in einem unentwirrbaren Chaos. Wieder versucht uns Herder mit einem Gleichnis zufriedenzustellen.

«Ich will nichts weniger, als die ewigen Völkerzüge und Verwüstungen, Vasallenkriege und Befehdungen, Mönchsheere, Wallfahrten, Kreuzzüge verteidigen: nur erklären möchte ich sie: wie in allem doch *Geist* hauchet! Gärung *menschlicher Kräfte. Große Kur* der ganzen Gattung durch *gewaltsame Bewegung*, und wenn ich so kühn reden darf, das Schickal zog, (allerdings mit großem Getöse, und ohne daß die Gewichte da ruhig hangen konnten) *die große abgelaufne Uhr auf!* Da rasselten also die Räder[74]! »

Die Räder der Weltenuhr – eine ungeheure historische Vision! Den Nachweis aber, daß nun dieselbe Folge von Altersstufen im Norden beginne, bleibt uns Herder schuldig. Einmal behilft er sich, indem er – wieder im Hinblick auf Allvaters Baum – die gerade Entwicklung der alten Völker mit dem Stamm, die komplizierte der neueren Zeiten mit dem Wipfel, den tausend Ästen und Zweigen vergleicht. Es liegt nun an ihm, nach welcher Seite er dieses Bild auswerten will. Er kann von dem windigen Aufenthalt in den schwankenden Räumen der Krone sprechen und tut es auch in einer gramerfüllten Philippica gegen den Anspruch der Aufklärung, «auf der Höhe zu sein». Ebenso kann er behaupten, die Vorsehung habe uns aus verworrenem, dumpfem Drang zu lichter Höhe geleitet; und so zu reden ist dem frommen Geist, den er gerade in Bückeburg bekennt, besonders gemäß. Doch wie er immer sogar aus seinen verhängnisvollsten Selbsttäuschungen noch lauteres Gold zu münzen weiß, gelangt er auch hier zu einer ganz neuartigen Rechtfertigung der Spätzeit:

«Ist unser Zeitalter in irgendeiner Absicht edel nutzbar, so ists ‚seine *Späte*, seine *Höhe*, seine *Aussicht!*' Was Jahrtausende durch, auf dasselbe bereits *zubereitet* worden! wodurch es wieder in so höherm Sinn auf ein anderes *zubereite!* Die Schritte *gegen* und *von ihm* – Philosoph, willst du den Stand deines Jahrhunderts ehren und nutzen: das Buch der *Vorgeschichte* liegt vor dir! mit sieben Siegeln *verschlossen*; ein Wunderbuch voll *Weissagung*: auf dich ist das *Ende der Tage* kommen! lies[75]! »

Das heißt: der Vorzug unserer Zeit ist ihr historisches Bewußtsein. Noch heute wüßten wir mit besserer Zuversicht keinen andern zu nennen. Doch Herder selber ist es, der unsere Zeit historisch denken gelehrt hat. Er spricht, und zwar mit größtem Recht: Ich habe den Geist der Stunde begriffen; gehet hin und tut desgleichen!

Im selben Atemzug wird aber nun auch des «Endes der Tage» gedacht. Der Historismus gilt als Ende. So schließt er sich an die Aufklärung an, die Herder eine vergreisende Zeit, den «kraft-

74 a.a.O. V, S. 526.
75 a.a.O. V, S. 561.

losen Traum einer Nachtwache[76]», schilt. Und immer tiefer verfinstert sich der Himmel der künftigen Menschheitsgeschichte. Es kommt zu jener Prophezeiung, die wir Heutigen sicher mit einem beklommeneren Verständnis lesen als die Zeitgenossen, für die sie ein Hirngespinst gewesen sein dürfte:

«Je mehr wir Europäer *Mittel* und *Werkzeuge* erfinden, euch andern Weltteile zu unterjochen, zu betrügen und zu plündern – vielleicht ists einst eben an euch zu *triumphieren!* Wir schlagen Ketten an, womit *ihr uns* ziehen werdet: die *umgekehrte Pyramiden* unsrer Verfassungen werden auf eurem Boden *aufrecht* kommen, *ihr mit uns* – gnug, sichtbarlich geht alles *ins Große!* Wir umfassen, womit es sei, den Kreis der Erde, und was darauf folgt, kann wahrscheinlich nie mehr seine *Grundlage schmälern!* wir nahen uns einem neuen Auftritte, wenn auch freilich bloß durch *Verwesung!* –[77]»

Verwesung! Damit scheint nun endlich die letzte, unausweichliche Konsequenz der biologischen Konzeption der Geschichte gezogen zu sein. Wir kennen Herder aber zu gut, um anzunehmen, bei solchem Pessimismus habe es sein Bewenden. Er hätte kaum die Kraft, ihn auszuhalten, und könnte ihn vollends nicht mit seinem christlichen Glauben vereinen. So fährt er denn fort – und gerät in den Ton eines evangelischen Hirtenbriefs:

«Da sich also *Schwäche* in nichts als *Schwäche* endigen, und eine *überstrengte Anziehung* und *Mißbrauch* des *letzten geduldigen Wurfs der Kräfte* nichts als jenen völligen *Hinwurf* beschleunigen kann – doch es ist nicht mein Amt *weissagen!*

Noch minder weissagen, ‚was allein *Ersatz* und *Quelle neuer Lebenskräfte* auf einem *so erweiterten Schauplatze* sein *könne*, *werde* und fast sein *müsse*? woher *neuer Geist* alle das *Licht* und die *Menschengesinnung*, auf die wir arbeiten, zu der *Wärme*, zu der *Bestandheit*, und zu der *Allglückseligkeit* bringen könne und werde?‘ Ohne Zweifel rede ich noch von *fernen* Zeiten!

Lasset uns, meine Brüder, mit mutigem, fröhlichen Herzen auch *mitten unter der Wolke* arbeiten: denn wir arbeiten zu *einer großen Zukunft*.

76 a.a.O. V, S. 478.
77 a.a.O. V, S. 579.

Und lasset uns unser Ziel so *rein*, so *hell*, so *schlackenfrei* annehmen, als wirs können: denn wir laufen in *Irrlicht* und *Dämmerung* und *Nebel*[78].»

Das soll ermunternd klingen. Indes, wer bürgt für eine solche Zukunft, wenn nicht der Gott einer Religion, die für den Historiker ihrerseits nicht mehr als eine Phase des Geschichtsprozesses bedeuten dürfte? Wie sollen wir in Dämmerung und Nebel ein Ziel ins Auge fassen? Je aufmerksamer wir Herder gefolgt sind, desto ratloser stehen wir da. Das schlechte Zeugnis, das seit Nietzsche dem Historismus im Namen des Lebens ausgestellt wird, scheint wieder bestätigt.

Es ist aber gar nicht der Historismus an sich, der den Nebel verbreitet, sondern einzig das biologische Schema, das offenbar nicht taugt, die Fülle des Vergangenen und den mannigfaltigen Wechsel zu erfassen. Ähnlich wird es später Hegel mit seiner Geschichtsdialektik ergehen. Auch Hegel versucht, sich vor dem Taumel der historischen Betrachtung durch den Nachweis einer Gesetzlichkeit des geschichtlichen Lebens zu retten, also sozusagen das «Ende der Metaphysik» mit dem Entwurf einer Metaphysik der Geschichte zu bannen. Die «Phänomenologie des Geistes» führt das logische Schema strenger durch als Herder das biologische in den «Ideen zur Philosophie der Geschichte der Menschheit». Doch in der strengeren Fassung tritt die Problematik nur schärfer hervor. Die «schäumende Unendlichkeit[79]», die dem historischen Denken aufgeht, duldet keinen solchen Zugriff. Sie läßt nur jenes menschlichere Verhalten zu, das uns am reinsten in Goethes Leben und Schaffen begegnet.

Goethe erfreut sich wie Herder des unübersehbaren Reichtums menschlicher Möglichkeiten, den die Geschichte birgt und der nun auf einmal aus dem Orkus der Vergangenheit aufersteht. Er meint aber nicht, daß nun das Ganze angeeignet und dem modernen Bewußtsein einverleibt werden müsse. Sondern er wählt, lehnt jene Gestalten entschieden ab und bekennt sich zu diesen. So wahrt er die Intensität der historischen Einfühlung, ja, er steigert sie noch, entgeht jedoch der Drangsal eines Geistes, dem alles gleich viel

78 a.a.O. V, S. 579f.
79 Hegel, «Phänomenologie des Geistes», Schlußzitat.

gilt. Die Wahl, als solche, verrät zugleich, daß Goethe das biologische Schema nicht zu übernehmen bereit ist. Er hat sich zwar hin und wieder in einem Herder verwandten Sinn geäußert. Eigentlich aber, als Dichter und als lebendigem Menschen, bedeutet ihm die Zukunft das Gebiet der Freiheit, das kein historischer Fatalismus anzutasten berechtigt ist. Zu dieser Freiheit gehört nun insbesondere die Möglichkeit der Wiederholung vergangener Lebensgestalten, wie wir sie heute etwa in einem Begriff wie «Renaissance» zugeben, wie Goethe sie als «Nachfolge» kannte und wie sie schon Winckelmann offenbar mit seiner «Nachahmung» gemeint hat. Die Nachfolge der Triumvirn der Liebe in den «Römischen Elegien», Homers in «Hermann und Dorothea», Hafisens im «Westöstlichen Diwan», der «Neue Pausias», die «Neue Melusine», der «Neue Paris», Helenas dunkle Antezedentien und grandiose Vermählung mit Faust: dies alles ist schierer Segen aus dem Füllhorn der echten Historie ohne die leiseste Spur von einem Fluch.

Die Liebe kann der Begründung entraten. So hätte Goethe sehr wohl den Griechen nachfolgen dürfen, ohne sich weiter über seine Wahl zu erklären. Angesichts des Glanzes ihrer Wiedergeburt auf deutschem Boden hätte sich jede Frage erübrigt. Er gab indes auch eine Begründung, und zwar auf eine Weise, die den Herderschen Historismus mit der Idee des kanonischen Maßes aussöhnt, nämlich in der Idee des «Zeniths[80]». Ein Organismus wächst und erreicht zu einer bestimmten Zeit, genau zu reden, in einem Augenblick die höchste Stufe seiner Erscheinung. Darauf erschöpft er sich allmählich und tritt wieder aus der Erscheinung zurück. Insofern wird das Lebendige noch in Herders Art genetisch erfaßt. Der höchste Punkt der Erscheinung jedoch ist auch die Stufe vollkommener Schönheit, der Augenblick, in dem ein Geschöpf am reinsten zu seinem Wesen gelangt. So wird der Zenith zum Vorbild, das ist: zum *τέλος* einer Entelechie, und auf dem Gebiet der Kunst zum Kanon, an dem sich alle Entwicklung und aller Wandel einer Kultur bemißt. Daß, nach solchen Voraussetzungen, das Vorbild nicht verwirklicht werden kann, bevor seine Stunde

80 Vgl. E. Staiger, Goethe, Bd. II, Zürich 1956, S. 228.

kommt, und daß es verbindlich bleibt, auch wenn der *καιρός* vorübergegangen ist, nimmt Goethe gelassen hin, auch hier der Grenzen der Menschheit eingedenk.

«In der Beschränkung zeigt sich erst der Meister.»

Die klassische Zeit der neueren deutschen Literatur hebt an. Herder dagegen, der aufzubrechen, in neue Bereiche einzudringen, das Reich des Menschlichen auszudehnen, keineswegs aber sich zu mäßigen und zu entscheiden berufen war, bleibt zögernd in offenen Räumen stehen. Er wagt sich vor und zieht sich zurück, entzückt uns mit seherischer Erkenntnis und verleugnet sie alsbald wieder. Wir wissen nie sicher, woran wir sind. Wie aber der Unentschiedene in der Regel auch der Empfängliche ist, bewahrt sich Herder gerade so die Gabe der intensiven Fühlkraft und kommt das Wunder zustande, daß seine Schriften zwar unscharf und halbschlächtig sind, doch eben deshalb auch, im schillernden Sinne des Wortes, unergründlich.

Ludwig Tieck und der Ursprung der deutschen Romantik

In Deutschland ist man seit den Tagen der Originalgenies geneigt, den Anfang einer Geistesbewegung als Wunder auf sich beruhen zu lassen. «Ein Rätsel ist Reinentsprungenes.» Mit diesem Motto beginnt die Geschichte der deutschen Romantik von Richard Benz[1]; und manche andere Darstellungen wären es gleichfalls zu führen berechtigt. Sofern das nur heißen soll, daß man sich weigert, Neues auf Altes zurückzuführen und echte Dichtung aus dem «Erlebten, Erlernten, Ererbten» abzuleiten, wird jeder sich einverstanden erklären, der über die autonome Verfassung der Geisteswissenschaften Bescheid weiß. Ein anderes aber ist der Versuch, den Ursprung in Wirkungen aufzulösen, ein anderes das Bemühen, sich überall um die Voraussetzungen zu kümmern und jedes Ereignis – sei es ein Werk oder sei es die Stiftung einer Schule – in den Zusammenhang der Literaturgeschichte einzuordnen. Wir bestehen darauf zu fragen: Wo hat es begonnen? Wie hub es an? Wem war der erste glückliche Einfall beschert? Warum gerade unter sämtlichen Menschen diesem, an diesem bestimmten Ort, zu dieser Stunde?

Und also werden wir uns bei einer Würdigung Tiecks darüber verwundern, daß die deutsche Romantik nicht zu Bacharach am Rhein, nicht auf Schloß Lubowitz und nicht in mondbeglänzten Nächten begründet wurde, sondern auf dem Berliner Pflaster, in einer Stadt, die damals – etwa 1795 – schon nahezu zweihunderttausend Einwohner zählte. Vor mehr als dreißig Jahren hatte hier Lessing die «Briefe, die neueste Literatur betreffend» herausgegeben und Moses Mendelssohn als Mensch und Denker milde Vernunft gelehrt. Nun war der Glanz der einst berühmten Berliner Aufklärung verblichen und gleichsam – nach dem bekannten

1 Richard Benz, Die deutsche Romantik, Geschichte einer geistigen Bewegung, Leipzig 1937, S. 11.

Ausspruch Lichtenbergs – nur der Leuchter übrig, auf dem schon lang keine Kerzen mehr brannten. Ramler lebte noch, der Beckmesser unter den Dichtern des Rokoko; und es lebte und schrieb mit großem Eifer weiter Friedrich Nicolai, einst Freund und Mitarbeiter Lessings, nun längst in allzu oft wiederholten Begriffen erstarrt und in geschwätziger Besserwisserei verödet. Bedeutende junge Talente fehlten. Dem skeptischen Großstadtbürger hatte der Sturm und Drang keinen Eindruck gemacht, es sei denn als flüchtige Sensation. Noch weniger eignete sich der Boden für eine im stillen reifende Klassik. So kommen wir denn in eine eigentümliche Leere, wenn wir Berlin zu Beginn der neunziger Jahre betreten. Die großen Parolen – Fortschritt, beste der möglichen Welten, Nutzen und Tugend – werden zwar noch herumgeboten, entbehren aber der Kraft und richten das Handeln und Leben nicht mehr aus. Dilthey, im «Leben Schleiermachers[2]», erzählt von dem Zerfall der Sitten. Ein Parvenuluxus machte sich breit; man redete unverschämt über die Frauen; das früher so ausgeprägte Ehrgefühl der Gesellschaft war zerrüttet. Und wie immer, wenn eine gefügte Welt auseinanderzufallen beginnt, versuchte man auch damals, sich mit Surrogaten zu behelfen und wenig erforschten dunklen Bereichen ein Interesse abzugewinnen. Merkwürdig ist der Nachfolger Friedrichs des Großen, Friedrich Wilhelm der Zweite. Seinem Oheim blieb er nur in den musikalischen Neigungen treu (er pflegte das Cello wie jener die Flöte); im übrigen war er ein Charakter ohne ausgeprägtes Profil, der erste preußische König mit einer offiziellen Mätressenwirtschaft, nach spiritistischen Wundern lüstern und überirdischen Stimmen hörig. Sein Minister Bischofwerder wußte sich danach einzurichten. Fontane beschreibt in seinen «Wanderungen in der Mark Brandenburg[3]» die Grotte mit den doppelten Wänden, aus denen sich Geister vernehmen ließen, und schildert andere Gaukeleien, mit denen man dem Verlangen des königlichen Gemüts zu genügen hoffte. Daß Schiller seinen «Geisterseher» unvollendet liegen ließ, vermochte ihm unter den ungezählten erregten Lesern der

2 Wilh. Dilthey, Leben Schleiermachers, 2. Aufl., Berlin 1922, S. 223 ff.

3 in Havelland, Marquardt von 1795 bis 1803.

preußische Herrscher wohl am wenigsten zu verzeihen. Er hatte gehofft, hier endlich gültige Auskunft über alle Rätsel der unsichtbaren Welt zu erhalten.

1794 eroberte Mozarts «Zauberflöte» die Bühne, nicht nur mit ihrer Musik, sondern ebenso mit den Anspielungen auf ägyptische und zoroastrische Lehren und auf die Riten der Freimaurerlogen. Der Orden selber hatte die höchste Blüte freilich schon früher erlebt[4]. Doch in der breiteren Öffentlichkeit gewann der Begriff «Geheim» in den Wörtern «Geheimbund» oder «Geheimwissenschaft» erst gegen das Ende des Jahrhunderts unwiderstehliche Anziehungskraft.

Wir werden bei alledem noch nicht von einem Stilwandel sprechen wollen. Es ist die Unrast des Zerfalls, Verlegenheit und Ratlosigkeit, nachdem sich das Selbstgefühl und heroisch-moralische Pathos der fridericianischen Ära aufgelöst hat. Doch Unbekanntes lag in der Luft und harrte des günstigen Augenblicks. Um es herabzubeschwören, bedurfte es keiner wilden Rebellen und keines Terrors mehr, wie dreißig Jahre früher, als es noch etwas heißen wollte, die Welt aus den Angeln zu heben. Begabter Leichtsinn und eine Dosis Frechheit schienen durchaus zu genügen. Woher aber wehte der neue Geist? Das hätte niemand voraussagen können, selbst Ludwig Tieck nicht, der zum Romantiker wurde, er wußte selber nicht wie[5].

1773 geboren, als Sohn einfacher, tüchtiger Eltern, hatte er sich als Knabe schon über Gebühr mit Literatur beschäftigt, ein maßlos-leidenschaftlicher Leser, der bald über alles mitreden konnte, was damals auf dem Büchermarkt vorlag – von Cervantes und Shakespeare (in Bertuchs und Wieland-Eschenburgs Übersetzung) bis zu den Räuberromanen Karl Großes, von Vulpius, Spieß und Cramer bis zu den Jugenddramen Goethes und Schillers. Gut und Schlecht unterscheidet er kaum, zum mindesten nicht nach unsern Begriffen. Es ist ihm auch nicht um das zu tun, was man Verstehen

4 Vgl. dazu Heinrich Schneider, Quest for Mysteries, Ithaca, N.Y., 1947.
5 Zum Biographischen vgl. insbesondere Rudolf Haym, Die romantische Schule, 4. Aufl., Berlin 1920, S. 19ff.; Robert Minder, Un poète romantique allemand: Ludwig Tieck, Paris 1936; Marianne Thalmann, Ludwig Tieck, der romantische Weltmann aus Berlin, Bern 1955.

nennt – eigentliches Verstehen liegt außerhalb seiner Natur. Beleuchtungseffekte bezaubern ihn, Farben, Stimmungen, nervenzerrüttende Schauer. Und wie er selber aufgeregt ist, versucht er andere aufzuregen. Er liest vor, und zwar hinreißend, sitzt da mit den schwärmerisch-dunkeln Augen, agiert und zitiert mit spielender Mimik und wunderbar-melodischer Stimme die Geister, die es ihm angetan haben und deren er sich, ein Zauberlehrling, oft kaum mehr zu entledigen weiß, die seine Phantasie verstören und ihn, wie er manchmal befürchtet, um seinen gesunden Verstand zu bringen drohen. Ein Brief an Wackenroder schildert einen solchen Leseabend mit allen üblen Folgen für seine zu früh geweckte Empfänglichkeit[6].

Wir halten uns dies gegenwärtig. Eine mannigfaltige literarische Tradition wird aufgenommen von einer Jugend, die sie nicht mehr in eine gültige Ordnung einzufügen imstande ist und nicht mehr weiß, was «erringen», was «erwerben, um zu besitzen» bedeutet, die unbedenklich edles und wüstes Erbe für Sensationen verschleudert. Wie unbedenklich, erkennen wir erst, wenn Rambach, einer der Lehrer des Gymnasiasten Tieck, in Erscheinung tritt. Rambach betrieb eine Art Romanfabrik, zunächst auf eigene Faust; er lieferte, was den Berlinern gefiel, und hatte bald einen solchen Erfolg, daß er als Einzelner nicht mehr nachkam. Da fand er es vorteilhaft, seinen begabten Schüler mitarbeiten zu lassen. Tieck schrieb zunächst Manuskripte ab; dann durfte er Gedichteinlagen und einige Episoden verfassen; endlich, weil er es gar so gut machte, wurden ihm die für den Verkauf entscheidenden Schlüsse anvertraut. Damit verlor er die literarische Unschuld, bevor ihm ein gewichtiges eigenes Werk gelungen war. Er wurde gewandt im Schildern grauenhafter und rührseliger Szenen, bevor er vom wirklichen Dasein auch nur die allergeringste Erfahrung hatte. Kunst und Leben gerieten so in ein gefährliches Mißverhältnis. Tieck entwickelte das Kunstwerk nicht redlich aus dem verworrenen Leben, sondern faßte von vornherein die unfehlbare Wirkung ins Auge. Wenn dies zum Wesen des Kitsches gehört[7],

6 Wackenroders Werke und Briefe, hg. von F. von der Leyen, Jena 1910, 2. Bd., S. 49 ff., Brief Tiecks vom 12. Juni 1792.

7 Vgl. Hermann Broch, Dichten und Erkennen, Zürich 1955, S. 342 ff.

so war es Kitsch, was er erzeugte, sowohl im Dienste Rambachs wie in den ersten unabhängigen Schriften, in dem Roman «Abdallah» oder in dem kleinen Spiel «Der Abschied», in «Almansur» oder in dem Ritterdrama «Karl von Berneck». Man sucht hier überall vergebens nach einem festen persönlichen Kern. Wohl aber mag man ahnen, wie dem Verfasser bei einer solchen Tätigkeit zumute gewesen sein dürfte. Er täuscht sich selber mit fiebriger Produktivität über seine Leere hinweg und wurde dennoch das Gefühl vollkommener Nichtigkeit nie ganz los.

Es bricht hervor in dem einzigen Frühwerk, das wir ganz ernst zu nehmen haben, das uns in manchen Teilen sogar wie ein Zeugnis unserer Tage anspricht, im «William Lovell», der 1794–1796 entstand.

Der Name erinnert an den Verführer Lovelace in Richardsons «Clarissa». Auch William Lovell ist ein Verführer. Äußerlich betrachtet, setzt der Roman eine Überlieferung fort, zu der Tieck selbst, in einem späteren Vorwort, den «Paysan perverti» des Rétif de la Bretonne zählt[8], aus der er vielleicht mit mehr Befugnis die «Liaisons dangereuses» Choderlos de Laclos' hätte nennen dürfen. Gerade das erotische Thema interessiert ihn aber nicht sehr. Er nimmt den Verführer vor allem als seelisch verödeten Menschen und entblößt den Abgrund, dem der Ruhelose in seinen Abenteuern umsonst zu entrinnen versucht: die Langeweile. So fängt das Buch die Reihe an, die über den Roquairol Jean Pauls zu Kierkegaards Johannes[9], zum Dorian Gray von Oscar Wilde und zu den Apologeten der Langeweile des zwanzigsten Jahrhunderts führt.

Die Langeweile, wie wir sie hier als Schicksal eines aus dem Glauben der Väter entlassenen, jeglichen Sinns beraubten Geschlechts erkennen müssen, entsteht nicht deshalb, weil das Leben im Ganzen zur Wüste geworden wäre. Das Leben wird zur Wüste, weil den Menschen Langeweile befällt. Sie ist das Gegenteil der Liebe. Den Liebenden beseligt der ärmlichste Raum als Heimat; er findet im Gleichmaß der Stunden und Tage das Paradies, wie

8 Ludwig Tiecks Schriften, Berlin 1828ff., 6. Bd., S. XVII.
9 Vgl. dazu Walther Rehm, Kierkegaard und der Verführer, München 1949.

jener «Freund der neuen Heloise», dem geweissagt wurde: «Und zu den Füßen seiner Geliebten sitzend, wird er Hanf brechen, und er wird wünschen, Hanf zu brechen, heute, morgen und übermorgen, ja sein ganzes Leben[10].» Lovell dagegen führt Klage darüber, daß alles nichtig sei unter der Sonne.

«Was kann der Mensch wollen und vollbringen? Was ist sein Tun und Streben[11]?»

Das könnte religiös gemeint sein. Doch daran dürfen wir nicht denken. Lovell kennt kein Jenseits, das ihn über die Welt zu trösten vermöchte. Sein Sinnen und Handeln erschöpft sich darin, jedwede Bedeutsamkeit zu vernichten. Er führt das Leben eines Wüstlings und weiß, daß ein solches Leben nichts taugt. Gerade dies beleuchtet den Gegensatz zur Liebe besonders grell. Der Liebende löst auch das Sinnlichste auf in lauter Innerlichkeit und weiß das Lauschen auf die Seele seiner Geliebten kaum von einer körperlichen Berührung zu scheiden. Lovell gefällt sich darin zu erklären, daß «Poesie, Kunst und selbst die Andacht nur verkleidete Wollust sei[12]». Man glaubt, den Danton Büchners zu hören, und freilich wird man immer wieder ähnliche Äußerungen vernehmen, wenn Überliefertes brüchig geworden und aus den Fugen geraten ist.

Der Liebe begegnet alles freundlich. Der Langeweile wird alles fremd. Lovells Vater, der an derselben unseligen Krankheit leidet, schreibt:

«Ich habe einen Blick hinab ins Tal des Todes getan, und nun taumeln alle Wesen dieser Welt nüchtern und leer meinen Augen vorüber. Alles sind nur Larven, die sich einander selbst nicht kennen, wo einer dem andern vorübergeht, und ihm ein hohles Wort gibt, das jener durch ein unverständliches Zeichen beantwortet[13].»

Wo Menschen als Larven taumeln, verwandelt das Leben sich in ein schlechtes Theater. Übel Geschminkte treten auf die Bühne, reden und treten ab. Man hat damit nichts zu schaffen; es dringt nicht durch den Nebel der Langeweile hindurch; der Gelang-

10 Goethe, Dichtung und Wahrheit, 12. Buch.
11 Tieck, Schriften, 7. Bd., S. 22.
12 a.a.O. 6. Bd., S. 213.
13 a.a.O. 6. Bd., S. 330.

weilte ist allein, außerstande, den andern zu erreichen, und selber unerreichbar. Balder, Lovells Freund und gleichfalls einer aus seiner Geistesverwandtschaft, findet sich eigentümlich gelähmt, sobald er sein Inneres aufschließen möchte:

«Ich will Worte schreiben, William, Worte – das was die Menschen sagen und denken, Freundschaft und Haß, Unsterblichkeit und Tod – sind auch nur *Worte*. – Wir leben jeder einsam für sich, und keiner vernimmt den andern, antwortet aber wieder Zeichen aus sich heraus, die der Fragende eben so wenig versteht[14].»

Auch die Sprache ist also entseelt. Und endlich wird in der tödlichen Stille sogar der eigene Körper fremd.

«Ich erschrak neulich heftig, als ich über eine Sache denken wollte, und plötzlich meine kalte Hand an meiner heißen Stirne fühlte[15].»

Daß Tieck hier Selbsterkenntnis ausspricht, bezweifelt niemand, der sieht, wie sicher aus einzelnen Zügen das Ganze eines beängstigenden Seelengemäldes entsteht. Wir lassen den Blick noch weiter wandern.

Der Liebende ist der Zeit entrückt; der Augenblick wird Ewigkeit; die Stunden ziehen im Flug vorbei. Nachträglich aber erscheint der im Flug verstrichene Tag so reich, daß ein ganzes Leben zu kurz ist, ihn zu erschöpfen. In die Langeweile dagegen dröhnen die Glockenschläge der Zeit mit einer fürchterlichen Gewalt: Ein Uhr, zwei Uhr, erst halb drei! Wie dehnt sich der Tag, wie teilt er sich in Stunden, Minuten, Sekunden auf! Doch seltsam, in der Erinnerung schrumpft er zur unbeträchtlichen Spanne zusammen. Das Leben ist lang und doch gehaltlos. Langeweile ist lange, aber fast ununterscheidbare graue Zeit.

«Der Begriff von Zeit ist mir jetzt fürchterlich. Wenn ich einen Tag vor mir habe, ohne zu wissen, was ich mit ihm anfangen soll – o und dann den Blick über die leere Wüste von langweiligen Wochen hinaus[16]!»

Man weiß nicht, was man anfangen soll. Einfacher und genauer

14 a.a.O. 6.Bd., S.221.
15 a.a.O. 6.Bd., S.346.
16 a.a.O. 7.Bd., S.198.

ließe es sich nicht sagen. Es gibt kein Ziel und deshalb auch keinen Anfang mehr. Damit wird nun aber sogar die Einsinnigkeit der Zeit gefährdet. Zukunft und Vergangenheit nämlich sind primär nicht insofern unterschieden, als die vergangenen Jetzt nicht *mehr*, die künftigen *noch* nicht sind. Daraus ergäben sich keineswegs jene eigentümlichen Zeitqualitäten, die jedes gesunde Bewußtsein kennt. Sondern Vergangenheit ist der Boden, auf dem wir stehen; Zukunft ist das Ziel, um dessentwillen wir leben. Für William Lovell aber, der nichts mehr anzufangen weiß, der nichts erwartet, sich nichts mehr vornimmt, hat die Vergangenheit keine tragende, die Zukunft keine spannende Kraft. Diese wie jene gelten ihm gleichviel: nichts! und sind in solcher Gleichgültigkeit nicht wesentlich unterschieden. So kommt Tieck zu dem erstaunlichen, nur für seinesgleichen gültigen Satz:

«Veränderung ist die einzige Art, wie wir die Zeit bemerken[17].»

Wo dies zutrifft, kann die Richtung der Zeit grundsätzlich umgekehrt werden. Und dies geschieht denn auch später in zwei Komödien Tiecks, im «Prinz Zerbino», wo der Held die Maschine des Schauspiels rückwärts dreht, bis die soeben gespielten Szenen wiederkehren, und in der «Verkehrten Welt», die mit dem Epilog beginnt und am Schluß die Zuschauer mit dem Prolog entläßt.

Reine Willkür im Umgang mit der unverbrüchlichen Realität! So wendet jedermann ein, der nie von Lovellschem Gift betäubt worden ist. Die Willkür selber jedoch wird wieder mit einer satanischen Logik begründet:

«Freilich kann alles, was ich außer mir wahrzunehmen glaube, nur in mir selber existieren. Meine äußern Sinne modifizieren die Erscheinungen, und mein innerer Sinn ordnet sie und gibt ihnen Zusammenhang...

Geh ich nicht wie ein Nachtwandler, der mit offenen Augen blind ist, durch dies Leben? Alles, was mir entgegenkommt, ist nur ein Phantom meiner innern Einbildung, meines innersten Geistes, der durch undurchdringliche Schranken von der äußern Welt zurückgehalten wird. Wüst und chaotisch liegt alles umher, unkenntlich und ohne Form für ein Wesen, dessen Körper und

17 a.a.O. 7.Bd., S.30.

Seele anders als die meinigen organisiert wären: aber mein Verstand, dessen erstes Prinzip der Gedanke von Ordnung, Ursach und Wirkung ist, findet alles im genausten Zusammenhange, weil er seinem Wesen nach das Chaos nicht bemerken *kann.* Wie mit einem Zauberstabe schlägt der Mensch in die Wüste hinein, und plötzlich springen die feindseligen Elemente zusammen, alles fließt zu einem hellen Bilde ineinander – er geht hindurch und sein Blick, der nicht zurücke kann, nimmt nicht wahr, wie sich hinter ihm alles von neuem trennt und auseinander fliegt.»

So auch in dem Gedicht, das folgt:

«Die Wesen *sind*, weil wir sie *dachten*,
In trüber Ferne liegt die Welt,
Es fällt in ihre dunkeln Schachten
Ein Schimmer, den wir mit uns brachten:
Warum sie nicht in wilde Trümmer fällt?
Wir sind das Schicksal, das sie aufrecht hält!

Ich komme mir nur selbst entgegen
In einer leeren Wüstenei.
Ich lasse Welten sich bewegen,
Die Element' in Ordnung legen,
Der Wechsel kommt auf meinen Ruf herbei
Und wandelt stets die alten Dinge neu.

Den bangen Ketten froh entronnen,
Geh ich nun kühn durchs Leben hin,
Den harten Pflichten abgewonnen,
Von feigen Toren nur ersonnen.
Die Tugend ist nur, weil ich selber bin,
Ein Widerschein in meinem innern Sinn[18].»

So weit ist also nun die Entfremdung alles äußeren Lebens gediehen, so sehr wird alles Lebendige weggerückt und in bleiche Schatten verwandelt, daß nur «ich selber» noch als indiskutable Gewißheit übrig bin. Indes, was heißt: «Ich selber»? Der Ausdruck könnte uns an das Pathos der «Räuber» oder an Götz und

18 a.a.O. 6.Bd., S.177ff.

Prometheus erinnern. Doch damit gingen wir fehl. Wir wissen, wie zwecklos ein Kraftaufwand in dem Berlin der neunziger Jahre wäre. Für Titanen ist keine Verwendung, wo nirgends ein mächtiger Gegner kämpft. Wie könnte sich William Lovell empören? Zwar widert die Welt ihn an; sie zu verwandeln, traut er sich aber nicht zu. Er macht sogar mit, wenngleich voll Ekel. Was bleibt ihm schließlich anderes übrig, da er doch nicht zu wollen vermag? Er und sein Schöpfer Tieck betrachten sich nicht als Kraftgenies und berufen sich nicht, wie Schiller, gegen das tintenklecksende Säkulum auf Plutarch, auf Cäsar und Alexander. Wir hören einen andern Namen: Hamlet[19]. Nun haben sich freilich auch die Stürmer und Dränger bereits zu Shakespeare bekannt. Doch wenn ein Menschenalter früher Shakespeares wilde und gigantische Helden den größten Beifall fanden, so sind es jetzt besonders die spielerischen, anmutigen der Komödien; und es ist eben der Name des «von des Gedankens Blässe angekränkelten» Prinzen, der zu wissen glaubt: «An sich ist nichts weder gut noch böse; das Denken macht es erst dazu», und der sein Schicksal in den unvergeßlichen Versen zusammenfaßt:

«Die Zeit ist aus den Fugen: Weh mir zu denken,
Daß ich geboren ward, sie einzurenken!»

Und Hamlet wieder erscheint nicht so, wie er in Goethes «Wilhelm Meister» eingeführt wird, beklemmende Möglichkeit auf dem Weg zur Tat und zum richtigen Leben, gleich dem Harfner und gleich Mignon mit ihrer verzehrenden Sehnsucht. Sondern er, Hamlet, ist die Gestalt, in der sich die Ohnmacht unwiderruflich erkennt, die das die ganze Existenz durchdringende Lähmungsgefühl bestätigt.

Wir haben damit die Schwelle der Romantik noch immer nicht überschritten, wohl aber den Punkt der Indifferenz erreicht, der zwei Epochen scheidet. Was wird nun geschehen? Wie lautet das nächste Wort, das der Dichter des «Lovell» spricht? Es wäre denkbar, daß er verstummt, von seinem Ekel überwältigt. Davor bewahrte den jungen Tieck die Lust an literarischem Treiben.

19 a.a.O. 6. Bd., S. 170.

Denkbar ist sodann die Rückkehr zu den verlassenen Göttern der Tugend und des gesunden Menschenverstandes. Diesen Weg hat er tatsächlich betreten. Wie früher in die Fron bei Rambach, begibt sich der künftige Romantiker, der schon so weit in unbetretene Gegenden vorgedrungen ist, in Nicolais Gesindestube und liefert dem Generalvikar der altgewordenen Aufklärung Novellen, die an Moral und Verständigkeit nichts zu wünschen übriglassen, und schließlich noch einen Roman, den «Peter Lebrecht», der offensichtlich gern ein deutscher «Tristram Shandy» wäre, es aber an förderlicher Gesinnung mit dem «Sebaldus Nothanker», Nicolais epischem Hauptwerk und trockenem Glaubensbekenntnis, aufnehmen kann. Man hat ihn um dieser Leistungen willen der Tartufferie bezichtigt und sich gefragt, mit welchem Gesicht er wohl seine Papiere dem alten Herrn, der ihn bezahlte, auszuhändigen pflegte. Er tat es mit bestem oder, genauer gesagt, überhaupt mit keinem Gewissen. «Wie in eines andern Namen[20]» wollte er später das Buch geschrieben haben; und alles sollte ironisch gemeint sein. Doch welches war sein eigener Name? «William Lovell» hätte ihm denn doch wohl zu dumpf in die Ohren getönt.

Von William Lovell aus ergaben sich aber noch andere Möglichkeiten. Wir müssen uns ihnen gleichsam auf den Fußspitzen nähern, so leicht zu verscheuchen und flüchtig sind sie und doch so bedeutsam für die deutsche Geistesgeschichte. Wo jene Langeweile waltet, die mehr als nur Verstimmung ist, da rücken die Dinge ab und werden fremd; sie sprechen uns nicht mehr an, verletzen uns nicht und erfreuen nicht mehr. Nun liegt das Leben so bleiern da, ein fernes, unbegreifliches Schauspiel. Wer noch an der alten Gewohnheit hängt, nach Sinn und Zweck und Bestimmung zu fragen, der mag darüber wohl verzweifeln, wie Lovell in seinen unseligsten Stunden. Wie aber, wenn man die üblichen Vorstellungen preiszugeben vermöchte, lernen würde, nicht zu vermissen, was dem Menschen ja doch versagt ist? In ferner, fahler Gleichgültigkeit sieht alles auf einmal traumhaft aus. «Mein ganzes Leben ist nur ein Traum[21].» So sagt schon William Lovell am Ende einer langen, bangen Betrachtung. Traumhaft ist die Un-

20 Haym, S. 72.
21 Tieck, Schriften, 6. Bd., S. 179.

verständlichkeit des Geschehens und ist die Erfahrung, daß man nicht einzugreifen vermag, die Ohnmacht des Willens, traumhaft auch die Einflüsterung, daß ich es sei, der die Dinge hervorbringt, daß die Wesen einzig sind, weil wir sie denken. Warum es nicht bewenden lassen bei diesem Traum? Er ist grauenvoll nur, solange wir Wirklichkeit erwarten. Nehmen wir ihn als das, was er ist, «Phantom meiner inneren Einbildung», so wird das Leben zu einem geisterhaften und wundervollen Spiel.

Wir überschreiten die Schwelle: Im Traum wird Hamlet von seinen Leiden erlöst. Hier kam nun Tieck sogar der frühe Mißbrauch der Literatur zustatten. Er hatte von allem gelesen und Schauer, Entzücken und Grauen gedichtet, bevor er der Fremde des Lebens begegnet war. Nun konnte er glauben, sich nur zu erinnern, wenn er wirklich zu leben versuchte. Wir denken an Hofmannsthal, den Toren Claudio und die «Präexistenz[22]». Hofmannsthal ist nie literarisch mißbraucht und verdorben worden wie Tieck und deshalb ausgezeichnet durch eine Lauterkeit, die wir bei dem Autor des «Lovell» und «Peter Lebrecht» vermissen. Doch beiden gemeinsam ist jene zu früh mit Dichtung gesättigte Phantasie, die überall nur noch längst Vertrautes, im Innern Ausgekostetes antrifft, die deshalb Innen und Außen manchmal kaum unterscheidet, für die das Leben ein Traum, der Traum ein Leben wird. Ein unerwarteter, sonderbarer Zusammenhang von Literatentum und Mystik stellt sich her. Und eben dieser ist für den Charakter der Frühromantik konstitutiv und macht es verständlich, daß sie zuerst in einer Stadt wie Berlin gedieh.

Unmerklich gleitet Tieck in die neue Weise hinüber, um derentwillen ihn künftige Dichter bis zu Eichendorff und sogar bis zu Mörike als ihren Erwecker schätzen werden. 1797 erscheint ein Buch mit dem verwirrenden Titel «Volksmärchen von Peter Leberecht». «Peter Leberecht» weist zurück auf den im Sinne Nicolais vernünftigen und ersprießlichen Geist. Wie kommt Peter Leberecht aber dazu, als Märchendichter aufzutreten? Es könnten ironisch erzählte Märchen in der Manier des Musäus sein, der seinerzeit ja gleichfalls in Nicolais Firma gearbeitet hatte. Sie sind

22 Hofmannsthal, Gesammelte Werke, Aufzeichnungen, Frankfurt a.M. 1959, S. 213.

aber ebenso wenig, oder besser: nicht mehr und nicht minder ironisch als der «Peter Leberecht» selbst. In seiner völligen Indifferenz ist Tieck imstande, alle Töne, auch schlichteste, kindlichste, vorzutragen. Und wieder wäre es durchaus unangebracht, von Heuchelei zu sprechen. Heucheln können nur Menschen, die wirklich anders sind, als wie sie scheinen. Tieck aber – um es unsanft und paradox zu sagen – ist eigentlich nichts und eben deshalb ohne heimlichen Vorbehalt zu allem fähig. So stimmt er sich denn vorübergehend auf die herzlich-innige Andacht seines Freundes Wackenroder, altertümelt und faltet die Hände vor dem Wunder der heiligen Kunst. So schreibt er die Märchen, einfältiglich – es wäre ihm ebenso zuzutrauen, daß er verruchteste Dinge erzählte. Doch davon hat er einstweilen genug. Und außerdem eignen sich Märchen besser, das Traumbewußtsein zu erzeugen, das seit der Arbeit am «William Lovell» sich jederzeit zu melden bereit ist.

Ganz eigenartig, zugleich bezaubernd und verstörend, ist dieses Gefühl von Fremde, Nichtigkeit und Traum in der Märchennovelle «Der blonde Eckbert» ausgebreitet, einem der seltsamsten Vorkommnisse der Literatur. Wir fangen an zu lesen, wir lesen zu Ende und sind noch völlig ratlos – ratlos und doch festgebannt. Was will der Dichter denn überhaupt sagen? Eckbert wohnt mit seiner Gattin Berta auf einer Burg im Harz. Die Ehe ist kinderlos. Ein Freund des Hauses, Walter, kommt zu Besuch. Berta erzählt von ihrer Jugend. Sie ist in Armut aufgewachsen, von den Eltern schlecht behandelt worden und eines Tages entflohen. Im Wald begegnet sie einer Alten. Diese nimmt sie mit in ihre Hütte, wo sie für ein Hündchen und einen Vogel sorgen muß. Der Vogel legt Eier mit Perlen darin und singt ein Lied von der Waldeinsamkeit. Eines Tages, wie die Alte schon längere Zeit abwesend ist, kann Berta der Sehnsucht, in die Welt zurückzukehren, nicht widerstehen. Sie bindet den Hund an. Den Vogel nimmt sie mit, auch ein Gefäß voll Edelsteinen, das der Alten gehört. In einer Nacht singt der Vogel wieder das Lied von der Waldeinsamkeit, aber mit verändertem Text, der von Reue spricht. Berta, voll Angst, erwürgt den Sänger. Dann findet sie Eckbert und wird seine Frau. Bei ihrer Erzählung hat sie sich nicht auf den Namen des Hündchens besinnen können. Walter aber sagt beim Abschied:

«Ich kann mir euch recht vorstellen, mit dem seltsamen Vogel, und wie ihr den kleinen Strohmian füttert[23].»

Der Mann, der so unbegreiflich Bescheid weiß, erfüllt die Gatten mit Entsetzen. Eckbert hält es nicht länger aus und tötet ihn; Berta stirbt vor Grausen. Viele Jahre später schließt sich ein junger Ritter Eckbert an. Eckbert erzählt ihm den Mord, bereut sein Geständnis, forscht im Gesicht des Freundes und erkennt auf einmal Walter. Er flieht. Und wieder begegnet er Walter. Dann geht die Novelle so zu Ende:

«Er stieg träumend einen Hügel hinan; es war, als wenn er ein nahes munteres Bellen vernahm, Birken säuselten dazwischen, und er hörte mit wunderlichen Tönen ein Lied singen:

Waldeinsamkeit
Mich wieder freut,
Mir geschieht kein Leid,
Hier wohnt kein Neid,
Von neuem mich freut
Waldeinsamkeit.

Jetzt war es um das Bewußtsein, um die Sinne Eckberts geschehen; er konnte sich nicht aus dem Rätsel herausfinden, ob er jetzt träume, oder ehemals von einem Weibe Berta geträumt habe; das Wunderlichste vermischte sich mit dem Gewöhnlichsten, die Welt um ihn her war verzaubert, und er keines Gedankens, keiner Erinnerung mächtig.

Eine krummgebückte Alte schlich hustend mit einer Krücke den Hügel heran. Bringst du mir meinen Vogel? Meine Perlen? Meinen Hund? schrie sie ihm entgegen. Siehe, das Unrecht bestraft sich selbst: Niemand als ich war dein Freund Walter, dein Hugo. –

Gott im Himmel! sagte Eckbert stille vor sich hin – in welcher entsetzlichen Einsamkeit hab ich dann mein Leben hingebracht! –

Und Berta war deine Schwester.

Eckbert fiel zu Boden.

Warum verließ sie mich tückisch? Sonst hätte sich alles gut

23 Tieck, Schriften, 4. Bd., S. 162.

und schön geendet, ihre Probezeit war ja schon vorüber. Sie war die Tochter eines Ritters, die er bei einem Hirten erziehn ließ, die Tochter deines Vaters.

Warum hab ich diesen schrecklichen Gedanken immer geahndet? rief Eckbert aus.

Weil du in früher Jugend deinen Vater einst davon erzählen hörtest; er durfte seiner Frau wegen diese Tochter nicht bei sich erziehn lassen, denn sie war von einem andern Weibe. –

Eckbert lag wahnsinnig und verscheidend auf dem Boden; dumpf und verworren hörte er die Alte sprechen, den Hund bellen, und den Vogel sein Lied wiederholen[24].»

Das ist in kurzen Zügen der Inhalt. Er setzt uns in nicht geringe Verlegenheit. Wer eine Geschichte liest, sucht einen Zusammenhang, einen Sinn, zuerst unsicher; dann tastet man sich mit immer größerer Zuversicht weiter. Einen solchen Leser setzt selbstverständlich auch Tieck im «Blonden Eckbert» voraus; man kann gar nicht anders lesen. Aber nun legt er es darauf an, jedwede Ahnung von Sinn und Zusammenhang alsbald wieder Lügen zu strafen. Manche Interpreten erklären, das Ganze besage, daß alle Schuld, und sei es auch spät, gesühnt werden müsse. Vergangenes Unrecht bleibe gegenwärtig, obgleich die Zeit vergehe, so wie der Vogel und Walter noch leben, obwohl sie längst getötet sind. Doch diese Erklärung trifft das nicht, was uns so seltsam, so geisterhaft anrührt. Ist Walter, die Alte, vielleicht ein Symbol der menschenfeindlichen Schicksalsmacht? Warum dann aber der Vogel mit seinem holden Lied von der Waldeinsamkeit? Redet der Dichter von der Natur, die unverständlich, bald zum Entzücken, bald zum Entsetzen, waltet und webt? Dem widerstreitet die geistreiche Bosheit Walters beim unauffälligen Nennen des vergessenen Namens des Hündchens. Keine Erläuterung paßt zum Ganzen. Wir haben beim letzten Satz den Eindruck, daß alles sich gegenseitig aufhebt, und fühlen den Boden unter uns schwinden.

Nach der Lektüre des «Lovell» aber dürfen wir uns gerade über ein solches Irrsal nicht mehr verwundern. Es gibt nur Veränderung; wer sie vernünftig erfassen will, sieht sich betrogen.

24 a.a.O. 4. Bd., S. 168 f.

Die Einsinnigkeit der Zeit ist untergraben; Tote sind wieder lebendig; Geschehenes wird ungeschehen. Die Dinge folgen aufeinander wie im Bewußtsein eines Träumers. Auch Eckberts Ohnmacht ist die des Traums. Am Anfang scheinen Wirklichkeit und Traum noch unterschieden zu sein. Sobald der Name «Strohmian» fällt, ist keine Grenze mehr erkennbar. Von vornherein wird die Realität ja auch so flüchtig hingetuscht, damit sie bei der ersten leisen Berührung mit der Welt des Traums in eine einzige fluktuierende Stimmung zusammenrinnen kann. Die Dinge sind fern, substanzlos, ungreifbar und eben deshalb von einer unerhörten Intensität. In der einzigartigen Stimmungsdichte besteht der poetische Reiz des Werks. Die Stimmung wiederum wird, wie in der späteren hochromantischen Lyrik, gefestigt durch eine Art Refrain: die Einheit des fließenden Zaubers verbürgt der dämonische Vogel mit seinem Lied. Als Ganzes ist dieses Lied in sämtlichen Variationen nicht viel wert. Es lebt von dem Wort «Waldeinsamkeit». Doch dieses Wort hat Tieck erfunden. Seine Freunde waren der Meinung, so könne man auf deutsch nicht sagen; es müsse «Waldeseinsamkeit» heißen[25]. Er ließ es sich aber nicht ausreden, und die Geschichte gab ihm recht. Die Wortbildung hat sich eingebürgert. Eichendorff verwendet sie gern.

«Da ruhe ich auch und über mir
Rauschet die schöne Waldeinsamkeit.»

Das klingt nun freilich ungleich schwingender, inniger, tröstlicher als bei Tieck. Denn Eichendorffs Waldeinsamkeit empfängt den müden Wanderer am Abend. Wir halten die Arbeit ums tägliche Brot, den leidigen Alltag des Dichters daneben und fühlen gerade deshalb, wie schön, wie wunderbar Waldeinsamkeit ist. Bei Tieck ist nichts daneben zu halten. Das Wort steht ohne Beziehung da. Es schwirrt wie ein Phantom in der Luft, ein Ton, man weiß nicht woher und wohin. Dennoch, Tieck ist der Erfinder jener romantischen Stimmungskunst, die von Brentano bis zu Heine den Ruhm der deutschen Dichtung bildet. Aus Literatentum und Langeweile klingt, noch ungewiß und unverbindlich,

25 a.a.O. 26. Bd., S. 476ff.

die Stimme auf, die andre betörende Stimmen weckt und ringsum ungeahnte Möglichkeiten der Poesie entbindet.

Die Stimmungskunst ersetzt geradezu die Einheit des Gedankens oder der Fabel, die Tieck in der überlieferten Literatur vorfand. Es lohnt sich also in der Regel nicht, nach tiefen Problemen oder nach der Prägnanz der Handlung zu fragen. Der Dichter, der Böhme wiederentdeckt und als Verkünder Fichtes gilt, hat – von den flüchtigen Reflexionen im «William Lovell» abgesehen – keine Ahnung von Philosophie und scheint der gedanklichen Konzentration überhaupt nicht fähig zu sein. Ebensowenig liegt ihm – in der Zeit, die uns beschäftigt – an einprägsamer epischer Erfindung. Er fabuliert absichtlich wirr oder schöpft aus entlegenen Quellen, zu denen vor allem die alten Volksbücher gehören. Und immer geht es ihm einzig um einen materiellen Träger, dessen jede Stimmung denn doch bedarf, wenn sie nicht ganz zu Musik werden soll. Die «Liebesgeschichte der schönen Magelone und des Grafen Peter von Provence» lebt von den reichlich eingestreuten Liedern; und in diesen Liedern ist es die «grüne dämmernde Nacht», die gleichsam als Tonica der weichen Harmonik wirkt. Die «Genoveva» geht geradezu aus der schwachen Erinnerung an ein Lied mit Reimen auf «Weiden» in einem Bühnenstück Maler Müllers hervor[26]. Und in «Franz Sternbalds Wanderungen» irrt der Klang des Waldhorns wie ein Echo durch deutsche und südliche Länder.

Wenn wir nun freilich, angemutet von solchen lyrischen Reizen, meinen, Ludwig Tieck bezeuge sich wohl am reinsten in seiner Gedichtsammlung, so werden wir einigermaßen enttäuscht. Einzelne Verse schmeicheln sich ein, kaum je aber ganze Gedichte. Überdies ergibt sich, daß die meisten in eine Geschichte oder ein Schauspiel eingelegt gewesen und dann herausgelöst worden sind. Das hat seine Gründe. Tieck ist so schwerelos, daß ihn der zarteste Hauch bewegt. Und wie er selber nur leise berührt wird, so rührt er auch uns nur leise an. Wer sich leicht zu machen versteht, den nimmt er in seine Bewegung mit. Wer aber feststeht, den zu rühren, hat dieser Dichter keine Gewalt. Den muß

26 a.a.O. 1.Bd., S. XXVIf.

er erzählend vorbereiten. Er muß die Welt zuerst aufbauen, in der die Stimmung stattfinden kann. Innerhalb seiner Geschichten und Dramen wirken die Lieder wie eine letzte Verflüchtigung eines Dufts in der Luft. So etwa das folgende, das erklingt, nachdem der Wehmutsschimmer um die einsam wandernde Magelone in der Erzählung längst gebührend heraufbeschworen worden ist:

«Wie schnell verschwindet
So Licht als Glanz,
Der Morgen findet
Verwelkt den Kranz,

Der gestern glühte
In aller Pracht,
Denn er verblühte
In dunkler Nacht.

Es schwimmt die Welle
Des Lebens hin,
Und färbt sich helle,
Hats nicht Gewinn;

Die Sonne neiget,
Die Röte flieht,
Der Schatten steiget
Und Dunkel zieht;

So schwimmt die Liebe
Zu Wüsten ab,
Ach! daß sie bliebe
Bis an das Grab!

Doch wir erwachen
Zu tiefer Qual:
Es bricht der Nachen,
Es löscht der Strahl,

Vom schönen Lande
Weit weggebracht
Zum öden Strande,
Wo um uns Nacht[27].»

27 a.a.O. 4. Bd., S. 339 f.

Eines der schönsten Gedichte Tiecks! Doch ob es auch hörbar geworden ist? Wir lauschen aufmerksamer hinein. Bemerkenswert ist, daß wir keine bestimmte Situation zu erkennen vermögen. Eichendorff wandert im Wald; der junge Goethe steht im Ruderboot. Tieck jedoch oder die Stimme, die dieses Lied vorträgt, ist irgendwie da, wir können nicht sagen, wo und wie. Der Kranz, der Abend, der Nachen: vielleicht ergibt das ein einziges Bild. Doch wir verzichten darauf, es zusammenzufügen. Vergänglichkeitstrauer hascht beliebig bald hier, bald dort Motive auf: das Welken, das Dunkelwerden, das Gleiten auf Wellen des Lebens zum öden Strand. Auf die dritte Strophe, die lautet:

«Es schwimmt die Welle
Des Lebens hin,
Und färbt sich helle,
Hats nicht Gewinn...»

müßte, so scheint es, die fünfte folgen:

«So schwimmt die Liebe
Zu Wüsten ab...»

Dazwischen stehen nun aber die Verse:

«Die Sonne neiget,
Die Röte flieht,
Der Schatten steiget
Und Dunkel zieht.»

Die Färbung der Welle hat den Dichter offenbar abgelenkt; er streift an Sonne, Röte und Abend vorüber; dann kehrt er wieder zum «Schwimmen» zurück. Noch unbekümmerter läßt er sich in den beiden letzten Strophen gehen:

«Doch wir erwachen
Zu tiefer Qual...»

Das würde sogleich die Fortsetzung fordern:

«Vom schönen Lande
Weit weggebracht...»

Nun schieben sich aber die Verse ein:

«Es bricht der Nachen,
Es löscht der Strahl...»

die gleichsam in Klammern zu setzen wären.

Die Meinung ist nicht, dergleichen störe die Wirkung des Ganzen. Im Gegenteil! Gerade in solchen Anomalien flößt sich der Dichter unserm Gemüt ein, Ludwig Tieck, das schwankende Rohr, das Spiel von jedem Druck der Luft, der keinen Boden und Halt mehr kennt und eben darin eine neue Quelle des Dichterischen entdeckt. Noch andere Fahr- oder Nachlässigkeiten tragen zu diesem Eindruck bei. «So Licht als Glanz» – wie fast im Halbschlaf werden hier kaum unterschiedene Glieder durch ein «sowohl – als auch» verbunden. «Es schwimmt die Welle» – Wellen, die schwimmen? «Vom schönen Lande weit weggebracht» – «weggebracht» ist gewiß nicht der richtige Ausdruck, wenn die Welle ja doch die Liebe zum öden Strand verschlägt. «Die Sonne neiget» statt «neiget sich». «Der Strahl löscht» statt «der Strahl erlischt». Das geht in einem so kurzen Gedicht doch über das zuzugestehende Maß der lyrischen Lizenzen hinaus. Wenn Tieck sie aber vermieden, wenn er gewissenhafter gearbeitet hätte, wären die Strophen nicht, was sie sind: Zeugnis eines gewichtlosen Daseins, das, eben um seiner Leere willen, unendlich bestimmbar und reizbar ist, eines wendigen, ungebundenen Geistes, der, weil er des Ziels entbehrt und nichts mehr standhaft durchzuführen vermag, mit feinerem Ohr das Rieseln der Vergänglichkeit im Inneren hört, nicht minder aber auch huschende Lichter und Klänge zarter registriert, gemäß den schwebenden Zeilen am Ende von «Franz Sternbalds Wanderungen»:

«Wundervollem Glanz und Weben
Hingegeben[28].»

Wir sind damit schon nahe bei Brentanos Fischer auf dem Rhein, der nach dem Tod der Geliebten, gleichfalls mit gelähmtem Willen und von keiner Ordnung mehr behütet, in seinem

28 a.a.O. 16.Bd., S.414.

Boot den Rhein hinabfährt, allen vorüberfliehenden Schauern und Entzückungen ausgesetzt. Die Hingabe müßte nur noch unbedingter, vertrauensseliger sein, und wir wären im Bannkreis jener Magie, die dann in der Heidelberger Romantik ihre betäubenden Blüten treibt, so mächtig, daß sie schon Eichendorffs Frömmigkeit wieder behutsam einschränken muß. Doch diese Entwicklung, die er selber vorbereitet, macht Tieck nicht mit. Das Mißvergnügen, das Wählerische, die Unrast dessen, der alles kennt, die frostige rationale Skepsis, in der er aufgewachsen ist, gehört noch immer zu seiner Natur und läßt nicht zu, daß «mondbeglänzte Zaubernacht», wie er so gerne möchte, seinen «Sinn gefangen hält».

Kaum hörbar, doch verständlich flüstert uns dies schon Magelones Lied zu. Brentano, wenn er abgeirrt wäre, hätte sich kaum mehr besonnen und hinter die Parenthese zurückgegriffen. Auch jene logische Konjunktion, die keinen Sinn hat, aber doch eine gewisse verständige Kühle verbreitet: «*Denn* er verblühte» träfe man bei Brentano in solcher Umgebung kaum. Das sind nun freilich Imponderabilien, die kein verbindliches Urteil gestatten. Doch wie man sie auch bewerten mag: Wir trauen diesem Gedicht nicht ganz. Und unser Gefühl bestätigt sich, wenn wir noch Tiecks Komödien prüfen, die wenig später, 1797 und 1798, entstanden sind.

Der Titel der ersten: «Der gestiefelte Kater, ein Kindermärchen in drei Akten», legt die Vermutung nahe, der Dichter probiere nun auf der Bühne, was er soeben unter dem Namen Peter Leberecht in der Maske des Märchenerzählers vorgelegt hat. Doch nicht nur die Märchenfiguren, sondern auch einige Zuschauer treten auf. Die erste Szene spielt im Parterre. Theater im Theater also, was schon im Barock vorkommt und Tieck vermutlich bei Holberg gefunden hat. Das Publikum besteht aus banausischen Bürgern, die die Vernunft und den sogenannten guten Geschmack vertreten. Einer ist Böttiger, der bekannte Weimarer Gymnasialdirektor, der vor kurzem eine pedantisch-subtile Lobschrift über die Kunst des Schauspielers Iffland veröffentlicht hatte. Wir glauben also im Bild zu sein und eine Satire auf den Geist der Aufklärung, dem kindliche Märchen nicht behagen, erwarten zu dürfen.

Und in der Tat, es fängt so an. Bald aber geraten auch einige Märchenfiguren hin und wieder in den Ton der Empfindsamkeit und der Moral, mit dem sich, nach unsrer Voraussetzung, nur das Publikum kompromittieren sollte. Und andrerseits schlägt die Einfalt unversehens in eine Dümmlichkeit um, die Tieck gewiß so wenig vertreten will wie die Moral und den guten Geschmack. Wer wird nun eigentlich verspottet? Wovon geht die Satire aus und gegen wen ist sie gerichtet? Dann fallen die Schauspieler aus der Rolle. Der König will nicht mehr auftreten, weil sich das Publikum über ihn lustig gemacht hat. Der Maschinist und der Dichter reden über die Chancen der Aufführung, und zwar in der Märchenspielszenerie; man hat den Vorhang zu früh aufgezogen. Aber auch damit noch nicht genug! Figuren des Märchenspiels beginnen, mitten in der Handlung selbst, das Märchenspiel zu kritisieren. Und schließlich wird gar erwogen, ob das Publikum im «Gestiefelten Kater» wenigstens gut gezeichnet sei, worauf im Parterre einer bemerkt, es komme im «Gestiefelten Kater» doch überhaupt kein Publikum vor, und die verdutzte Frage stellt:

«Sagt mir nur, wie das ist – das Stück selbst – das kömmt wieder als Stück im Stücke vor[29].»

Die Konfusion ist allgemein und wird auch dadurch nicht behoben, daß uns das Publikum recht gibt, indem es selber fast den Verstand verliert. Denn das Verlieren des Verstandes ist ja seinerseits Spiel im Spiel.

Ein munterer, wenigstens bei der ersten Lektüre höchst amüsanter Scherz! Doch wieder bleibt zuletzt ein unbehagliches, man möchte fast sagen, unheimliches Gefühl zurück. Wir haben uns dem Kindersinn des Tieckschen Märchens anvertraut und ziehen mit langer Nase ab. Nicht besser wäre es uns ergangen, wenn wir uns auf seine bezaubernde Stimmungskunst eingelassen hätten. In einer andern Komödie, in der «Verkehrten Welt», begegnen wir Versen, die zu den stimmungsvollsten der ganzen deutschen Literatur gehören, die fast – es ist kein Zufall – an Hugo von Hofmannsthals lyrische Dramen erinnern. Ein auf einen Felsen im Meer verschlagener Matrose spricht:

29 a.a.O. 5.Bd., S.255.

«Seltsam klingt
Der Zug von Wasservögeln über mir;
Wie grauenhaft dehnt sich die Dunkelheit
So tief hinaus und dämmert ungewiß
Vom Widerschein der Sterne in der Flut;
Bald spricht die Welle wie mit Menschenstimmen
Und höhnt mein einsam Leiden boshaft spottend;
Bald sieht mein schwindelnder Blick in grauer Ferne
Ein Land so wie in Wolken stehn, mit Bergen,
Mit Bäumen ausgeschmückt, und meine Sehnsucht
Vernimmt ein Waldgeräusch, der Äxte Klang,
Den Fall der Bäume: dann vergeß ich wohl,
Daß diese Klippe meine Heimat ist. –

(Die Sonne geht auf)

Mit welcher Wonne füllt mich dieser Blick
An jedem Morgen! Furchtbar majestätisch
Ergießt aus allen Quellen sich der Strom
Des purpurroten Glanzes, goldne Schimmer
Entsprühen funkelnd aus der grünen Flut;
Die Wogen klingen bis zum Grund der Tiefe
Geheimen Lobgesang, die Adler ziehn
Aus ihren Nestern übers Meer dahin
Und fliegen mit dem Gruß der Sonn' entgegen.
Was ist der Mensch, daß er um Leiden jammert[30]?»

Wie aber endet die Szene? Der Matrose wird gerettet und sagt:

«Freunde, ihr glaubts nicht, wenn mans auch erzählt,
Wie sehr es an guter Gesellschaft fehlt;
Man ist nur immer mit sich allein,
Da mag der Henker lange verständig sein:
Man lebt hier beinahe wie auf dem Land,
Keine Neuigkeit kömmt einem zur Hand,

30 a.a.O. 5. Bd., S. 402. Der Name des Matrosen, «Seelmann», könnte nach engl. sailor gebildet sein, aber auch auf eine literarische Gestalt hindeuten, die Tieck parodiert, die ausfindig zu machen mir aber nicht gelungen ist.

Von Maskeraden schweig ich nun gar und von Bällen,
Die einzige Unterhaltung sind die Meereswellen;
Ja, vernehmt ihr erst alle meine Klagen,
Was, Freunde, werdet ihr dann wohl sagen?
In dieser weiten Ferne konnt' ich den Souffleur nicht spüren,
Und doch mußt' ich einen großen Monolog rezitieren[31].»

Wir denken natürlich sogleich an Heine, der solche Künste Tieck denn auch gelehrig abgelauscht haben mag. Aber bei Heine wissen wir schließlich, wo er steht und wie wir die witzigen Peripetien zu nehmen haben. Wo steht Tieck? Die Komödien behaupten eine universale Freiheit. Der Dichter ist nirgends und überall, bereit, sich zu den Bürgern und ihrem gesunden Menschenverstand wie zu der Wunder- und Traumpoesie zu schlagen und ebenso von dieser wie von jenen sich jederzeit wieder zu lösen. Er bindet sich an nichts, verpflichtet sich zu nichts, gefällt sich – jetzt, da er sämtliche Töne mischt – in universaler Ironie und trägt dabei die heiterste Miene zur Schau. Es macht ihm Spaß, daß die Bühne erlaubt, Geschöpfe zu setzen und abzusetzen, den Standpunkt zu wechseln, eine einmal gewählte Perspektive zu ändern und Räume und Zeiten zu relativieren, indem er den Schöpfer der Märchenwelt, den Maschinisten oder den Dichter, ebenfalls in das Spiel einführt. Das Stück im Stück: das ist das Abbild eines Ich, das denkt, daß es denkt, das sich in potenzierter Reflexion über alle Dinge erhebt.

Einen geradezu göttlichen Rang scheint Tieck sich damit anzumaßen. Doch wir erinnern uns, schon in einem andern Werk gelesen zu haben: «Die Wesen *sind*, weil wir sie *dachten*», «Phantome der inneren Einbildung». Die Komödien ziehen aus diesem Satz die letzte poetische Konsequenz. Wir haben also die Stufe des «William Lovell» immer noch nicht verlassen oder wir kehren auf sie zurück, nur daß sich der Kreis des Indifferenten noch um die Zone der neuen poetischen Möglichkeiten erweitert und die Langeweile in ein Gefühl von Souveränität verwandelt hat. Indes, wie ist es in Wahrheit um diese Souveränität des absoluten, gött-

31 a.a.O. 5.Bd., S. 404.

lich spielenden Geistes bestellt? Dem Dichter des «Lovell» sowohl wie dem Komödiendichter gilt alles gleich. Doch in dem Begriff «gleichgültig» lauert eine tiefsinnige Zweideutigkeit. In Goethes «Sommernacht» lesen wir:

«Denn vor Gott ist alles herrlich,
Eben weil er ist der beste.»

Das ist die gleiche Geltung aller Wesen in der Allgegenwart dessen, der sie geschaffen hat und erhält. Dem endlichen Menschen dagegen können alle Geschöpfe nur gleich viel gelten, wenn ihm alle – im abschätzigen Sinne des Worts – gleichgültig sind. Drum kündigt sich, wie in Lovells Langeweile der Traum und das göttliche Spiel, in dem göttlichen Spiel der Komödien wieder die Langeweile Lovells an und sind wir nicht glücklich, wenn uns der Dichter nach all den Schnurren und Schnaken entläßt. Wir ahnen etwas von dem Geschick, das keine List und keine noch so bewegliche Kunst zu wenden vermag: daß sich der Mensch im selben Grad, in dem er sich Gott zu nähern versucht, dem anderen Ende nähert: dem Nichts.

Hier halten wir inne. Was Tieck nach 1800 in seinem langen Leben noch alles geleistet hat, kommt für uns in diesem Zusammenhang nicht in Betracht. Die Frage, von der wir ausgegangen sind, gilt dem Ursprung der deutschen Romantik. Wie sich der Geist, den wir als frühromantischen zu bezeichnen gewohnt sind, in einem Einzelnen unter den sonderbarsten Voraussetzungen entwickelt, haben wir stufenweise verfolgt. Daß dieser Einzelne dabei nach Möglichkeit isoliert worden ist, hat seine guten methodischen Gründe. Einflüsse nämlich erklären nichts. Wir haben umgekehrt zu erklären, warum ein Autor zu Zeiten für bestimmte Einflüsse offen ist, zu anderen Zeiten sich wieder verschließt, warum auf einmal eine Gemeinschaft der Geister entsteht und wieder zerfällt. Davon allerdings muß jetzt noch in wenigen Worten die Rede sein.

Wir sind uns klar darüber geworden, daß Tieck sich weder in jungen Jahren noch später je nachhaltig und ernst mit tieferen Fragen des Lebens befaßte. Er war und blieb ein hochbegabter, doch oberflächlicher Literat und wurde als solcher auch von einigen seiner Gefährten ein wenig belächelt. Dennoch – und eben dies erweckt das höchste geschichtliche Interesse – erschien er als der dichterische Mittelpunkt des frühromantischen Kreises und wuchs sein Ansehen nach der Jahrhundertwende noch so unaufhaltsam, daß er, der Gefeierte und Verwöhnte, selbst nicht mehr lächerlich wurde, wenn er sich neben Goethe zu stellen wagte. Möglich war dies deshalb, weil er mit unwahrscheinlicher Präzision, in seiner leichten, gewandten Art, und obendrein noch meist als erster, dichterisch auszusagen verstand, was den Forderungen des Tages entsprach und die Keime des Künftigen in sich trug. 1794 hatte er seinen «William Lovell» begonnen. 1795 entstand die Abhandlung Friedrich Schlegels «Über das Studium der griechischen Poesie», in der an bedeutender Stelle gleichfalls Hamlets Schatten beschworen und die Anarchie der modernen Welt, das schlaffe, in seiner Langeweile auf Abwechslung erpichte Jahrhundert mit Farben gemalt wird, die aus der Palette von Tiecks Helden stammen könnten[32]. Wie aber der Ekel Lovells in die Lust an Spiel und Traum umschlägt, so Friedrich Schlegels vernichtendes Urteil in eine Bejahung des «Interessanten», der Ungebundenheit des Geistes, der universalen Ironie, die einzig setzt, um aufzuheben, und keine Verpflichtung anerkennt. Schlegel fühlte sich zu dieser Wendung durch Fichtes «Grundlage der gesamten Wissenschaftslehre» ermutigt, die kurze Zeit nach den ersten Büchern des «William Lovell» erschienen war. Tieck und Fichte haben sich menschlich nie besonders gut verstanden. Es ist auch nicht anzunehmen, daß Tieck befähigt oder auch nur bereit war, sich in die abstrakten Gedankengänge der «Wissenschaftslehre» zu vertiefen. Er ließ sich durch Schlegel darüber berichten und legte sich die Sache rasch nach seinem eigenen Sinne zurecht. Dennoch treten auch hier – in Mißverständnissen und in halbem Verstehen – die sonderbarsten Bezüge zutage. Fichtes absolutes Ich – im Grunde ein anderer Name für Gott –, das sich ein Nicht-Ich entgegenstellt, um sich zu begrenzen und Stoff für eine moralische Tätigkeit zu finden, verwechselte Tieck – wie schon Friedrich Schlegel, nur noch unbekümmerter – mit dem empirischen Ich

32 Jetzt am besten zugänglich in Friedrich Schlegel, Kritische Schriften, hg. von W. Rasch, München, o.J. Vgl. S. 113ff. und S. 136.

des Selbstbewußtseins. So wurde, was bei Fichte noch rigoroseste sittliche Forderung war – ein Aufruf, die Gewalt der unserer Freiheit feindlichen Welt zu brechen –, bei ihm zur Apotheose seines eigenen subjektiven Geistes und zur Sanktion der Willkür. Er konnte meinen, Fichteaner avant la lettre gewesen zu sein, wenn er sich auf den Vers besann: «Die Wesen sind, weil wir sie dachten»; und das «Ich denke, daß ich denke» seiner Komödien erschien ihm erst recht als Darstellung und, je nach Laune, als Parodie der Fichteschen Lehre.

Blicken wir noch zu Novalis hinüber, so glauben wir abermals, eine täuschend ähnliche, dann aber doch wieder ganz andere Physiognomie zu erkennen. «Wird nicht die Welt am Ende Gemüt[33]?» So faßt Novalis einmal seine mystisch-magische Hoffnung zusammen. Wir würden in sämtlichen Schriften Tiecks vergeblich nach einer Äußerung suchen, die sich an innigem Ernst mit diesem Satz und allem, was zu seiner Umgebung gehört, vergleichen ließe. Dennoch durfte Tieck sich schmeicheln, ihn mit der Traum- und Stimmungskunst der Märchen vorbereitet zu haben. Und Novalis selber bestätigte ihn aufs liebenswürdigste in dieser Ansicht, wenn er ihm schrieb:

«Noch hat mich keiner so leise und doch so überall angeregt wie Du. Jedes Wort von Dir versteh ich ganz. Nirgend stoß ich auch nur von weitem an. Nichts Menschliches ist Dir fremd – Du nimmst an allem teil – und breitest Dich, leicht wie ein Duft, gleich über alle Gegenstände und hängst am liebsten Dich an Blumen[34].»

Wie konnte es nur zu einer so eigenartigen Übereinstimmung – oder sagen wir besser: zu einem solchen Gefühl von innerer Verwandtschaft kommen? Es war nicht gut begründet und hielt denn auch nur wenige Jahre vor. Das Phänomen bleibt aber erstaunlich, erstaunlich das gleichzeitige Erklingen so vieler ähnlicher Stimmen, und am erstaunlichsten der Umstand, daß Tieck es ist, der präludiert. Wenden wir uns noch einmal zu der Ausgangssituation zurück. Der Sturm und Drang ist vorübergerauscht. Die

33 Novalis, Schriften, hg. im Verein mit R. Samuel von P. Kluckhohn, Leipzig, o.J., 3. Bd., S. 298.
34 Novalis, 4. Bd., S. 294.

damals, also vor mehr als zwei Jahrzehnten ausgestreuten Keime haben sich, wenigstens vor den Augen der Öffentlichkeit, nicht weiter entwickelt. Am Anfang der neunziger Jahre sieht man in Goethe noch immer den Dichter des «Werther» und hält ihn im übrigen für erschöpft. Auch Schiller glaubt man als Adler mit gebrochenen Schwingen bedauern zu müssen. Es ist, als hätte sich weiter nichts als ein seltsames Intermezzo ereignet. Die altgewordenen Autoritäten, die schon wankten, setzen sich wieder behaglich auf ihren Stühlen zurecht. Nur wenige wissen, was in der Stille in Weimar und in Jena geschieht. Und nun, ganz plötzlich, treten Goethe und Schiller mit glänzenden Taten hervor. 1794 werden die «Horen» begründet; in den nächsten Jahren erscheinen die Elegien, Schillers philosophische Lehrgedichte und ästhetische Schriften, Goethes «Hermann und Dorothea» und insbesondere «Wilhelm Meister». Die «Xenien» räumen den ganzen Wust der papierenen Literatur beiseite. Wir gehen weiter nicht darauf ein, wie sich die jungen Talente jeweils zu den einzelnen Werken stellen. Friedrich Schlegel kennt im Lob des «Wilhelm Meister» keine Grenzen; Novalis bezeichnet dasselbe Buch als «Candide gegen die Poesie[35]». Schiller ist für Schlegel zuerst in kulturgeschichtlichen Fragen die höchste Instanz und dann, als Denker wie als Dichter, nur noch ein Spott und Gelächter. Es hätte auch anders kommen können. Wichtiger als die schwankenden Meinungen, Feindschaften und Parteilichkeiten ist die gemeinsame Stimmung, das Lebensgefühl, das diese Jugend erfüllt. Sie ist in Verdrossenheit aufgewachsen und sieht sich unversehens im Besitz eines literarischen Erbes von größtem Ausmaß, zu dessen Erwerb sie gar nichts beigetragen hat, das aber nun alle findigen Köpfe zu einer unendlichen Tätigkeit anregt. Sie fangen nicht mehr, wie Goethe und Schiller, mit der Erfahrung der Fremde des Lebens an, sondern mit der Literatur, nicht mit der beklommenen Frage nach dem Verhältnis des Menschen zu seiner Welt, sondern unmittelbar mit dem «Wilhelm Meister», nicht mit der Betrachtung ungezählter Pflanzen und Tiere, sondern gleich mit Goethes naturwissenschaftlichen Schriften, nicht mit den Zwei-

35 a.a.O. 3. Bd., S. 314.

feln an sich selber neben dem größeren Freund, sondern ohne weiteres mit der Studie «Über naive und sentimentalische Dichtung». In diesem literarischen Tun geht alles viel müheloser vonstatten als dort, wo sich die Widerstände der stumpfen Welt bemerkbar machen. Daraus erklärt sich die «Agilität[36]» des frühromantischen Kreises, daraus die Überschätzung der Macht des Subjekts und andrerseits der Glaube an den flüssigen Aggregatzustand der Wirklichkeit – die man von Literatur nicht unterscheiden will oder kann –, erklärt sich also auch sogar das Ineinanderfließen von Innen und Außen, der träumerisch-lyrische-mystische Zug (denn alles ist nur Poesie und Gedanke) und schließlich die Hybris einer eschatologischen Hoffnung, die nichts mehr durch Taten verdienen zu müssen, sondern das Heil als Geschenk erwarten zu dürfen glaubt. Wir sagen: «Es erklärt sich daraus» und meinen damit, die Lage habe die Bahn für solche Naturen freigegeben, wie wir sie nun in mannigfaltiger Weise tätig sehen: für allbewanderte Kritiker, die überall Möglichkeiten wittern, doch keinen Begriff von einer gediegenen Leistung haben und diese Blöße mit Witz und Ironie bedecken; für kombinierende Geister, die mühelos ihre Fäden zwischen weit entlegenen Punkten zu spinnen wissen; auch für Historiker und Übersetzer, die eben deshalb, weil sie keine geprägten Persönlichkeiten sind, sich ohne Vorbehalt in den Charakter ihrer Gegenstände verwandeln. Kein Geschlecht hat je so geschickt aus einer Not eine Tugend gemacht. Die Not ist der Mangel an echter Substanz, das Unsolide des Erben, der jäh zu unermeßlichem Reichtum gelangt ist. Die Tugend ist die Leichtigkeit im Umgang mit tiefsten und schwierigsten Fragen, der auch uns Heutige noch beglückende und belebende Göttertraum von einer Welt, in der sich alles so nach Belieben setzen und beseitigen, trennen und vereinigen ließe wie in einem Buch. Das Unausgewiesene eines solchen Traums, das Fehlen eigentlicher Erfahrung können wir manchmal vergessen, so bei Novalis, bei dem das Geisterlicht des nach dem Schwinden der Geliebten ertasteten Totenreichs sogar die aberwitzigsten Analogien verklärt und der durch überlieferte Poesie und Philosophie vermittelte und trans-

36 F. Schlegel, Kritische Schriften, S. 93 («Ideen»).

parent gewordene Kosmos in reiner Innerlichkeit buchstäblich «aufgeht», das heißt, sich löst und ohne peinlich zu tragenden Erdenrest neu ersteht. Friedrich Schlegel quält uns, wenn er die Kluft zwischen seinen Gedankenabenteuern, in denen er alles erreicht, was er wünscht, und dem unbewältigten Leben mit Zynismus überbrückt. Bei Tieck ist nichts zu überbrücken. Von allem Anfang an zeigt er sich als der vollkommene Literat. Er lebt und webt in der Literatur und scheint von ihrem gespannten Verhältnis zum Leben, das Goethe so viel zu schaffen machte, das Schlegel verleugnen wollte und das Novalis eines Tages zugunsten der mystischen Kontemplation entschied, überhaupt nichts zu wissen. Eben deshalb erfüllt er am genauesten das Gesetz der Stunde und ist er immer als erster zur Stelle. Unbehelligt von einer allzu markierten Individualität und einem in der Person begründeten Schicksal deutet er jede Möglichkeit an, die sich am Ende der Aufklärung und im Schatten der werdenden Klassik ergibt, von Lovells Langeweile bis zur Verflüchtigung aller poetischen Mittel zu Stimmungsschaum und ironischem Spiel. Wir spüren den Hauch von Nichtigkeit, der dieses geschäftige Treiben durchweht. Die meisten seiner Gefährten und Jünger spüren ihn nicht. Sie ehren Tieck als ihren Meister, und zwar mit Recht, da nahezu alles, was sie später Bedeutendes und Bezauberndes schaffen, von ihm zwar nicht bereits zum Leben gebracht, aber angetönt, oft vielleicht freilich sogar nur vorgetäuscht worden ist. Wir müssen ihm gleichfalls die Ehre geben. So schwer es uns eingehen mag, so wenig dieser Dichter der Vorstellung von einem Stifter entspricht: in ihm entdecken wir am deutlichsten den Ursprung der deutschen Romantik.